Dans Le Livre de Poche
« Lettres gothiques »

La Chanson de la croisade albigeoise.
Tristan et Iseut (Les poèmes français – La saga norroise).
Journal d'un bourgeois de Paris.
Lais de Marie de France.
La Chanson de Roland.
Le Livre de l'échelle de Mahomet.
Lancelot du Lac (tomes 1 et 2).
La Fausse Guenièvre (tome 3).
L'Enlèvement de Guenièvre (tome 5).
Fabliaux érotiques.
La Chanson de Girart de Roussillon.
Première continuation de Perceval.
Le Mesnagier de Paris.
Le Roman de Thèbes.
Le Roman d'Eneas.
Le Roman d'Alexandre.
Chansons des trouvères.
Le Cycle de Guillaume d'Orange.
Raoul de Cambrai.
Nouvelles courtoises.
Chrétien de Troyes :
Le Conte du Graal.
Le Chevalier de la Charrette.
Erec et Enide.
Le Chevalier au Lion.
Cligès.
François Villon : Poésies complètes.
Charles d'Orléans : Rondeaux et Ballades.
Guillaume de Lorris et *Jean de Meun :*
Le Roman de la Rose.
Adam de la Halle : Œuvres complètes.
Antoine de La Sale : Jehan de Saintré.
Louis XI : Lettres choisies.
Guillaume de Machaut : Le Livre du voir dit.
Marco Polo : La Description du monde.
Benoît de Sainte-Maure : Le Roman de Troie.

Dans la collection « La Pochothèque »
Chrétien de Troyes : Romans.

LETTRES G

Collection dirigée p

CHRISTINE DE PIZAN

LE CHEMIN DE LONGUE ÉTUDE

Édition critique du ms. Harley 4431,
traduction, présentation et notes
par Andrea Tarnowski

Ouvrage publié avec le concours
du Centre National du Livre

LE LIVRE DE POCHE

Andrea Tarnowski enseigne la littérature française à Dartmouth College (États-Unis). Ses recherches portent sur la littérature française des XIVe et XVe siècles.

À Marie-Anne Pikus-Jamry,
amie fidèle et traductrice de talent

PRÉFACE

De Charles V à Charles VI, du père au fils, l'atmosphère change à la cour de France. Du temps du père, on se préoccupe de l'administration de l'État, de la répartition de ses fonctionnaires, de la reconquête stratégique de terres récemment cédées aux Anglais. Le maître mot est prudence, avec tout ce que le terme dénote pour nous de sagacité, de réserve, de perspicacité, de retenue. Au palais du Louvre, dans une bibliothèque choisie, règnent un goût prononcé pour l'étude et le souci de faire traduire en français des ouvrages importants de la latinité. Prudence encore ; entendons, comme le faisait la langue du XIVe siècle, essentiellement raison et sagesse. Le calme et le désir de savoir se conjuguent pour conférer au roi sa force.

L'époque du fils transforma le calme en turbulence, et la prudence en folie. À la cour du roi Charles VI, on préfère les prouesses physiques aux livres, la recherche du plaisir au recueillement. Charles est très jeune encore lorsqu'il manifeste son indépendance vis-à-vis de ses oncles qui essaient de le régenter : il a vingt ans. Il a un goût marqué pour le faste et les fêtes brillantes. Autour de lui, on s'enivre de beaux idéaux chevaleresques, même si l'exaltation est celle de déchus, de décadents. Très vite, pourtant, la joyeuse vie se teinte de sombres angoisses ; Charles perd de plus en plus la raison, et les luttes de pouvoir qui résultent de son affaiblissement donnent lieu, au cours des années, à l'enlèvement de son fils, au meurtre de son frère

Louis, à la guerre civile. Alors que Charles V s'imposait en restant en retrait, l'œil vif et le regard perçant, Charles VI est, par la force des choses, un homme à qui on en impose ; c'est à juste titre qu'on parle des « absences » du monarque.

Christine de Pizan grandit pendant le règne de Charles V, mais écrit sous le sixième. Née à Venise en 1365, elle arriva à Paris à l'âge de quatre ans, et ne quitta plus la France. Son père, médecin et astrologue formé à la célèbre université de Bologne, avait passé quelques années, en tant que conseiller, auprès de la République vénitienne, avant de se voir invité à faire profiter de sa science l'entourage du roi sage. Charles V appréciait, d'une part, les calculs astronomiques de Thomas de Pizan, qui lisaient les événements terrestres dans les cieux, et donc favorisaient les démarches politiques du monarque ; d'autre part, il devait se féliciter de l'expérience apportée par ce nouveau conseiller italien, venu d'une cité célèbre pour son gouvernement.

Christine se souvient de cette époque avec nostalgie et fierté. Sa famille fut introduite dans le cercle parisien des érudits et des courtisans ; les connaissances de son père, et la confiance du roi en ses talents, assurèrent aux nouveaux venus fortune et réputation. Pour Christine, l'avancement de son père témoigne de la vertu récompensée ; elle vouera toute sa vie un amour au savoir, qui transparaît ici dans l'admiration qu'elle éprouve pour la science de Thomas et pour le discernement du roi qui l'avait appelé à ses côtés.

Le mariage de Christine à quinze ans resserra ses liens avec la cour royale et prolongea la période de son bonheur. Son union avec Étienne de Castel, secrétaire royal, ne dura pourtant que dix ans, avant qu'une maladie n'emporte le jeune mari en 1390. Veuve, Christine fut accablée de tristesse et d'amertume. Elle avait aimé son époux d'amour, comme le début du *Chemin de long estude* l'attestera treize ans plus tard. Maintenant elle se trouvait seule, à la tête d'un foyer qui comprenait ses trois enfants, sa mère, et une nièce. Son père était mort deux ans plus tôt, et Charles V, son protecteur, en 1380.

Elle se fit poète. Le décès d'Étienne l'avait laissée dans la gêne ; écrivant pour gagner sa vie, elle devint, au dire de ses lecteurs modernes, « la première femme de lettres professionnelle » en France. Mais la composition littéraire n'aurait pas pu subvenir à ses besoins, en tout cas dans un premier temps. Peut-être fut-elle également copiste, le travail de secrétaire d'Étienne de Castel l'ayant familiarisée avec les formules et les différentes graphies en usage. Ce qui est certain, lorsqu'on considère son œuvre dans son ensemble, c'est qu'elle acquit au fil du temps d'impressionnantes connaissances en matière de production livresque ; elle transcrivait ses propres textes, les annotait, prévoyait leurs illustrations, et rassemblait ses ouvrages dans des collections fort belles, destinées à plaire à des mécènes importants.

Mais, au début de sa carrière, il ne fut pas encore question d'un tel déploiement de compétences. Attachée à la cour, dépendante de ses goûts, elle s'efforça de composer des ballades et des rondeaux sur le thème de l'amour : ses joies, ses périls et les exploits héroïques auxquels il donne lieu. Elle agrémentait les loisirs du duc d'Orléans, le frère cadet de Charles VI, de sa femme italienne Valentine Visconti, et de leur entourage enjoué. Si elle se livrait parfois à l'expression de ses propres sentiments, son deuil, sa solitude, elle tint compte pour l'essentiel des attentes d'un public assez léger.

Elle demeurait pourtant nostalgique ; son esprit conservait le souvenir de son mari, de son père, du roi qu'elle avait tant estimé. L'ère de Charles V, celle de sa jeunesse, l'aimantait. Elle ressentait la séduction de la vertu morale, de la gravité, de l'ordre – qualités qu'elle attribuait à cette époque. Et cette nostalgie se doublait d'une autre, plus générale, et que Christine partageait avec ses contemporains, d'un passé où le mérite et la probité gouvernaient la conduite des hommes. La perception d'un présent chaotique et d'un avenir au mieux précaire, le signe de la peur qui accompagne l'incertitude, l'aspiration à un âge d'or – antique, biblique, ou mythologique – hantaient les esprits au tournant des années 1400. Que Christine citât en exemple dans ses écrits la simplicité de Diogène ou la sagesse de Salomon, elle recherchait l'intégrité qui lui semblait manquer au monde de son temps.

La nostalgie, ou tout simplement la solidarité avec le passé, joua un rôle essentiel dans le développement de Christine en tant qu'écrivain. Le succès de ses poèmes de cour la laissa plus libre de suivre ses propres penchants ; elle choisit de faire évoluer sa carrière en écrivant des textes plus sérieux, se préoccupant de l'éducation du prince dans l'*Epistre Othea*, de la narration de l'histoire du monde dans *La Mutacion de Fortune*, du portrait du monarque vénéré dans *Les Fais et bonnes meurs du sage roy Charles V*. Ce sont son dévouement aux vertus du passé – courage, noblesse de cœur, mépris de la richesse – et son désir de les réintroduire dans le présent qui font que certains critiques ne l'ont que modérément appréciée, la trouvant moraliste, conformiste, en un mot, trop rangée. Il est vrai que dans ces textes, son écriture ne scintille pas ; l'auteur ne s'adonne pas aux gymnastiques verbales, aux calembours, aux sous-entendus, aux récits d'aventures. Les feux qui l'animent sont constants et réglés ; elle évite le flamboyant.

Il faut pourtant se demander si l'affection que Christine voue au passé, à celui de Charles V comme à celui, plus indéterminé, des « temps anciens », est à mettre au compte d'un conservatisme décevant. On conçoit facilement ce dont elle voulait s'écarter. Elle avait obtenu la charge de chambrière de la reine, mais son tempérament était peu porté aux intrigues ou à la frivolité. Et parmi les courtisans, l'attention ne se tournait pas vers les sources du savoir ou vers une réforme profonde de la société ; on établissait des ordres chevaleresques, on constitua une Cour d'Amour pour se divertir. N'est-ce pas là l'indice d'un acharnement à retenir un monde révolu, ou à maintenir un monde fictionnel ? On est loin de vivre le raffinement et la beauté de conduite qu'on prône. La reine Isabeau se dissipe avec son amant Louis d'Orléans, frère du roi ; le même Louis, et son oncle, le puissant duc de Bourgogne, s'entre-déchirent dans des luttes de pouvoir politique. Les cérémonies et les festivités autour de Charles VI trahissent toujours quelque chose d'inquiétant ; elles sont minées par les conséquences de la folie du roi et de son manque d'autorité. Christine de Pizan voit clair dans l'ambiguïté ambiante, et si elle se tourne vers le passé, c'est sans doute un choix salutaire.

C'est peut-être même un geste « moderne ». Charles V avait adopté des pratiques intellectuelles et politiques qui porteraient pleinement leur fruit au moment de la Renaissance, un siècle plus tard : l'attachement particulier aux livres ; les commandes de traduction d'œuvres en langue vulgaire ; la recherche de l'érudition au service de la morale plus qu'à celui de la spéculation théologique ; la consolidation du territoire national, le développement d'une administration centralisée et laïque – les choix vers lesquels penche Christine dessinent l'avenir. Si elle reste un auteur médiéval, aussi bien dans sa mentalité que dans son style, elle explore, de fait, maints aspects de l'humanisme naissant. Ses origines italiennes la mettent en bonne position pour apprécier les apports culturels transalpins, cruciaux pour le renouveau ; *Le Chemin de long estude* est d'ailleurs le premier texte français auquel *La Divine Comédie* de Dante a servi de prototype. Christine n'a pas encore le sentiment typiquement humaniste de pouvoir dépasser ses prédécesseurs, de se servir du passé pour faire mieux, mais ses écrits refondent et réorientent incontestablement leurs sources : Boccace dans *La Cité des dames*, Valère Maxime dans *Le Livre du corps de policie*, Végèce dans *Le Livre des fais d'armes et de chevalerie*, sont, non seulement repris, mais réencadrés, réenvisagés. On ne peut pas non plus attribuer à Christine la conviction

« renaissante » que le monde fourmille de possibilités, et que le plaisir et le privilège de l'homme le poussent à les exploiter ; elle demeure toujours consciente des contraintes que Dieu, et la Nature, imposent aux hommes – et que les hommes imposent aux femmes. Pourtant, ses ouvrages la représentent souvent dans l'acte de découvrir, d'apprendre : dans *La Mutacion de Fortune*, un voyage au château de dame Fortune donne lieu à un examen de cette allégorie, et par là même, de la question capitale de l'influence que l'être humain peut exercer sur son propre destin ; dans *L'Advision-Cristine*, l'auteur sort des entrailles de Chaos en quête d'une compréhension plus nette de la Philosophie. Mais le meilleur exemple de la curiosité de Christine, de sa soif de science, demeure sans doute l'ouvrage que nous présentons ici. *Le Chemin* fait parcourir le monde à son héroïne, offrant à son regard les merveilles des villes et des campagnes, des peuples exotiques et de leurs richesses. Tout le voyage se fait dans le désir de savoir. Christine, en 1402, nous fait penser à ces explorateurs du siècle suivant, qui rentraient chez eux avec des spécimens étonnants cueillis dans des pays lointains – sauf que ses collections à elle ne consistent pas en objets, mais en connaissances uniquement. Les plus beaux trésors, ainsi qu'elle ne cesse de le répéter.

Sa vie durant, Christine s'est battue pour que les femmes aient accès à ces trésors. En cela aussi, ou surtout, elle est moderne. Premier auteur-femme professionnel, elle est également l'un des protagonistes du premier débat littéraire en français, la célèbre Querelle de la Rose. Peu avant de s'engager dans la composition du *Chemin*, elle a échangé une série d'épîtres polémiques avec des clercs qui portaient au pinacle les mérites du *Roman de la Rose* de Jean de Meun. Elle y trouvait à redire, s'offensant de la grossièreté du langage de l'auteur, et des conseils cyniques qu'il prodiguait à propos de l'amour. Un deuxième débat s'est bientôt greffé sur le premier, car, dans leurs réponses à Christine, ses adversaires, Jean de

Montreuil et les frères Pierre et Gontier Col, faisaient preuve d'un mépris affiché pour les capacités intellectuelles de leur correspondante. Il fallait réagir à la condescendance des clercs. Christine déplorait, dans les Lettres, le manque de respect pour les femmes, et souhaitait donc, a fortiori, que leur dignité fût reconnue dans la vie. Dans *La Cité des dames*, son œuvre la plus connue, elle prend prétexte de la lecture d'un auteur misogyne pour démanteler ses propos pièce à pièce, construisant à la place une ville dédiée à l'honneur des femmes, peuplée de dames exemplaires. *Le Livre des trois vertus*, sorte de suite pratique à *La Cité*, offre des conseils aux femmes de chaque condition sociale ; de la princesse à la poissonnière, on apprend comment se bien comporter. Ainsi Christine a-t-elle veillé aussi bien à la généalogie des femmes vertueuses, dans *La Cité*, qu'au maintien, au temps présent, de toutes les qualités féminines, dans ce « manuel » qu'est *Les Trois Vertus*.

Si l'auteur se plaît à construire des univers féminins dans ses écrits – dans tout *Le Chemin de long estude*, c'est à peine si un personnage-homme apparaît pour dire deux phrases – c'est qu'elle s'occupe aussi de la place des femmes dans le monde. En tant qu'écrivain, Christine est seule de son sexe dans son milieu, mais cela ne veut pas dire qu'elle délaisse le dialogue avec celles qui l'entourent. Nous avons indiqué combien Christine s'est intéressée, au cours de sa carrière, à la production matérielle de ses ouvrages ; dans *La Cité des dames*, elle consacre un passage à son admiration pour un peintre du nom d'Anastasie, dont elle loue le talent pour la décoration des marges des manuscrits. Il est tentant de songer à une collaboration entre les deux femmes, travaillant de concert, discutant de la meilleure façon de mettre en page les textes de Christine. Sur un plan moins hypothétique, nous avons des preuves des rapports que Christine entretenait avec les dames de la cour. *Le Livre des trois vertus* est dédié à Marguerite de Nevers, femme du dauphin et petite fille du duc de Bourgogne, qui, à l'époque, n'a que douze ans ; Christine lui recommande la sobriété en matière de vêtements et de nourriture, la discrétion en gestes et en paroles, et une gestion judicieuse de ses terres. En 1405, Christine écrivit directement à Isabeau de Bavière pour l'exhorter à s'entremettre auprès des princes du sang, afin qu'ils maintiennent en paix la France, qui était au bord de la guerre civile (« Epistre a la Reine ») ; cinq ans plus tard, elle fit présent à Isabeau d'un manuscrit magnifiquement enluminé, recueillant son œuvre complète. En 1418, elle s'essaya à la consolation dans l'*Epistre de la prison de vie humaine,* texte destiné à réconforter les femmes qui avaient perdu leur père, leur mari et leurs fils dans la terrible défaite d'Azincourt (cette bataille qui n'a duré que trois heures a été une hécatombe pour la chevalerie française : entre 7 000 et 10 000 morts). L'épître eut pour destinataire Marie de Berry, duchesse de Bourbon, fille du duc Jean de Berry, l'un des grands collectionneurs de manuscrits de son époque. Dans la spécularité du geste de Christine – elle, qui, au commencement de sa carrière, avait dit la peine de son propre deuil, offrait maintenant des paroles de compassion à d'autres, abattues comme elle l'avait été –, on mesure la distance qui sépare l'auteur de ses débuts, auxquels ce même geste, pourtant, la rattache. Par la poésie lyrique et l'allégorie, au travers de son didactisme et de son engagement politique, Christine a constitué et enrichi son corpus, a livré ses pensées et sa biographie, et s'est mise en état, célèbre et respectée, de défendre et d'écouter autrui.

La fin du règne de Charles VI fut aussi désastreuse que le trouble du roi le laissait présager. Le duc de Bourgogne et ses partisans se sont saisis de Paris, massacrant ceux qui ne se ralliaient pas à leur cause. Mais il y eut pire ; quand le duc lui-même fut assassiné, les Anglais profitèrent de la confusion pour soumettre la France. Henri V d'Angleterre s'est fait proclamer régent, en attendant de voir la couronne de France passer définitivement à l'Angleterre à la mort de Charles (1422).

La France livrée aux Anglais, Christine a longtemps gardé le silence. Nous supposons qu'elle a vécu les années 1420 dans l'abbaye dominicaine de Poissy, au nord-ouest de Paris, où elle avait placé sa fille Marie. Sans doute Christine s'est-elle davantage tournée vers Dieu pendant cette période – par dévotion, par résignation, ou par désespoir devant les nouvelles qui venaient de la capitale. Elle a composé un recueil de méditations sur la Passion. Mais hormis ce texte, rien ne nous est plus parvenu de cette femme qui, au plus intense de son activité au début du siècle, écrivait des milliers de vers par mois. Coupée de la ville et de la cour, s'est-elle adonnée tout entière à la prière, à l'étude ?

Si Christine avait disparu ainsi, lentement et sans bruit, cela aurait pu jeter un autre éclairage, plus doux et plus flou, sur l'ensemble de son œuvre. La critique aurait peut-être donné à sa piété une place plus grande qu'elle n'a fait jusqu'à présent, et ses textes politiques, sans perdre de leur valeur intrinsèque, auraient marqué une étape qui eût moins préjugé pour nous du caractère principalement politique de sa vision. Mais l'auteur a rompu son silence une fois encore, en 1429, et pour parler avec éclat. Née à l'époque de Charles V, dans la force de l'âge pendant le règne de Charles VI, elle a vécu juste assez longtemps pour voir sacrer Charles VII, et pour espérer qu'il regagnerait bientôt Paris.

Cette joie qui a illuminé la fin de sa vie, elle la devait à l'apparition de Jeanne d'Arc. Son dernier poème loue donc la Pucelle. L'entrée sur scène de Jeanne semblait un miracle pour la France, mais semblait aussi exaucer tous les vœux de Christine. Une femme, dépourvue de tout pouvoir, conseillait et dirigeait les grands ; on l'écoutait. Une fille triomphait par sa vertu, sa simplicité, son courage. Il fallait regarder au-delà du sexe et de la position sociale de Jeanne, pour admirer son caractère, sa foi, sa ténacité. Elle jouait un rôle historique, elle défendait sa patrie. Christine n'aurait pas pu inventer celle qui incarnait si bien ses croyances. Le seul élément essentiel des forces motrices chez Christine qui manquait à Jeanne, c'était l'instruction. La puissance de la jeune fille venait en partie, en effet, de ce qu'elle n'était pas une créature d'étude. Mais Christine se faisait forte de combler cette lacune, en répandant la bonne nouvelle de l'avènement de Jeanne. Une vie consacrée à l'écriture l'avait plus que préparée à chanter ses louanges. Elle s'employa alors, dans *Le Ditié de Jehanne d'Arc*, à relier ses convictions de toujours à cette histoire qui se déroulait au présent. Ici encore, Christine fut la première : la première à écrire sur Jeanne en français, et la seule, en aucune langue, à rendre un hommage si vibrant à l'héroïne, de son vivant.

Ayant célébré la venue de la femme sauveur, Christine s'éteint à une date inconnue, sans doute vers 1430. Soixante-cinq ans d'existence, dont quarante au service des lettres. Lorsque Charles V honora d'une invitation à sa cour le docte Thomas de Pizan, médecin et astrologue, personne n'aurait pu prévoir que la réputation de la fille dépasserait rapidement celle du père, et que les écrits de la femme auteur contribueraient à conserver la mémoire du roi. Son amour des livres, sa défense des femmes, et la foi qu'elle portait à son pays distinguent l'œuvre de Christine ; elle mérite son renom.

INTRODUCTION

Le Chemin de long estude débute et débute encore, avant de trouver le fil de sa narration, de trouver sa voie. Christine de Pizan instaure trois commencements, puis noue son histoire en une trame unique; tous trois continuent pourtant à influencer le récit. Tels des fils colorés liés en torsade, ces débuts signalent chacun une préoccupation qui demeure distincte au long du poème, tout en ouvrant à une histoire.

Ce n'est pas immédiatement que l'on foule le chemin de longue étude. L'auteur nous y mène doucement par trois sentiers, trois allées successives, qui nous offrent autant de perspectives, valables pour tout le voyage. La première de ces allées, le prologue, traverse le grand dilemme de Christine: celui d'être écrivain et femme à la fois. Christine de Pizan, qui a suscité l'intérêt de nos contemporains parce qu'elle était, entre autres, la première femme à vivre de ses ouvrages littéraires, éprouve toujours une certaine gêne quant à l'idée de s'accorder à elle-même l'autorité d'écrire. Veuve depuis l'âge de vingt-cinq ans (elle en a trente-huit lorsqu'elle compose *Le Chemin* en 1402), elle a consacré sa vie à la lecture et à l'étude; est-ce assez pour prendre la parole? Lorsqu'elle dédie son texte au roi Charles VI,

> A vous, bon roy de France redoubtable [...]
> Mon petit dit soit premier presenté,
> Tout ne soit il digne qu'en telz mains aille,

nous devons voir dans ces vers, non seulement l'humilité conventionnelle d'un auteur s'adressant à un protecteur puissant, mais aussi le signe d'une hésitation profonde. Christine prie le roi de ne pas la taxer de présomption, elle, « femme pour [son] indigneté ». Puisqu'elle se sent d'un statut précaire, elle se réfugie dans la vieille idée que la vérité se trouve souvent dans la bouche des gens les plus humbles : « de simple personne / Puet bien venir vraie raison et bonne ». *Le Chemin de long estude*, où la narratrice entreprend un voyage destiné à combler les lacunes de son savoir, est donc à la fois une mise en scène de son incertitude quant à sa compétence, ou à son droit, d'écrire à l'instar des érudits, et le remède à cette même incertitude : parcourir le chemin du voyage lui fournira la science, et donc la confiance, nécessaires à la production d'une œuvre.

Ce voyage en quête de savoir, au cours duquel Christine visitera les différents pays du monde et leurs curiosités, puis grimpera dans les cieux et observera le cours des planètes, est en même temps une expérience, une réalité (fictionnelle) vécue. La narratrice déchiffre le monde par ses cinq sens, au lieu de l'apprendre uniquement dans les livres. L'importance que Christine accorde aux enseignements de l'expérience affecte évidemment, pour elle, la possibilité d'écrire ; la barrière qu'imposent et son sexe et son manque d'instruction scolastique est levée. Dans la mesure où Christine se prévaut de son expérience, elle devance et déjoue toutes les objections à sa carrière d'écrivain. Elle privilégie ses sentiments personnels dès ses premiers textes, et s'en sert comme d'une raison. Dans *Les Cent Balades* (c. 1399), supposant que son public souhaite la voir écrire des vers de cour, des poèmes enjoués, Christine répond que c'est le veuvage qui doit lui en fournir la matière : « De ce feray mes dis » (ballade I). Elle ne peut écrire sans parler de ce qui lui tient à cœur. Au cours des années, elle délaisse la poésie lyrique pour les vers allégoriques et la prose, gagne en stature, s'établit. Son œuvre s'orne de multiples preuves d'érudition. Mais c'est toujours à l'expérience qu'elle fait appel. Lorsqu'en 1405 Christine compose *Le Livre de la cité des dames*, œuvre qui assurera son renom au vingtième siècle, elle entreprend de dénoncer la misogynie de certains auteurs en réfléchissant à sa propre vérité. Les femmes sont-elles vraiment volages, perfides et avides, comme leurs détracteurs le soutiennent ? Alors même que Christine va trouver au cours de son récit maints exemples livresques pour réfuter ces accusations, elle commence par raconter ce qu'elle sait d'elle-même. Les preuves de l'expérience sont données les premières.

Forte de son expérience, toujours peu sûre de sa science, telle est la Christine qui dédie *Le Chemin de long estude* à Charles VI et aux princes du sang. *Le Chemin* marque une étape au milieu de son œuvre, où elle s'attribue une double fonction : celle de personnage de fiction, et celle de productrice de textes. Dans *Les Cent Balades*, Christine écrivait, par endroits, comme malgré elle ; si elle puisait sa matière dans ses propres expériences, elle ne ressentait pas pour autant le besoin de s'exprimer en vers. Elle affirme, au début des *Cent Balades*, qu'elle écrit uniquement pour exaucer les souhaits de son public, « pour acomplir leur bonne voulenté ». C'est le refrain de la première balade, une répétition de l'éloignement que Christine éprouve à cette époque face à la « nécessité » d'écrire. En 1399, dans *L'Epistre au dieu d'amours*, le ton a changé ; Christine s'est attachée à l'une des causes qui feront d'elle un écrivain prolifique, et dénonce avec fougue ceux qui médisent des femmes. Mais elle met ses exhortations dans la bouche de Cupidon, se tenant elle-même encore à distance de son poème. Le personnage du « dieu d'amours » lui sert d'écran et d'alibi. Dans *L'Epistre Othea* (autour de 1400), elle s'essaie à un nouveau genre : celui du « miroir du prince », destiné à élever à la vertu de futurs rois. Le prologue de *L'Epistre Othea* ressemble assez à celui du *Chemin* : Christine y revendique son infériorité et son ignorance. Mais, contrairement à ce que nous verrons se passer dans *Le Chemin de long estude*, le reste du texte n'apporte pas de correctif à cette autodépréciation, si ce n'est indirectement. Christine maintient que c'est bien la déesse Othea qui adresse ses conseils, par lettre, au prince Hector ; elle-même ne fait que « rimoyer », c'est-à-dire mettre en vers, le texte dont la déesse l'a pourvue. En écartant la fiction de la déesse, on constate que ces vers démontrent, certes, la science de l'auteur ; mais ce n'est pas le but avoué. À l'intérieur de son ouvrage, Christine rechigne à se prévaloir de ses pouvoirs.

Le Dit de la Rose (février 1402), qui précède de quelques mois *Le Chemin de long étude*, présente une structure narrative que Christine reprendra, avec quelques modifications, dans celui-ci. Christine y est élue pour accomplir une mission. *Le Dit de la Rose* s'ouvre sur un banquet auquel Christine prend part ; au cours du repas survient dame Loyauté, qui annonce à l'assistance la fondation d'un nouvel Ordre consacré à l'honneur et à la protection des dames. Tous y prêtent serment de fidélité. Mais, une fois le banquet terminé et l'assistance dispersée, quand Christine est couchée, Loyauté revient la voir dans sa solitude. Amour, le dieu suprême, l'a envoyée. Christine sera chargée de trouver des recrues pour le nouvel Ordre parmi les dames du monde ; sa tâche sera donc celle de propagandiste, ou de missionnaire. Loyauté lui confie un parchemin portant les statuts de l'Ordre, et lorsque Christine se réveille, elle comprend que sa vision de Loyauté était bien réelle, car elle trouve la lettre de la dame à son chevet. La présence du parchemin à la fois à l'intérieur et à l'extérieur du rêve est analogue à celle de Christine, personnage et auteur de son récit. Elle maîtrise *Le Dit de la Rose* en s'y installant. Et l'Ordre créé, institué par le dieu Amour, qui exige la défense des dames, est le témoin littéraire d'une préoccupation fondamentale, morale et politique. Auteur et personnage, bâtisseuse de rêves et penseur engagé, Christine établit, dans ce *dit*, un circuit d'alimentation mutuelle entre l'expérience et l'imaginaire. Pourtant, la mise en scène du récit limite son rôle : c'est Amour qui écrit les documents concernant son Ordre, et c'est Loyauté qui les confie à Christine. Celle-ci ne fera que diffuser la nouvelle. Dans des récits ultérieurs, Christine cessera progressivement de désigner autrui comme le « responsable » de ses idées, mais le moment de s'ériger en autorité n'est pas encore venu.

D'autres éléments du *Dit de la Rose* préparent *Le Chemin de long estude*. Nous avons mentionné le fait que le poème s'ouvre sur un banquet, puis se prolonge dans l'intimité de la chambre de Christine. La collectivité, la vie de société s'impose à l'orée des premiers poèmes ; au contraire, au commencement du *Chemin*, Christine n'est jamais que seule, libérée des artifices et des contraintes de la cour. Dans ses œuvres lyriques et courtoises, Christine s'adonne au jeu de l'anagramme pour révéler son nom de façon oblique : *creintis* (craintive) est la recomposition qu'elle en trouve pour communiquer quelque chose de ses sentiments (*L'Epistre au dieu d'amours*, *Le Livre du dit de Poissy*). Dans *Le Dit de la Rose*, l'anagramme réapparaît, et cette fois, Christine met l'accent sur le *cri* que contient son nom, comme si elle se lassait d'étouffer. Elle veut faire entendre sa défense des femmes, même si celle-ci reste enrobée, dans ce texte, d'enjolivements de circonstance. Dans *Le Chemin de long estude*, ces biais deviennent inutiles ; Christine ne se cache plus, et parle en son nom propre.

Il demeure que Christine ne se nomme pas dans *Le Chemin*. Elle n'a pas ici la hardiesse de dire, ainsi qu'elle le fait dans *Le Ditié de Jeanne d'Arc* qui clôt sa carrière, « je, Christine ». Elle ne se cache pas derrière l'écran de la devinette, mais elle ne proclame pas non plus son identité. *Le Chemin* choisit encore de résoudre la question de la place de l'auteur dans sa propre œuvre – question qui travaille le Moyen Âge tardif, qui se pose et se repose chez Guillaume de Machaut, chez Jean Froissart – en faisant de Christine un apprenti. Elle emploie en parlant d'elle-même la première personne, mais lorsqu'on s'adresse à elle, c'est sous le nom de « fille ». Il lui faut une mère spirituelle : son guide, la Sibylle, apparaît un soir à son chevet, ainsi que Loyauté s'était présentée à elle dans *Le Dit de la Rose*. La Sibylle la protégera, la mènera voir le monde et les cieux ; c'est donc à elle de parler la première.

La substitution de la Sibylle à Loyauté déplace cette narration du royaume courtois à celui de la science et de la spéculation philosophique. Lorsque Loyauté se présente devant Christine, elle l'appelle « amie », terme du registre courtois. Son discours au banquet se fait sous forme de trois ballades et d'un rondeau, formes poétiques convenant à l'assistance noble (il faut noter qu'elle délaisse ces formes fixes lorsqu'elle est seule avec Christine pour prôner l'Ordre de la Rose ; l'essentiel, c'est-à-dire la défense des dames, prime alors sur l'artifice). Loyauté est une allégorie pure, dans la tradition des personnifications de qualités du *Roman de la Rose* de Guillaume de Lorris ; c'est-à-dire qu'elle n'est ni plus ni moins qu'une notion, sans autre réalité. Envoyée du dieu Amour, elle incarne la vertu dont tous les membres du nouvel Ordre doivent faire preuve ; elle représente ce à quoi les hommes du monde doivent aspirer. La Sibylle, en revanche, tire sa substance d'une autre lignée littéraire, notamment de celle de l'*Énéide* et de l'*Enfer*. Virgile et Dante nous l'ont déjà fait connaître ; son personnage est connu, repérable ; sa voix résonne de riches échos. L'auteur, lorsqu'elle l'introduit dans *Le Chemin*, fait appel à une *entité* davantage qu'elle ne la constitue simplement à partir du substantif qui la définit, comme c'est le cas avec Loyauté. La Sibylle n'est pas le réceptacle d'un principe qui doit en influencer d'autres, mais plutôt le moyen pour Christine d'apprendre par elle-même, par l'expérience, ce qu'il lui manque de Savoir. La Sibylle dépend directement de Dieu, et non d'Amour – autre signe de la nature nouvelle des recherches de Christine. Celle-ci tente de comprendre le monde, et, dans la mesure de ses capacités, le divin ; il n'est plus question d'évoluer dans l'univers clos de la cour.

C'est précisément à cause de son amour de l'étude que Christine est l'élue de la Sibylle, qui lui dit : « Pour le bien de ton memoire, / Que voy abille a concevoir, / Je t'aim, et vueil faire a savoir / De mes secrés une partie » (vv. 498-501). Christine possède donc déjà la qualité qui la rend digne de la visite de la Sibylle. Le désir de la science lui servira de motivation, de raison d'être, et aussi de droit d'entrée dans le royaume des écrivains ; l'érudition donnera une assise aux prétentions qu'une femme élève au titre d'auteur. Loyauté n'a pas donné la raison pour laquelle elle a choisi Christine comme messagère ; même si elle note avec bienveillance que Christine l'a aimée toute sa vie (v. 296), elle ne précise pas pourquoi elle aime Christine. Ce léger flou dans le *Dit de la Rose* ne se remarque même pas si on lit ce texte indépendamment du *Chemin* ; quand Christine se met en scène dans son récit, c'est une justification *de facto* de son aptitude à rencontrer Loyauté. Mais la différence entre les deux textes, quant aux raisons de la présence de la déesse/guide, quant à l'axe que Christine se donne pour structurer et autoriser son poème, oriente les œuvres qu'elle entreprend à partir de cette époque.

Dans *Le Chemin* comme dans *Le Dit de la Rose*, Christine se fait l'annonciatrice de projets qui vont concerner un public étendu : les nobles fidèles aux dames dans *Le Dit*, et le monde entier dans *Le Chemin*. Nous reviendrons à ce deuxième scénario, selon lequel Christine est témoin d'un débat céleste sur les qualités idéales du prince, qu'elle est chargée de rapporter à Charles VI. Mais il suffit de signaler ici que *Le Chemin* ajoute à la fonction de messagère celle de secrétaire, ou de scribe. Les statuts de l'Ordre de la Rose furent remis tout faits à Christine pour qu'elle les distribue ; dans *Le Chemin*, son rôle s'étend à la mise en forme du document qu'elle doit présenter au roi. Elle transcrit le débat pendant qu'il se déroule ; à la fin, lorsqu'on cherche quelqu'un pour le rédiger, elle s'avance pour dire qu'elle a déjà tout écrit. Le fait que ce « procès-verbal » est augmenté du récit de sa vision de voyage pour constituer le manuscrit destiné au roi place de nouveau Christine à la fois à l'intérieur et à l'extérieur de son poème. Mais cette fois, l'enjeu est plus important que dans *Le Dit de la Rose*, car son intérêt ne réside pas seulement dans le fait que Christine et son personnage se font face à travers le texte ; c'est que les deux sont reliés au moyen de l'écriture. La fiction pure de la transcription est associée à la demi-fiction du voyage – le voyage est imaginaire, mais sa narration existe uniquement en tant qu'œuvre de Christine l'auteur ; elle en est la créatrice, chez elle dans son cabinet d'étude, et non pas au sein même du texte ; le tout est coiffé par l'introduction historiquement datée, c'est-à-dire par la dédicace à Charles et par l'autodescription de l'écrivain. Dressant le procès-verbal du débat, racontant et consignant son voyage ; auteur, timidement mais indéniablement, de l'ensemble, Christine met à l'épreuve, dans *Le Chemin*, les possibilités de sa vocation. Elle se fortifie de toutes ces manières de dire qu'elle se définit à elle-même par l'écriture, et s'y destine.

Les remarques précédentes découlent toutes de l'examen initial du prologue du *Chemin*. La première allée par laquelle nous arrivons au chemin est donc comme jonchée des motifs de l'expérience, de la féminité, de la création littéraire. Parvenus à son terme, nous débouchons sur un deuxième sentier, qui marque proprement l'entrée de Christine dans son texte, et nous offre la vision de l'auteur portant une offrande à son protecteur, c'est-à-dire de la narratrice préparant soigneusement son récit. Car cette fois, la Christine que le lecteur entend dans ces vers est une figure à la fois liminaire et médiatrice, qui se tient *entre* la réalité historique et la vision littéraire, dans cet espace très particulier, dont l'écriture est la traversée même. Mais tout d'abord, c'est l'écriture d'autrui qui prime : statut d'apprentie oblige.

Et Christine repart de sa propre impuissance. Dès le premier vers, elle invoque « La Fortune perverse », cette figure de l'arbitraire qui ne respecte ni le mérite ni la vertu, mais provoque la ruine à sa guise, sans égard pour la logique, ou le devoir. Le poids du pouvoir de la Fortune est écrasant ; comment lutter contre l'injustifiable ? Christine déplore la mort de son mari, rappelle l'idylle qu'ils ont vécue ensemble, maudit à nouveau la Fortune. Son expérience du passé et son malheur présent sous-tendent donc le commencement du *Chemin*, constituant le point de départ d'un texte qui se veut *linéaire* dans la mesure où il décrira, pas à pas, une évolution intellectuelle. Les choses de l'esprit devront, en effet, se substituer à celles du cœur et du corps, pour sortir Christine de son indigence. Elle cherche à se distraire de son chagrin, feuilletant d'abord des « escriptures / De diverses aventures » (vv. 175-176). Mais ces textes ne la réconfortent pas. Le mot « aventures » suggère-t-il que ces lectures sont, par exemple, des romans courtois, des histoires d'épreuves subies par un beau chevalier pour l'amour de sa dame, que Christine juge trop légères pour la guérir de son mal ? Le poème ne va pas plus loin dans cette évocation, mais on peut raisonnablement supposer que Christine signale, par le rejet de ces aventures, à la fois son refus de l'éthique de la littérature courtoise, et la distance qu'elle prend par rapport à son propre personnage, le premier en date, de poète de la cour. Sa rédemption passera par des textes d'un autre ordre.

Christine entreprend la lecture d'un autre ouvrage, et cette fois, il agit sur sa souffrance de manière efficace. Le deuxième livre auquel elle s'adresse est le bon, de même que le deuxième sentier d'accès au Chemin est le bon, parce qu'il commence la transformation de Christine, de même enfin que le travail du *Chemin* dans son ensemble lance l'auteur dans la seconde et plus importante étape de sa carrière.

Recommencer, pour Christine, signifie se mettre sur le bon chemin. Ce livre efficace, ce livre apaisant, c'est *La Consolation de la philosophie* de Boèce, qui aguerrit contre Fortune ; il suffit d'aspirer au-delà des choses terrestres. Il faut quitter son désespoir en abandonnant les attaches personnelles pour se consacrer à une vie d'étude et de méditation tournée vers Dieu. De veuve éplorée, Christine se transformera en un esprit ouvert, tendant toujours plus loin. Voilà donc le premier modèle littéraire du *Chemin* ; Christine annonce d'entrée que ses références seront celles des érudits, des philosophes. Elle va rassembler autour d'elle ces modèles, et d'autres semblables, tout au long du poème, pour étayer ses prétentions au titre d'auteur sérieux. Mais Boèce demeure l'un des plus frappants, non seulement parce que Christine modifie certains traits de *La Consolation* pour les utiliser dans *Le Chemin* – par exemple, la visite de dame Philosophie à Boèce dans sa prison, reprise dans l'apparition de la Sibylle dans le cabinet d'étude de Christine –, mais parce que, comme Christine, Boèce est confronté au problème de transmuer un genre d'expérience en un autre, de porter le purement terrestre à un autre plan.

Car il faut admettre que Christine, en nourrissant son poème de livres, nourrit aussi son expérience. Écriture et vie chez elle ne s'opposent pas ; elle peut prôner l'importance de l'expérience, et, en même temps, trouver sa plus grande satisfaction dans l'écrit. À la manière de Boèce, elle doit trouver une signification autre, meilleure, plus durable, aux événements qui la touchent ; c'est ce qui fait d'elle une idéaliste et une moraliste, comme dans *Le Chemin*, toujours en quête. Ici-bas il faut parer aux coups de Fortune, se rendre invulnérable aux aléas de l'existence, en se rapportant à ce qu'elle a d'assuré. Les livres sont une source de vérité constante, que l'imprévisible ne peut pas corrompre. Mais si Christine recherche la certitude, elle tente de s'en saisir au sein de la vie même. Elle restera une active et non une contemplative, choisira les lettres, mais sans s'abstraire complètement.

C'est ce qu'on voit à la fin des vers consacrés à Boèce. Rassérénée par sa lecture, Christine se rappelle l'heure tardive, décide de se coucher, dit ses prières. Ces détails de la vie quotidienne ponctuent son œuvre, la ramènent toujours au concret. Les touches qui nous montrent Christine dans son humanité – demandant une chandelle lorsque la nuit tombe, retroussant ses jupes pour mieux tenir le pas de la Sibylle – adoucissent son texte. Quel que soit le nombre d'auteurs qu'elle cite ou d'*exempla* qu'elle fournit, Christine les replace toujours dans une vie réelle. À la fin du *Chemin*, lorsque Christine sort du songe qui l'a conduite à travers monde et cieux, l'auteur fait sentir la saveur d'un vrai réveil, chez soi ; la vision cède la place au familier lorsque Christine entend sa mère frapper à sa porte et l'appeler, étonnée de ce que sa fille fasse la grasse matinée. Ce poème, que nous avons qualifié de linéaire, en ce qu'il trace un changement, une assurance croissante à la fois chez l'auteur et son personnage, décrit aussi un cercle, dans son retour final aux sensations connues de tous.

La deuxième ouverture, l'allée qui débouche sur un chemin personnel par l'effort intellectuel, annonce toute la partie du *Chemin* où la Sibylle sert de guide à Christine. Il peut être tentant de ne se pencher que sur cette section du texte, d'accès plus facile. C'est une histoire. Elle satisfait notre goût de la narration. Christine entreprend son périple, s'émerveille de curiosités, craint d'étranges périls. Elle fait son apprentissage. La biographie se mêle à la fiction ; la poésie nous renseigne sur le personnage historique qu'était Christine de Pizan, tout en maintenant sa littérarité. Pourtant, les vers qui retracent ce parcours représentent moins d'un tiers du poème. Il faut tenir compte du reste. Le voyage prend fin lorsque Christine a sillonné le monde, et a exploré les cieux de cercle en cercle. Il y a dix cieux ; les limites du corps et de l'esprit de Christine lui interdisent d'aller au-delà du cinquième, qu'on appelle le firmament (voilà que l'auteur rappelle encore les contraintes de la condition humaine ; il suffit de songer à Dante, à qui enfer et paradis ouvrent leurs portes, pour voir à quel point Christine ressent sa propre faiblesse). Là, en plein ciel, Christine fait une halte qui dure le temps de son rêve... et de plusieurs milliers de vers. Elle devient spectatrice d'un débat céleste ; de protagoniste-voyageuse, elle se transforme en témoin effacé. Le lecteur ne lui accorde plus d'attention ; elle n'a plus de rôle à jouer. Certes, elle est le scribe ; mais on ne l'apprend qu'à la fin du poème. Pour la plus grande partie du *Chemin*, il convient de le souligner, l'auteur fixe l'attention du lecteur sur une situation qui n'a pas de lien intrinsèque avec le destin de son personnage. Ce que nous avons appelé la voie de la narration est remplacée par le lieu, statique et clos, du débat. Les raisons de ce qui semble être un changement d'objectif chez Christine, un décalage dans la visée de ses fins, demandent à être élucidées. Ces raisons se trouvent, une fois de plus, dans le début tripartite du poème.

En effet, un troisième sentier s'ouvre devant nous. Christine s'est couchée, fortifiée par sa lecture de Boèce ; une fois au lit, toutefois, elle retombe dans la tristesse. Mais la cause n'en est plus sa propre personne, ni la puissance arbitraire de Fortune. Au contraire : il est maintenant question du monde entier, et du pouvoir que les hommes ont ou n'ont pas sur leur sort. Christine songe maintenant à tous les conflits qui déchirent l'humanité, à l'incapacité des hommes à vivre en paix. Certaines de ses angoisses ont une référence historique précise : par exemple, sa description de l'Église désolée rappelle le Grand Schisme de 1378, qui a permis à deux prélats de prendre la tiare. Mais l'auteur insiste surtout sur le caractère général des disputes entre humains, sur la férocité, la ténacité, la convoitise de tous. L'homme est capable de mieux, il déplaît à son Créateur en se livrant à des bassesses, et pourtant il ne se réforme pas, ne s'efforce pas d'adopter un comportement vertueux. C'est pendant que Christine rumine ces sombres pensées que la Sibylle apparaît à son chevet, et que les préliminaires au voyage touchent à leur fin.

L'arrivée de la Sibylle se fait donc sous le signe de la discorde. Christine brosse un tableau du chaos social, et laisse son lecteur sur cette image, au moment même où elle va entreprendre le chemin de son éducation. Le désordre, les disputes, sont les problèmes posés ; la suite du texte devra y apporter une solution. Si *La Consolation de la philosophie* sert de remède aux souffrances initiales de Christine, et introduit à l'esprit de curiosité dans lequel elle mènera sa quête, l'antidote aux conflits sociaux qu'elle évoque reste à découvrir. Le progrès personnel se maîtrise et se réalise plus aisément que celui de la société. Mais c'est justement la question de ce progrès social que le texte donne comme centrale ; c'est le problème qu'il cherche à résoudre.

Le terme de « progrès » est sans doute un anachronisme, indice d'une modernité qui associe volontiers passage du temps et amélioration. Christine ne propose rien de nouveau en matière de structure ou de théorie ; elle recherche un *rétablissement* de l'harmonie, plutôt qu'un moyen original pour la découvrir enfin. Parfois, elle insiste sur la corruption de la nature humaine, les défauts incorrigibles qui minent l'homme depuis l'expulsion de l'Éden ; parfois, sur les misères du temps, époque de déchéance par rapport à d'autres, qui furent admirables dans leur souci de la vertu. Mais que sa nostalgie s'exprime dans un contexte théologique ou historique, la nécessité de réformer le monde demeure.

À l'assemblée céleste, Christine se trouve de nouveau dans un espace social, mais bien différent de celui du *Dit de la Rose*. Ce n'est plus un noble banquet qui sert de prétexte ; cette réunion est bel et bien un « parlement ». Mère Nature dépose une plainte contre les hommes à la cour de la reine Raison (procédé qui rappelle, entre autres, le *De planctu Naturae* d'Alain de Lille). Débat d'avocats, à tour de rôle, exemples à l'appui. On espère rendre un jugement : il s'agit de choisir un homme, parangon de toutes les qualités, pour gouverner le monde. Quatre dames, Noblesse, Chevalerie, Richesse et Sagesse s'opposent dans la discussion, chacune soutenant son propre candidat. Les dames s'accusent mutuellement, défendent leurs points de vue respectifs ; leur royauté ne les fige pas. Si ce débat a lieu au ciel, il est affecté par le caractère et les conflits des hommes.

La mise en scène cosmologique de ce débat souligne le désaccord qui règne sur terre. Il se déroule, non pas au « firmament », le ciel le plus élevé accessible à Christine, mais quatre niveaux plus bas, dans le premier ciel, appelé « air ». Cet air surplombe la terre, mais en est visible ; il est sujet au changement et à la corruption ; il occupe une place à mi-chemin entre la matérialité de l'habitat humain et la pureté des cieux supérieurs d'où la Sibylle et Christine viennent d'arriver. S'étant rapprochée le plus possible de l'immuable divin, Christine revient dans un lieu plus familier aux créatures mortelles.

Le contraste est évident avec la concorde planétaire dont Christine vient d'être témoin. La paix qui y règne s'oppose aux déchirements que vivent les hommes. Au firmament, Christine a admiré la stabilité des orbes planétaires, la fixité de leurs relations. Tout y était ordre et beauté, et le serait à jamais. Les cieux fournissent un modèle aux affaires terrestres. Comment amener les hommes à cette même perfection ?

Tout en trahissant la présence d'éléments humains, le débat se construit autour de données proprement littéraires. *Le Chemin de long estude* est en effet partagé entre une conscience aiguë du vrai et le désir de transformer, et donc de contrôler, cette vérité. C'est en cela qu'il est lui-même un ouvrage de mi-chemin – non seulement parce qu'il combine des éléments de deux périodes distinctes dans la carrière de l'auteur, ou parce qu'il fait preuve des hésitations de Christine en tant qu'écrivain, mais parce qu'il présente ses

« lettres » au service de buts concrets et pratiques. L'usage que Christine fait des dames allégoriques dans le débat le démontre. Les quatre reines ont plus de relief – plus de personnalité, pourrait-on dire – que par exemple dame Loyauté dans *Le Dit de la Rose*, dont la fonction est simplement d'annoncer une vertu essentielle, qui convient au projet du nouvel Ordre, fondé sur le principe de la loyauté. Mais en même temps, ces dames gardent leur caractère littéraire de base, celui d'allégories, figures qui tiennent lieu d'une idée, qui l'incarnent officiellement sans avoir à la prouver, ni à la faire éprouver au lecteur. Elles marquent une place dans la pensée ; ce ne sont pas des personnages. Dans l'histoire du *Chemin* comme dans sa structure, elles existent à part ; contrairement à la Sibylle, ou à des personnages allégoriques présents dans les œuvres plus tardives de l'auteur – surtout Raison, Droiture et Justice du *Livre de la cité des Dames* –, elles ne communiquent pas avec Christine, ne lui parlent pas. Le récit concernant celle-ci s'interrompt pour céder la place aux dames ; elles ne sont pas conscientes de la présence de leur visiteuse. Ni Christine l'apprentie, ni, par ailleurs, Christine de Pizan, ne peuvent les affecter ; la fonction de représenter une idée s'accompagne de celle, au moins théorique, de la représenter toujours et de la même façon, indépendamment de toute interaction. L'intérêt de l'allégorie, et une raison pour laquelle on l'affectionnait tant à la fin du Moyen Âge, c'est justement qu'elle signale une certitude. Elle affiche l'invulnérabilité aux vicissitudes de la vie qui est, nous l'avons vu dans la plainte de Christine contre Fortune, une des grandes aspirations de cette époque tourmentée.

Si l'exemple du *Dit de la Rose*, en amont, est riche en éléments constitutifs du *Chemin*, celui de *La Cité des dames*, en aval, montre où la réflexion de Christine va la mener. En composant *La Cité des dames* en 1405, l'auteur se sent davantage maîtresse de ce qu'elle écrit : on le constate, sur le plan narratif, dans le fait que cette fois ce sont les allégories qui lui rendent visite chez elle pour la sortir, une fois de plus, d'un profond découragement, dû, en l'occurrence, à la misogynie qu'elle décèle chez des auteurs respectés. Raison, Droiture et Justice agissent donc comme des autorités, des marraines apparentées à la Sibylle du *Chemin*. Mais leur but n'est pas de guider Christine pour lui montrer des choses qu'elle ignore ; elles viennent, au contraire, pour faire réfléchir leur protégée à ce qu'elle sait déjà. *La Cité* fait s'éclore pleinement l'importance de l'expérience chez Christine. Elle raisonne par elle-même, fait valoir les connaissances qu'elle possède. Rien ne lui est donné, excepté le prétexte de s'exprimer. L'ouvrage précise avec d'autant plus de netteté le rapport christinien entre l'expérience et la culture livresque, que le chagrin de Christine, qui procède d'un livre, sera, dans un premier temps, atténué par un examen de sa propre expérience, puis guéri par la multiplication d'exemples de dames historiques ou légendaires illustrant les vertus féminines attestées dans des textes. L'écrit trompe d'abord, avant de confirmer ; c'est l'expérience qui permet de faire la différence entre le vrai et le faux. L'expérience peut détruire ou garantir ce que dit l'écrit ; dans tous les cas, elle en est plus fiable. La relation entre les deux est plus dynamique que dans *Le Chemin de long estude* ; Christine ne se contente plus de distinguer ses réseaux narratifs, en faisant voir la valeur de l'un ou de l'autre ; elle les implique tous dans chaque partie de sa narration.

Il est vrai que dans *La Cité*, Raison, Droiture et Justice fournissent à Christine des exemples de femmes vertueuses ; ce sont elles qui parlent. Mais le personnage de Christine est loin de les écouter de façon passive : elle les interpelle, les interroge, leur demande de clarifier leur pensée. Le lecteur n'oublie pas le poète, il reste une forte présence. Ce sont plutôt les trois dames allégoriques qui se confondent : l'auteur les laissant énumérer leurs preuves sans toujours rappeler au lecteur leur identité, l'individualité des dames s'estompe. Bien que Christine s'entretienne tour à tour avec chacune, elles ont une fonction collective : celle de susciter les questions de Christine, et d'y répondre. La structure de *La Cité des dames* tient toujours compte de la protagoniste, à l'encontre du *Chemin de long estude*. De ce fait, on considère volontiers les exemples que donnent les dames comme l'œuvre de Christine en tant qu'auteur ; c'est elle qui est mise en vue. Les propos des dames deviennent la cité textuelle que *l'auteur* construit, plutôt qu'une série de discours d'individus. Si Christine emploie toujours des allégories dans *La Cité*, et maintient, garantissant ce qu'elle écrit, l'idée de leur autorité irréfragable, ces figures sont moins distantes, moins indépendantes que leurs homologues dans *Le Chemin*. En d'autres termes, elles sont moins allégoriques. Ce qui est souligné, c'est la possibilité, pour Christine, de mener son propre travail.

Dans les deux œuvres, pourtant, ce travail, comme si souvent au Moyen Âge, consiste à retravailler les écrits d'autrui. La compilation, le remaniement d'ouvrages antérieurs, sont, à cette époque, tout à fait justifiés. Les exemples que proposent les dames allégoriques, aussi bien celles de *La Cité* que celles du *Chemin*, sont tirés de sources que Christine cite : Valère Maxime, Cicéron, Sénèque et d'autres, dans *Le Chemin*, Boccace, pour l'essentiel, dans *La Cité*. Dans *Le Chemin*, cependant, nous rencontrons, non seulement un nombre plus important d'auteurs, mais aussi un désir plus transparent de les évoquer. Dans la bouche de Noblesse, Chevalerie, Richesse, et surtout, bien entendu, de Sagesse, les noms se multiplient. Christine ouvre très souvent ses vers par une variation sur la formule « Si dit (nom d'auteur qui fait autorité) que... » Et cet auteur-là, elle l'invoque autant pour le renom dont il jouit auprès du public que pour la teneur même des histoires qu'il accrédite : l'esprit de solidarité avec ses hommes qu'avait tel grand général, l'humilité d'un empereur qui reconnut avoir tort dans un débat. L'aveu des sources enfonce autant de piliers dans la structure du poème, soutenant ses vers et leur donnant solidité et fermeté. Christine se réclame de ses prédécesseurs, rend explicite la continuité entre leurs écrits et son ouvrage.

La Cité s'appuie sur ses sources d'une autre façon, plus subtile et moins anxieuse. Christine reprend les *exempla* du *De claris mulieribus* de Boccace (dont le titre devient *Des cleres et nobles femmes* dans une traduction française anonyme datant de 1401) ; ce sont des anecdotes parfois ironiques et ambiguës, puisqu'elles suggèrent que les femmes célèbres ne sont pas toujours admirables. Christine alors récrit ces légendes afin de rendre pleinement louables leurs héroïnes. Des figures mythiques et historiques voient leurs histoires tournées de façon particulièrement bienveillante ; par exemple, Christine excuse Sémiramis, reine de Babylone, d'avoir pris son fils comme époux, alléguant l'absence, à l'époque, de lois écrites qui auraient interdit une telle union. L'usage qu'elle fait de Boccace tient au moins autant à son projet polémique en faveur des femmes qu'à la célébrité de l'écrivain. Lorsqu'elle cite le nom de Boccace – ce qu'elle continue à faire, bien que les noms en tant que tels soient moins présents dans *La Cité* –, c'est davantage pour s'en prendre à lui que pour lui emprunter un reflet de sa gloire. Les modifications que subit la matière du *De claris mulieribus* sous la plume de Christine sont plus importantes que ne le laisse penser la réputation de son auteur. Du moins, disons, cette réputation est-elle citée pour suggérer l'habileté de Christine, prête à manipuler ses sources, plutôt que pour prouver qu'elle connaît l'œuvre de Boccace.

L'usage que Christine fait d'allégories et d'autorités caractérise, à la fois, *Le Chemin* et *La Cité*, tout en les distinguant l'un de l'autre. Et l'on peut considérer que l'accent différemment placé sur ces éléments indique le degré auquel chaque texte *dit* au lieu de *faire* : dans le débat du *Chemin*, l'auteur pose la présence des allégories, présente leurs points de vue, annonce ses références, tandis que dans *La Cité*, la construction d'une ville pour les dames vertueuses est à la fois une métaphore architecturale et le projet d'une écriture qui raisonne, qui développe et relie des idées. *Le Chemin* croit que sa rhétorique est efficace du fait de son existence ; *La Cité* la met en mouvement.

L'action est pourtant le but présumé du *Chemin de long estude*, qui cherche, on se le rappelle, un remède à la discorde générale des hommes. L'assemblée a décidé qu'il faut élire un homme, l'homme parfait, pour accomplir cette tâche. Les traits littéraires de ce poème semblent donc le décaler de l'objectif qu'il se donne. D'ailleurs, c'est évident quant au résultat du débat : on n'arrive pas à se mettre d'accord sur l'homme qui conviendrait. Les dames allégoriques parlent, l'assemblée délibère, et on n'arrive toujours pas à faire un choix. On peut dire que Noblesse, Chevalerie, Richesse et Sagesse ont débattu autour d'un creux. Aucun homme ne se matérialise de leur discussion pour remplir tous les critères de la perfection. C'est la conséquence de l'affrontement, d'une part, d'énoncés censés créer des vérités, comme les noms d'allégories garantissent leur caractère, et d'autre part, de la réalité des hommes. Il n'y a personne pour remplir la place désignée du prince parfait, précisément parce que ce prince n'existe pas ; on peut le décrire, mais non le trouver. *Le Chemin de long estude* reconnaît cela. Christine de Pizan provoque l'aporie nécessaire dans le débat céleste sur des questions terrestres, en laissant la littérarité de son récit atteindre ses propres limites.

Mais si le prince idéal est absent, l'auteur ne laisse pas son poème en suspens ; elle esquisse, sinon une résolution définitive, au moins un geste de clôture. Dans les tout premiers vers du poème, dans sa dédicace à Charles VI, Christine avait renforcé ses louanges au roi, tout en l'avisant qu'il se devait d'être l'arbitre d'un « grant debat... dessus [lui] ». L'assemblée faisait appel à lui comme « a fontaine vive de souverain sens ». À la fin, lorsque le « parlement » ne sait plus comment procéder, Christine ferme la boucle qu'elle a ouverte au début, et trouve une issue à la question du meilleur candidat au pouvoir en faisant renvoyer le débat sur terre : il est soumis au roi de France. Plusieurs remarques s'imposent. D'abord, le fait de tirer le débat des cieux pour le faire juger sur terre implique une prise de position de la part de Christine en faveur des solutions pratiques, concrètes, humaines, aux problèmes qui font souffrir les hommes. Souvent partagée entre le désir de l'idéal, du transcendant, et la constatation du réel, elle choisit, en fin de compte, le camp du possible. Sur le plan de la narration, il est curieux de remettre entre les mains d'un homme (fou) un débat qui avait pour enjeu l'incapacité des hommes à régler leurs propres affaires ; Mère Nature était montée au ciel justement pour se plaindre de ce défaut humain. Mais, d'un point de vue symbolique, cette fin s'accorde aux principes de Christine. C'est par lui-même que l'homme doit être gouverné ; le débat entre allégories ne doit pas apporter de solution à un problème de ce monde. L'expérience prime de nouveau sur la théorie. Notons au passage que c'est cette allégorie : Avis – vêtu en avocat –, qui suggère le renvoi du débat sur terre : en qualité d'Opinion plutôt que de Vertu, avec ses habits de parlementaire, Avis est un excellent intermédiaire entre les certitudes célestes et le désordre des hommes.

Ensuite, il faut insister sur le fait que Charles VI sera le juge du débat et non pas, lui-même, le prince parfait requis. Si Christine dit que la cour de France est « souveraine », elle n'entend pas pousser les éloges jusqu'à faire l'amalgame de Charles et du monarque idéal évoqué dans le débat ; ce serait pour une pragmatiste comme Christine une trop belle boucle, que de découvrir l'idéal dans ce qui est, elle le précise pourtant, la cour la plus brillante du pays le plus glorieux qui soit. La raison historique en est la folie du roi, qui l'empêche de toute façon d'être un modèle ; mais en dehors de ce fait, il y a la conviction de Christine qu'on ne mariera jamais parfaitement l'homme à l'idée. Pour ceux qui la poursuivent, une telle union reste toujours une vision plus ou moins lointaine.

La distance à parcourir entre le donné et l'idéal n'exclut pas que l'on y aspire : nous avons déjà mentionné que Christine a tôt pratiqué le genre du miroir du prince, définissant dans *L'Epistre Othea* les qualités du monarque accompli. Cette œuvre, destinée à l'usage de Louis d'Orléans, frère cadet de Charles, lui mettait devant les yeux des exemples à imiter, l'exhortant à adopter des comportements irréprochables. *Le Chemin de long estude* participe lui aussi au genre du miroir, même si sa composition hybride – le songe, le voyage, le débat – l'inscrit en même temps dans d'autres grandes catégories de la littérature médiévale. L'intérêt que porte Christine à la description du prince parfait trouve sa meilleure expression dans *Le Livre des fais et bonnes meurs du sage roy Charles V*, rédigé en 1404. Ce n'est pas la dernière fois dans sa carrière que Christine entreprend d'instruire des lecteurs royaux, mais c'est sans doute l'exemple qui en dit le plus long sur son esprit. Car *Le Livre des fais* est à la fois un catalogue de perfections, et le portrait d'un homme historique. Plus de vingt ans après la mort de Charles V, Christine s'efforce de l'encenser, et suit si bien les règles de l'art que ses louanges risquent parfois de ne paraître que trop convenues. Parfois seulement ; les qualités propres à Charles, subtilité, prudence, émergent bel et bien d'anecdotes authentiques et d'une accumulation d'exemples confirmant ces traits. Christine parle de mémoire, d'expérience ; elle a connu le roi dans sa jeunesse. Elle met à profit ce qu'elle sait et elle projette cette expérience sur l'image intangible et pérenne du roi. Pour elle, le grand avantage que présente ce texte sur ses autres miroirs est qu'il parle du passé. Charles fut là ; il suffit d'enchevêtrer son être et une certaine idée du roi. Christine ne cherche pas à réformer le présent, ni, si ce n'est indirectement, à assurer l'avenir ; il n'y a pas de vide à remplir ; il s'agit de faire coexister deux éléments *compatibles par leur fixité* : une vie révolue, et un idéal constant. Cette absence centrale autour de laquelle débattent les quatre dames du *Chemin de long estude* est remplie d'emblée dans *Les Fais et bonnes meurs* ; cela facilite la tâche de Christine, libérée ainsi d'une nécessité douloureuse, celle de déchoir d'un idéal en faveur de l'humain.

Le Chemin de long estude contient peut-être le germe des *Fais et bonnes meurs* dans l'éloge du roi défunt que Christine met dans la bouche de dame Sagesse (vv. 5001-5046). Ces vers nostalgiques que l'auteur consacre à Charles V offrent un contrepoint significatif au chant de douleur du début du texte, où Christine se rappelle son mari. La veuve solitaire déplorait le compagnon qui l'aimait tendrement ; l'auteur, par le biais de Sagesse, vertu suprême, évoque son admiration pour le roi. Le cours du poème nous fait en effet passer du domaine personnel au domaine politique, et de l'injustice vécue, aux récompenses inhérentes aux dons d'observation et de réflexion. Les souvenirs auxquels Christine se livre dans ces vers sont, il faut le signaler, presque tous liés à l'amour du roi pour le savoir : elle loue ses connaissances en philosophie et en astronomie, et s'attarde sur l'excellence de son idée de commanditer de nombreuses traductions du latin en français, « Pour les cuers des François attraire / A nobles meurs » (vv. 5024-5025). Les qualités de Charles correspondent à celles dont Christine voudrait se réclamer : les livres et l'étude l'ont formée, de telle sorte qu'elle peut, qu'elle pourrait maintenant agir sur la destinée de ses compatriotes, en les invitant à se pencher sur la question du meilleur gouvernement possible.

La fin du *Chemin de long estude* est aussi abrupte que son commencement fut sinueux. En l'espace de quelques vers, Christine se voit confier la mission de rapporter le débat à la cour royale française, fait vérifier l'exactitude de sa transcription des propos échangés, accepte des joyaux en récompense, descend du ciel, remercie la Sibylle, et se retrouve, le matin, dans son lit. Les conflits auxquels elle avait songé la veille, la noirceur des pensées qui l'avaient poursuivie dans l'obscurité de sa chambre, se dissipent à la faveur d'une journée nouvelle. Christine est forte d'un nouveau savoir et d'une nouvelle expérience. Elle s'est acquittée d'une tâche d'une portée sociale considérable, et cependant, elle réintègre l'intimité familiale, réveillée par « la mere qui [la] porta » (v. 6395). Le « jugement » du débat céleste que la fiction demande à Charles VI lui est encore inconnu, mais elle a posé les jalons nécessaires à sa réelle participation future, en tant qu'écrivain, aux grandes questions de son temps.

Remerciements

Mes remerciements les plus vifs vont d'abord à Michel Zink, qui est à l'origine de ce livre, et qui en a suivi les progrès avec l'amitié la plus constante.

Ma reconnaissance s'adresse aussi à James Laidlaw, qui, en relisant intégralement édition et traduction, m'a gardée de bien des erreurs ; à Kevin Brownlee, pour ses conseils et sa connaissance approfondie du contexte franco-italien ; à Nadia Margolis, pour son enthousiasme et son inépuisable érudition ; à Christine Reno, experte des manuscrits ; et à Jeff Rider, pour son aide indéfectible. Susan Bibeau a passé des heures sans nombre à travailler sur la mise en page du texte.

Ce travail a bénéficié, plus que je ne saurais dire, des communications de tous les organisateurs et de tous les participants des trois colloques internationaux consacrés à Christine de Pizan, à Berlin en 1992, Orléans en 1995 et Lausanne en 1998, ainsi que du soutien de mes collègues de Dartmouth College.

❁ MINIATURES DU MS. HARLEY 4431 ❁

1. Avant le vers 1. 103 mm de haut sur 78 mm de large. En haut, à gauche du folio, sous la rubrique « Cy commence le Livre du chemin de lonc estude ». Sur la gauche de l'image, Charles VI est assis sur un trône bleu décoré de fleurs de lys dorées. Il est habillé de noir, avec des touches dorées : ceinture, lion sur la manche, collier, couronne[1]. Debout, derrière lui, se trouvent quatre hommes de part et d'autre du roi. Les deux situés à l'extrême gauche sont représentés de profil ; l'un est vêtu de mauve, l'autre de vert. Les visages des personnages sur la droite du roi pour celui qui regarde, sont visibles de trois-quarts ; l'homme à côté du roi est en rouge (il occupe le centre de l'espace peint), et l'autre est en bleu. Seul le costume de ce dernier comporte des ornementations : une ceinture et une écharpe dorées. Les deux hommes sur la droite ont l'air plus âgés que les autres et portent tous deux la moustache et la barbe. Sur la droite de l'image, Christine, à genoux, présente au roi un livre rouge avec une fermeture dorée. Elle porte une robe grise et une coiffe blanche. Charles tend sa main gauche pour prendre le livre, et Christine et lui se regardent. Le fond architectural est blanc et rose ; le sol se compose de carreaux verts. Deux bordures, une

---

1. Voir l'analyse de l'habillement du roi que fait Sandra Hindman dans *Christine de Pizan's « Epistre Othéa » : Painting and Politics at the Court of Charles VI* (Toronto, Pontifical Institute of Mediaeval Studies, 1986) 176-9.

première en bleu et rouge, puis une autre, extérieure à celle-ci et dorée, encadrent l'image. Une bordure de fleurs et de feuilles noires et dorées court le long du folio. Les autres miniatures du texte sont décorées de bordures plus courtes et moins importantes.

Autour de Charles VI se tiennent quatre hommes ; qui sont-ils ? On ne voyait jusqu'à présent, parmi les « ducs » invoqués par Christine, que trois dédicataires possibles à la date de composition du *Chemin de long estude,* 1402 (voir v. 15) : deux oncles paternels de Charles VI – les ducs de Berry et de Bourgogne – et son frère cadet Louis d'Orléans. En effet, les mss. FL, que James Laidlaw a identifiés comme antérieurs aux autres, ne montrent autour de Charles que trois personnages. Mais les autres mss. qui comportent une miniature de dédicace, c'est-à-dire ACD, et qui ne sont postérieurs à FL, en ce qui concerne A et D, que de quelques mois tout au plus, présentent tous quatre hommes. Il faut s'interroger sur l'identité de ces personnages ; le quatrième pourrait-il être le duc Louis II de Bourbon, oncle maternel de Charles et son conseiller respecté ? Louis de Bourbon comptait parmi les « princes de la fleur de lys », de sang royal ; Christine qualifie Charles de « lys », et associe les ducs dédicataires à cette qualification (v. 16, v. 19). À la fin du mois d'avril 1403, une ordonnance du roi proclame que s'il meurt, le gouvernement de France reviendra au Conseil Royal, présidé par la reine et les ducs de Berry, de Bourgogne, d'Orléans, et de Bourbon. Pour tout manuscrit du *Chemin* préparé à partir de mai 1403, il serait donc fort tentant d'identifier la quatrième personne présente aux côtés de Charles avec Louis de Bourbon. Mais le manuscrit D était prêt dès mars 1403, et comprenait déjà une quatrième figure dans l'entourage du roi ; cela affaiblit-il l'hypothèse concernant le duc de Bourbon, ou était-il, au contraire, au su de tous, une présence tellement importante dans la vie de Charles que l'ordonnance d'avril n'ait fait qu'entériner cette prééminence ?

Une autre hypothèse à envisager en ce qui concerne

l'identité du personnage supplémentaire serait celle qui reconnaîtrait en lui Louis II d'Anjou, cousin germain et ami du roi ; ce serait compatible avec l'apparente jeunesse de deux des quatre personnages représentés ; Louis d'Anjou n'avait alors que vingt-quatre ans. Mais il avait perdu depuis peu son trône de Naples…

Il faut également se demander si, de manuscrit en manuscrit, les personnages restent les mêmes. À peu près huit ans s'écoulent entre la composition initiale du texte et la production du ms. R destiné à la reine Isabeau ; pendant ce laps de temps, l'un des oncles de Charles, Philippe le Hardi de Bourgogne, et son frère, Louis d'Orléans, meurent. Louis de Bourbon meurt en 1410. Cela aurait-il changé le programme d'illustration que Christine fit exécuter pour le *Chemin* de la reine ? Nous supposons que, tel que le ms. Harley se présente, Christine y fait représenter le même entourage royal que celui qui figurait dans les manuscrits antérieurs, privilégiant la situation politique décrite au sein même de son ouvrage. Mais il demeure que l'auteur aurait pu « mettre à jour » l'illustration du ms. d'Isabeau afin de lui donner un aspect plus contemporain ; des recherches ultérieures devront déterminer si, dans chaque ms. du *Chemin*, chacun des hommes autour du roi peut être positivement identifié.

2. Après le vers 450. 99 mm de haut sur 79 mm de large. En bas, à droite du folio (la rubrique « Comment Sebille s'apparut en dormant a Cristine et l'amena par tout le monde » figure sur le folio suivant). La Sibylle est assise à gauche de l'image ; elle porte une robe rouge aux manches bleues. Elle lève la main droite vers le grand lit à baldaquin qui occupe le reste de l'image, et dans lequel Christine est couchée. Le lit et ses couvertures sont en gris. Nous ne voyons que la tête de Christine (toujours en coiffe), tournée vers la Sibylle. Christine est plus grande que son guide. Même sol vert, mêmes filets bleu/rouge et doré, que précédemment.

3. Après le vers 786. 93 mm de haut sur 83 mm de large. En bas, à gauche du folio (la rubrique « La Fontaine de Sapience que Sebille monstra a Cristine en la voye du chemin de lonc estude » se trouve en haut de la même colonne du texte). Christine et la Sibylle sont debout en bas de la miniature, à gauche. La Sibylle guide sa compagne, mais elle est la plus petite des deux femmes ; son bras droit est tendu derrière elle et touche la robe de Christine ; son bras gauche est levé à hauteur de sa taille, et son index pointe vers l'ensemble en haut à droite de l'image : dans un bassin rectangulaire en pierre, sont groupées les neuf Muses. Les Muses sont nues sauf leurs coiffes blanches, qui ressemblent à celle de Christine. Christine et la Sibylle regardent toutes deux dans la direction des Muses. La robe de Christine est grise, aux manches rose-rouge ; la Sibylle est habillée de rose-rouge. Elles porteront ces mêmes vêtements dans toutes les miniatures qui suivent. Au-dessus des Muses vole Pégase, blanc avec des ailes rouges. Christine et la Sibylle se tiennent en bas d'un terrain escarpé, mais il n'y a pas de chemin à proprement parler. L'herbe est verte, le ciel bleu. Même double filet d'encadrement que dans les deux miniatures qui précèdent.

4. Après le vers 1568. 97 mm de haut sur 80 mm de large. En bas, à gauche du folio (la rubrique « Comment Sebille, après qu'elle ot menee Cristine par toute la terre, l'amena au ciel estellé » se trouve en haut de la même colonne du texte). Christine et la Sibylle sont debout en bas de l'image, à gauche. Elles se regardent. Pourtant elles ont toutes deux encore le corps tourné vers la droite de l'image ; l'impression est celle d'une pause plutôt que d'un arrêt ou d'un détournement. Les bras de la Sibylle sont positionnés comme dans la miniature 3, sauf que son bras gauche est levé plus haut ; Christine aussi lève le bras gauche. En haut de l'image, se tenant dans un ruban de nuages ondulé, une figure d'homme : cheveux et barbe blancs,

mante violette et tunique écarlate. Il se penche un peu vers le bas. Une échelle se dresse entre son « balcon » céleste et la terre ; c'est cette échelle qu'indique la Sibylle. L'herbe est verte, les arbres ont des feuilles vertes, le ciel est bleu, mais entre le sol et le ciel, dans l'espace où se dresse l'échelle, le fond est constitué de carreaux bleu, rouge et or. Même double filet d'encadrement.

5. Après le vers 1784. 87 mm de haut sur 80 mm de large. En bas, à gauche du folio, directement au-dessus de la rubrique « Les belles choses que Cristine veioit ou ciel ». L'image principale est circulaire, bien que le cadre reste un rectangle. Un grand espace bleu est divisé en cinq cercles concentriques par des lignes d'un bleu plus foncé ; le tout est entouré d'un ruban circulaire de nuages ondulants. Les cinq cercles bleus sont parsemés de nombreuses étoiles dorées. En haut à droite, le soleil ; en haut à gauche, la lune. Au centre de l'espace bleu, Christine et la Sibylle se font face mais regardent chacune vers la planète du côté opposé : Christine vers le soleil, la Sibylle vers la lune. La Sibylle est placée légèrement plus haut, mais reste physiquement plus petite que Christine. Chaque femme lève un bras vers « sa » planète. Mêmes habits qu'auparavant. Dans les angles « morts » de l'image, entre le ruban des nuages et le double filet d'encadrement (cette fois, rouge uniquement, puis or), le même fond de carrés bleu-rouge-or que dans la miniature 4.

6. Après le vers 2256. 98 mm de haut sur 79 mm de large. Au milieu de la colonne de droite (la rubrique « Cy dit de .v. chayeres et des cinq dames que Cristine vid ou ciel » se trouve en haut de la même colonne du texte). Christine et la Sibylle sont en bas de l'image, au centre. Elles se font face, regardent vers le haut, et lèvent chacune un bras vers le ciel. Directement au-dessus d'elles, une figure ailée plane face à un trône écarlate vide (celui de Raison). Dans les quatre angles de l'image, quatre dames : en haut à gauche, Sagesse,

un livre sur les genoux et une sphère armillaire aux pieds ; en haut à droite, Chevalerie, qui porte un heaume et tient une bannière, un château à ses pieds ; en bas à droite, Richesse, qui tient un marteau tandis qu'un rabot et une scie reposent devant elle ; en bas à gauche, Noblesse, un sceptre à la main et un roi allongé à ses pieds. Toutes les quatre dames (même Chevalerie casquée) portent des couronnes dorées. Elles ont toutes la tête inclinée vers Christine et la Sibylle. Le fond de cette image est presque entièrement bleu, mais tout en haut l'on retrouve les carreaux bleu-rouge-or déjà vus dans les miniatures 4 et 5. Double filet d'encadrement.

7. Après le vers 2810. 111 mm de haut sur 80 mm de large. En haut, à gauche du folio, directement en dessous de la rubrique « La plaidoierie qui fu devant Raison pour la Terre mectre en ordonnance ». Composition similaire à celle de la miniature 6 : fond bleu, carreaux en haut, les quatre trônes et les quatre dames aux angles, Christine et la Sibylle en bas au milieu. Mais le trône du centre est maintenant placé plus haut dans l'image, et il est occupé par la reine Raison (l'ange gardien a disparu). Raison est le plus grand des personnages représentés, et son trône est également le plus important. Elle tient une longue épée à la main droite, une branche verte d'olivier à la main gauche. Elle se tourne et incline la tête pour regarder Sagesse, qui lui rend son regard, et qui lève vers elle l'index de sa main droite. Les trois autres dames ont maintenu la position de tête qu'elles avaient dans la miniature précédente. La coupe des vêtements de Raison et de Sagesse est identique, bien que les habits eux-mêmes soient de couleurs différentes : brun et bleu pour Raison, bleu et rose-rouge pour Sagesse. Toutes les dames ont les mêmes outils et attributs que précédemment. La Sibylle lève le bras droit et son index vers Raison, en tenant la main de Christine de sa main gauche. Christine a baissé son bras droit, mais son regard suit le geste de la Sibylle

vers Raison. Vers la droite de l'image, entre la Sibylle au centre en bas et Richesse à l'extrême droite, se tient un homme en habit de moine ; dans sa main, un rouleau à peine visible. Lui aussi lève la tête pour regarder Raison. Double filet d'encadrement.

8. Après le vers 6278. 95 mm de haut sur 79 mm de large. Vers le bas, dans la colonne de droite du folio (la rubrique « Comment la royne Raison commist a Cristine de raporter aux princes françois la dicte plaidoierie » se trouve en haut de la même colonne du texte). Même composition de base que dans les miniatures 6 et 7 : la cour de dame Raison. Mais cette fois Christine est directement au-dessous de Raison, alors que la Sibylle occupait cette place dans l'image 7. Christine est à genoux, les mains jointes en prière, la tête levée vers Raison. La Sibylle, toujours à droite, se tient à présent plus haut que Christine, de sorte que son corps comble une partie de l'espace entre Christine et Raison. Ses gestes confirment cette fonction d'intermédiaire : sa main gauche est posée sur l'épaule de Christine, tandis que sa main droite indique Raison. Son corps s'incline vers Christine, mais son regard se lève vers la reine. Sagesse regarde toujours Raison, et son bras gauche se tend maintenant vers elle. Raison a détourné sa tête de Sagesse pour regarder la Sibylle, de l'autre côté (c'est-à-dire vers la droite de l'image). Les autres dames n'ont pas changé de position. Double filet d'encadrement.

ARGUMENT

La dédicace. L'auteur fait l'éloge du roi Charles VI et des ducs à qui elle dédie son œuvre, soulignant le contraste entre leur gloire et l'indignité de son état de femme. Elle leur fait part d'un débat céleste dont elle a été témoin, et qu'elle soumettra à leur jugement (v. 60).

Le prologue. L'auteur se plaint de la Fortune, qui lui a enlevé son mari et qui est toujours perfide. Elle se remémore un soir, le 5 octobre 1402, où, abattue, elle chercha un livre pour se réconforter : *La Consolation de Philosophie* de Boèce. Ce texte lui rappelle qu'il faut se fier à la vertu comme au seul bien que Fortune ne peut lui enlever (v. 301).

L'endormissement. En se couchant, Christine (qui ne sera nommée, outre dans les rubriques du texte, qu'au vers 6329) songe aux multiples conflits qui déchirent le monde. Elle s'endort, et dans une vision reçoit la visite de la Sibylle de Cumes. La sibylle, sensible à son amour du savoir, l'invite à la suivre dans un autre monde, plus parfait (v. 699).

Le voyage. La Sibylle et Christine se retrouvent dans une belle campagne, puis, sur un mont (l'Hélicon), Christine aperçoit une fontaine. La Sibylle explique le paysage : un chemin, trop difficile pour Christine, conduit le pèlerin jusqu'à Dieu ; un autre, moins raide, et qui convient donc mieux aux capacités de Christine, mène à la fontaine de Sapience, le pays des lettrés. Les philosophes et les poètes fréquentent ces lieux; le père érudit de Christine en était aussi un habitué. La Sibylle désigne ce chemin comme celui de Longue Etude (v. 1170).

Les merveilles du monde. Christine et la Sibylle parcourent le monde, et Christine dévore des yeux les lieux exotiques, légendaires, et bibliques. Lorsqu'elle a peur, elle n'a qu'à invoquer les paroles « Vaille moy lonc estude » pour que sa frayeur disparaisse. Les deux femmes approchent du paradis terrestre, mais son accès leur est interdit. Elles iront ailleurs (v. 1568).

La montée aux cieux. La Sibylle lance un appel au ciel, et il en tombe une échelle, faite de « spéculation ». Les voyageuses monteront par ce moyen jusqu'au cinquième ciel, le firmament (après l'air, l'éther, le feu et l'Olympe). En grimpant, Christine est oppressée par la terrible chaleur et craint de périr. La Sibylle la réprimande; la constance de son désir de savoir la sauvera. Arrivée au firmament, la Sibylle instruit Christine sur la nature des étoiles et des planètes. Leur ordre et leur harmonie parfaits impressionnent Christine. Il ne lui est pas permis de monter plus haut encore; son guide la reconduit à présent jusqu'au ciel d'air (v. 2065).

Le ciel peuplé. Christine se trouve confrontée aux personnifications de tout ce qui ordonne et influence la vie sur terre: l'amour, la haine, la peur, etc. Elle voit l'avenir désastreux qui se prépare pour le genre humain, et aperçoit sa grande ennemie, Fortune. Puis son attention se tourne vers quatre dames, assises sur des trônes correspondant aux quatre points cardinaux, et entourant une cinquième chaire centrale, inoccupée pour le moment. Christine décrit les qualités de chaque dame sans la nommer encore; nous apprendrons plus tard (vv. 2759-2810) que c'est la Sagesse qui siège à l'est, la Noblesse au nord, la Chevalerie au sud, et la Richesse à l'ouest. Un parlement se prépare; Sibylle explique que la cinquième dame, reine des autres, va prendre place (v. 2494).

Les préparatifs au débat. La reine Raison arrive. Un messager accourt, tenant une requête de la Terre, qui se plaint amèrement du comportement destructeur des hommes éternellement avides. Elle supplie Raison d'intervenir avant que le mal ne soit irréparable. Raison rassemble les Vertus, et fait appel aux quatre dames déjà décrites ; chacune a sa part au mal de la Terre, mais aussi à son remède. Entrée des dames, chacune accompagnée des emblèmes de son caractère (v. 2810).

Les accusations. Raison commence par blâmer Richesse de l'état désastreux des affaires humaines. Celle-ci blâme Noblesse, qui se retourne contre Chevalerie. Les deux se querellent. Raison interpelle Sagesse, et la réprimande du peu de services qu'elle rend au monde. Sagesse accuse sa reine d'avoir, elle, abandonné les hommes alors qu'ils ont besoin de son secours. Raison met fin à la dispute – ne peut-on pas trouver moyen de rétablir l'ordre ? Comme la destruction vient du désir des hommes de se dominer les uns les autres, l'assemblée décide qu'il faut trouver un homme parfait pour gouverner la terre entière et en assurer l'harmonie (v. 3066).

Les premiers plaidoyers des dames. Chaque dame va soutenir son propre candidat. Noblesse ouvre le débat, insistant sur l'illustre lignée de l'homme qu'elle favorise. Chevalerie loue la prouesse au combat et propose un guerrier invincible. Richesse assure que le pouvoir et le bonheur tiennent à l'argent ; elle veut faire donner la préférence à l'homme le plus riche qui soit. Sagesse plaide la cause d'un homme qui allierait un savoir profond à une bonté absolue (v. 3454).

L'amplification du débat. Chaque dame approfondit son raisonnement. Noblesse préconise la tradition, l'ancienneté, dans les exemples historiques qu'elle cite pour prouver la prééminence du plus noble (v. 3720) ; Chevalerie dit que la noblesse de lignée ne vaut rien sans l'excellence dans les faits d'armes (v. 3838) ; Richesse rappelle que le chevalier noble ne commande pas le respect s'il ne peut financer ses expéditions guerrières, et pose qu'il n'entreprend de conquérir des terres que pour s'enrichir. L'argent supplée à tout défaut, et la puissance qu'il confère prime sur toute autre (v. 4082). Sagesse récapitule les arguments des autres pour dire que la vertu est le seul bien (v. 4226) ; puis, à l'aide de nombreux exemples livresques, elle se lance dans une très longue description des qualités chevaleresques ; de la vanité de la richesse ; de la science et de la sapience, propriétés de la sagesse ; et des obligations de simplicité, de justice et de générosité que la noblesse impose (v. 6078).

La résolution. Le conseil de dame Raison délibère pour voir qui doit devenir prince du monde. Mais il ne peut trancher. L'un d'eux, maître Avis, se lève pour proposer qu'ils confient la décision à une cour terrestre. Tout le monde tombe d'accord ; passant en revue les possibilités, ils déterminent que la cour française est la meilleure et la plus digne (v. 6268).

Le rôle de Christine. La cour de Raison a besoin d'un messager pour faire parvenir sa requête à la cour de France. La Sibylle s'avance pour proposer les services de Christine. Raison accepte avec joie. Christine, qui a transcrit tout le débat au cours de son déroulement, présente le document à l'approbation de Raison. Il est l'heure de partir ; la Sibylle et Christine redescendent leur échelle. La vision prend fin lorsque Christine entend qu'on frappe à sa porte ; elle a trop dormi, et sa mère est venue la réveiller (v. 6398).

REMARQUES SUR LA PRÉSENTE ÉDITION

REMARQUES SUR LA PRÉSENTE ÉDITION

[illegible] en [illegible] manuscrits[1] :

A. [illegible]

B. Paris, Bibliothèque Nationale de France, [illegible] français [illegible] Conte de Champ[illegible] [illegible] manuscrit est le même [illegible] catalogues [illegible] en 1827 [illegible]

C. Paris, Bibliothèque nationale de France, [illegible]

1. Voir Philip E. [illegible] 1990, 35-57 [illegible]

Le Livre du chemin de long estude nous est parvenu en neuf manuscrits :

A Bruxelles, Bibliothèque Royale 10982, 100 folios. Écrit sur une colonne. Contient *Le Chemin* uniquement. Figure au catalogue de la bibliothèque des ducs de Bourgogne en 1420.

B Paris, Bibliothèque Nationale de France, fonds français (fr.) 1643, 93 folios. Écrit sur une colonne. Contient *Le Chemin* uniquement. Dans son article fondamental « How Long is the *Livre du chemin de long estude* ? »[1], James Laidlaw attire l'attention sur une note du paléographe Gilbert Ouy sur la page de garde de B. Cette note suggère que le manuscrit est le même que celui décrit dans les catalogues de la bibliothèque d'Orléans dressés en 1417 et en 1427 (Laidlaw corrige la date de 1440 donnée par Ouy). Laidlaw constate que cette identification de l'ouvrage, puisqu'elle repose uniquement sur les particularités de la reliure, demeure incertaine, étant donné la relative fréquence, à cette époque, de reliures « en cuir rouge marqueté ».

C Paris, Bibliothèque Nationale de France, fr. 836,

---

1. Dans Philip E. Bennett et Graham A. Runnalls, *The Editor and the Text*, Édimbourg, Edinburgh University Press, 1990, 83-95. Ici, 85-6.

folios 1ra-41va. Écrit sur deux colonnes. Les manuscrits BNF fr. 835, 606, 836, 605, et 607 forment une collection de vingt-six œuvres de Christine ; l'ensemble est connu sous le nom du « manuscrit du duc »[1]. Il est possible que le recueil ait d'abord été destiné au duc d'Orléans, mais c'est le duc de Berry qui l'acquit, en 1408-1409 (voir *Dates*). *Le Livre du chemin de long estude* est le premier texte du fr. 836, et le quinzième de la collection dans son ensemble. Les autres textes figurant dans le manuscrit fr. 836 sont *Les Enseignemens moraux, L'Oroyson Nostre Dame, Les Quinze Joyes Nostre Dame, Le Livre de la pastoure, Une oroyson de Nostre Seigneur*, et *Le Livre du duc des vrais amans*.

D Paris, Bibliothèque Nationale de France, fr. 1188, 101 folios. Écrit sur une colonne. Contient *Le Chemin* uniquement. Offert au duc de Berry en 1403 (voir *Dates*). Il manque à D les 42 derniers vers du texte (vv. 6357-6398 selon notre système de numérotation).

E Paris, Bibliothèque Nationale de France, fr. 604, folios 122ra-160rb. Écrit sur deux colonnes. Collection de vingt-trois œuvres de Christine ; vraisemblablement une copie de L, faite vers le milieu du XVe siècle. *Le Chemin de long estude* est le vingt et unième texte de la collection. E a perdu ses 105 premiers vers lors d'un remaniement au dix-neuvième siècle.

F Bruxelles, Bibliothèque Royale 10983, 96 folios. Écrit sur une colonne. Contient *Le Chemin* uniquement. Figure au catalogue de la bibliothèque des ducs de Bourgogne en 1420.

G Cracovie, Biblioteka Jagiellonska, Gal. Fol. 133, 130 folios. Écrit sur une colonne. Contient *Le Chemin* uniquement. C'est le seul manuscrit du *Chemin* sur papier, les autres étant sur parchemin.

---

1. Voir James C. Laidlaw, « Christine de Pizan – A Publisher's Progress », *The Modern Language Review* 82, 1987 : 35-75. Ici, 52-3.

L Chantilly, Musée Condé 493, folios 184ra-231va. Écrit sur deux colonnes. Musée Condé 492-493 constitue une collection des œuvres de Christine, peut-être préparée pour Valentine Visconti, épouse du duc Louis d'Orléans[1]. Dix-neuf ouvrages sont inclus dans la collection originale, complétée en juin 1402. Cinq textes supplémentaires, dont, en troisième position, *Le Chemin de long estude*, ont été rajoutés ultérieurement.

R Londres, British Library Harley 4431, folios 178ra-219va. Écrit sur deux colonnes. Le manuscrit Harley, une collection des œuvres de Christine destinée à la reine de France, est relié en deux volumes et comprend trente textes. Le premier volume contient dix-huit ouvrages ; le second ouvre sur *Le Chemin*, le dix-neuvième texte de l'ensemble.

Éditions antérieures : La première version imprimée du *Livre du chemin de long estude* fut une refonte en prose, par Jan Chaperon (Paris : Estienne Groulleau, 1549). Le poème, quant à lui, fut édité une fois au dix-neuvième siècle, par Robert Püschel ; depuis, c'est à cette édition (Berlin : Damköhler, 1887 ; réimpr. Genève : Slatkine, 1974) que l'on se réfère dans toute étude littéraire consacrée à ce texte. Püschel connaissait sept des neuf manuscrits que nous avons aujourd'hui à notre disposition. Il lui manquait L et R – copies, respectivement, du tout début et de la fin de l'évolution des manuscrits du *Chemin* surveillée par Christine de Pizan. Dans son introduction au poème, il loue la qualité du texte des mss. A et C ; bien qu'il n'explicite pas son choix du manuscrit de base, il est évident, lorsqu'on fréquente et compare les manuscrits du *Chemin*, qu'il s'est servi de A.

En 1973, Patricia Bonin Eargle a préparé une édition du *Chemin* pour sa thèse de doctorat (Athens, Georgia, U.S.A : University of Georgia). Cette édition

1. Laidlaw, 48.

se fonde sur le ms. R, et analyse huit manuscrits. Le seul texte qui manquait à Eargle était celui que nous avons désigné sous le sigle G, et qui se trouvait à la Königliche Bibliothek de Berlin du temps de Püschel. Après la Deuxième Guerre mondiale on avait perdu sa trace ; aujourd'hui il se trouve à Cracovie. Eargle a utilisé des sigles différents de ceux de Püschel pour plusieurs manuscrits. L'édition d'Eargle nous a été utile comme outil de référence ; nous avons pourtant trouvé, aussi bien pour des questions de transcription que de ponctuation (et par conséquent pour la compréhension du texte), que les conclusions d'Eargle ne s'accordaient pas toujours aux nôtres.

Suzanne Solente, éminente spécialiste de Christine de Pizan, éditrice du *Livre de la mutacion de Fortune* et du *Livre des fais et bonnes meurs du sage roy Charles V*, travaillait à une édition du *Chemin* à sa mort en 1978. Ses papiers sont conservés à la bibliothèque de l'École des Chartes à Paris, où nous avons pu les consulter grâce à l'aide de Mme Françoise Vielliard. Solente avait choisi le manuscrit D pour base. Ses sigles diffèrent dans certains cas de ceux de Püschel. Au cours de notre travail, nous avons parfois consulté des photocopies de certaines transcriptions de Solente pour vérifier la correction d'un vers, mais nous n'avons pu faire un usage plus étendu de ce qui aurait certainement été une excellente édition si elle avait pu être menée à bout.

À notre connaissance, *Le Chemin* n'a jamais été traduit, ni en français moderne, ni en une autre langue.

Sigles : Nous retenons les sigles utilisés par Robert Püschel dans son édition du *Chemin de long estude* de 1887, pour les sept manuscrits dont il connaissait l'existence, soit ABCDEFG. Deux autres manuscrits, LR, sont désignés par les sigles qu'emploie James Laidlaw (« L » pour « Livre de Christine », et « R » pour « Livre de la Reine », le manuscrit R ayant été présenté à la reine de France, Isabeau de Bavière)[1].

---

1. « How Long is the *Livre du chemin de long estude* ? », 86-7.

Dates: Sept manuscrits sur les neuf (ABCDFLR) datent du début du quinzième siècle; les deux autres, EG, datent du milieu du quinzième siècle. Comme une grande part de l'intérêt des sept premiers vient de ce qu'ils ont été planifiés, revus, corrigés et parfois transcrits par Christine elle-même, nous nous attarderons moins sur E et G, exécutés après la mort de l'auteur[1].

Laidlaw a démontré que F et L, dont le texte et la composition des miniatures sont très similaires, sont antérieurs aux autres manuscrits que nous connaissons[2]. Parmi les sept premiers, nous pouvons dater D avec certitude: l'inventaire du duc de Berry précise que Christine le lui a présenté le 20 mars 1403 (n.s.). F et L ont donc dû être prêts avant. Christine explique dans *Le Chemin de long estude* qu'elle a commencé d'écrire son ouvrage le 5 octobre 1402 (vv. 186-188), soit cinq mois et demi avant de remettre le manuscrit achevé au duc. On peut penser par conséquent que FLD furent tous copiés pendant cette très courte période. Mais le fait que Christine ait dédié *Le Chemin* simultanément au roi Charles VI et aux ducs royaux (Berry, Bourgogne et Orléans, vv. 9-15) donne à penser qu'en plus de D, au moins trois copies du *Chemin* avaient été faites au printemps 1403, pour que tous les nobles dédicataires puissent recevoir l'offrande en même temps. À la question de savoir si F et L pourraient faire partie du nombre, l'on doit répondre par la négative pour L, puisque ce manuscrit, bien que copié plus tôt, fut rajouté à une collection d'œuvres de Christine que l'auteur elle-même a rassemblée; comme les ajouts furent intégrés vers 1404 ou 1405[3],

---

1. À propos de E, James Laidlaw dit qu'il a probablement été copié au milieu du quinzième siècle, et en tout cas après 1407 (« A Publisher's Progress », 42). Christine de Pizan est morte vers 1430. – **2.** « How Long is the *Livre du chemin de long estude*? », surtout 89-94. – **3.** Laidlaw dit que la collection fut agrandie en 1404 au plus tôt. Il précise que *l'Epistre a la reine*, composée le 5 octobre 1405, a dû être incorporée à l'ensemble une fois qu'il était déjà complété. Voir « A Publisher's Progress », 52.

il est peu probable que Christine ait offert L en cadeau à l'un des ducs en 1403. Mais F demeure un choix satisfaisant. En dehors de D et de F, les deux autres manuscrits susceptibles d'avoir été présentés à un mécène en 1403 sont A et B ; ils forment, d'une part, un couple particulièrement proche du point de vue de leur texte et de leur plan d'illustration, mais présentent d'autre part des liens avec DFL. La conclusion s'impose qu'au printemps 1403, cinq exemplaires du *Chemin de long estude*, ABDFL, existaient déjà. Composer ce long poème, le mettre au net, en superviser « l'édition » à cinq exemplaires (copies, miniatures), le tout en moins de six mois, c'est une remarquable prouesse. Ceux qui étudient les sources de Christine, et qui révèlent à quel point ses textes sont redevables à d'autres, trouveront dans cette intensité d'activité une raison supplémentaire d'insister sur les techniques de compilation courantes à l'époque.

Les manuscrits C et R sont légèrement plus tardifs. Le duc de Berry acquit C en 1408-9 ; Christine avait projeté un recueil de ses œuvres incluant le manuscrit C, recueil destiné au duc d'Orléans ; mais celui-ci avait été assassiné en 1407. R fut complété et présenté à la reine Isabeau à la fin de 1410 ou en 1411[1].

E est une copie de L, et G peut-être aussi ; EFGL constituent un ensemble, mais à l'intérieur de ce groupe, ainsi que les variantes en bas de page le démontrent, ce sont EGL qui présentent le plus de similarités.

Scribes : Gilbert Ouy et Christine Reno ont identifié trois mains qui ont copié la plupart des manuscrits des œuvres de Christine de Pizan, et les ont appelées P, R et X[2]. X désigne Christine elle-même. Parmi les manuscrits du *Chemin*, L et R sont des auto-

---

1. Pour une exposition plus circonstanciée de l'histoire de ces manuscrits, voir « A Publisher's Progress », surtout 52-9 et 60-7. – **2.** « Identification des autographes de Christine de Pizan », *Scriptorium* 34 (1980), 221-38.

graphes[1]. C et D sont attribuables au copiste R[2]. F vient de la main du scribe P. On n'a pas encore pu identifier le scribe de B ; c'est le seul exemple de cette main dans le vaste corpus des manuscrits christiniens. Des notes marginales dans B sont de la main de Christine. On ne sait pas non plus qui fut le copiste de A, mais l'on y trouve une fois de plus des corrections et des rajouts de la main de Christine. E et G étant des copies tardives du texte, l'identité de leur scribe respectif a moins d'intérêt pour qui veut étudier le milieu littéraire et artistique dans lequel Christine elle-même jouait un rôle si important.

Nombre de vers : L'édition de Püschel comporte 6392 vers ; la nôtre, 6398. Les deux textes se suivent jusqu'au vers 1595, où Püschel omet quatre vers qui figurent dans tous les manuscrits, et que nous avons restitués :

> La figure vers moy se tourne
> Et me regarde et puis s'en tourne,
> Disant que voulentiers feroit
> Tele eschele qu'il afferoit.

Puis, après le vers 5268 de notre texte (5264 chez Püschel), nous avons inclu deux vers qui figurent dans EFGL ; Püschel les cite parmi les variantes dans ses notes, plutôt que de les incorporer au texte :

> *Du dieu Socrates* dessus dit
> Ou Omer allegue qui dist

Cela fait le compte des six vers de différence entre l'édition de Püschel et la présente. Les dix-huit vers qui ne figurent pas dans R, notre manuscrit de base, mais qu'à l'instar de Püschel nous avons intégrés au

---

1. À propos de L, voir Laidlaw, « A Publisher's Progress », 41-2, 50. Pour R, voir Ouy et Reno, « Identification », 227 ; Laidlaw discute également ce manuscrit, de façon détaillée, dans « A Publisher's Progress », 60-67. – **2.** Ouy et Reno, « Identification », 225.

texte, paraissent entre crochets : vv. 229-234, 953-954, 1439-1442 et 5070-5075.

Illustrations : Tous les sept premiers manuscrits sauf B sont illustrés ; des espaces ont été laissés dans le texte de B en prévision de cinq miniatures, mais sont restés en blanc. FL contiennent chacun quatre miniatures, dont trois aux mêmes endroits ; D en comporte cinq, et A, six ; trois des miniatures dans AD sont aux mêmes endroits que celles de FL. Le programme d'illustration de B prévoit cinq illustrations : trois qui se trouvent également dans ADFL, la quatrième qui est dans ADF, et la dernière qui est dans AL. A et B se font donc écho en tout point, excepté la sixième miniature de A. Des notes marginales de la main de Christine dans B indiquent l'emplacement possible de onze miniatures supplémentaires, pour un total hypothétique de seize dans une copie plus tardive du poème. C et R sont les manuscrits les plus richement illustrés, chacun comportant huit miniatures, toutes aux mêmes endroits. Faisant preuve d'un soin encore plus grand, R présente de multiples rubriques qui ne figurent pas dans C (R a vingt et une rubriques ; C en a douze). La série de trois miniatures commune à ADFL et prévue dans B se retrouve dans les programmes d'illustration de CR. Sur les cinq autres miniatures que CR ont en commun, l'une figure dans ADF et est prévue dans B, mais les quatre autres sont simplement dans les notes marginales de Christine à B. Ce groupe de sept manuscrits du *Chemin de long estude* manifeste donc une cohérence remarquable sur le plan décoratif, en même temps qu'il représente son évolution. De FL à ADB, puis à C, jusqu'à R, le programme des miniatures se développe, les indications de Christine dans B servant de « pont » entre les cinq premiers et les deux derniers. Si nous n'avons pas de manuscrit incorporant tous les *desiderata* exprimés par Christine dans ses notes marginales, CR tiennent déjà compte de certains.

Les trois miniatures que partagent tous les mss

illustrés se situent aux vers 1, 451, et 787 : la dédicace à Charles VI, l'arrivée de la Sibylle au chevet de Christine, et la visite des deux femmes à la fontaine de sapience, où les neuf muses se baignent.

Choix d'un manuscrit de base : Nous avons choisi de fonder notre édition sur le manuscrit R. Le Harley 4431 est un manuscrit autographe en ce qui concerne *Le Chemin* (deux scribes sont responsables de la collection dans son ensemble). C'est aussi la collection la plus somptueuse et la plus tardive des œuvres de Christine. L'écrivain a apporté des changements au poème ; elle l'a fait richement illustrer ; elle a modifié certaines rubriques et a augmenté considérablement leur nombre. Bref, le Harley 4431 représente la dernière étape de l'évolution de Christine en tant qu'auteur et que productrice de ses textes. De nombreuses éditions récentes se fondent sur le même raisonnement ; R constitue le manuscrit de base dans les publications suivantes : *Christine de Pisan's Ballades, Rondeaux, and Virelais : an Anthology* de Kenneth Varty (1965) ; *Cent ballades d'amant et de dame* de Jacqueline Cerquiglini-Toulet (1982 – mais ce texte ne se trouve que dans R) ; l'édition de l'*Epistre au dieu d'amours* dans *Poems of Cupid, God of Love* de Thelma S. Fenster et Mary Carpenter Erler (1990) ; la nouvelle édition et traduction de *La Cité des Dames* de Earl Jeffrey Richards et Patrizia Caraffi (1997) ; *The Love Debate Poems of Christine de Pizan*, qui comporte *Le Livre du débat de deux amans*, *Le Livre des trois jugements*, et *Le Livre du dit de Poissy*, de Barbara Altmann (1998).

Versification et prosodie : Les soixante premiers vers du *Chemin* – c'est-à-dire la dédicace au roi – sont des décasyllabes. Les vers 61 à 252, où Christine se plaint de Fortune, se penche sur le livre de Boèce, et discourt de la vanité des choses mondaines, sont écrits en heptasyllabes, à l'exception des vers 69-70, 73-76, 147-154 et 165-166, qui sont des octosyllabes. Les vers 155-156 peuvent être lus soit comme des heptasyllabes, soit comme des octosyllabes. Au vers 253, la phrase de Christine devient octosyllabique sans qu'il y ait de tournant dans la narration du poème qui appelle un changement; l'octosyllabe est ensuite maintenu jusqu'à la fin de l'œuvre. Quel que soit le nombre de syllabes dans son vers, Christine de Pizan procède par distiques: aa bb cc dd. Pourtant, aux vv. 2599-2706, qui correspondent au «document» de la plainte envoyée par la Terre au parlement céleste de dame Raison, la rime est croisée: abab cdcd. Il y a peu d'hypo- ou d'hypermétries. Lorsque nous avons placé un tréma sur une voyelle, cela indique qu'elle doit compter à elle seule comme une syllabe: le participe passé de «voir (veoir)», peut s'écrire «veü», et comporte dans ce cas deux syllabes. Certaines combinaisons de voyelles, telles *ia* et *io*, sont systématiquement dissyllabiques, et par conséquent ne requièrent pas de tréma.

Principes d'édition: Nous nous sommes efforcée de rendre le texte de R aussi fidèlement que possible. Lorsque le texte de R est manifestement faux, nous l'avons corrigé à l'aide d'autres manuscrits. Il arrive parfois que R donne la seule fausse leçon: au v. 679, par exemple, «mon entendement» de ABCDEFGL devient «moy entendement» dans R. Toute leçon rejetée de R figure en bas de page, après un astérisque. Nous avons régularisé l'orthographe de certain mots que Christine écrit de façon variable, mais dont la forme peut prêter à confusion en français moderne: *se/ce, ses/ces*. Les variantes des huit autres manuscrits qui pourraient affecter, de près ou de loin, le sens du texte, figurent en bas de page dans l'édition, signalées par deux astérisques. Nous avons donné au texte sa présentation typographique moderne: points, virgules, guillemets, ainsi que les majuscules au début des noms propres. Nous avons transcrit les chiffres romains qui apparaissent dans le texte, plutôt que de les écrire en toutes lettres. Nous ont servi de guide les conventions d'édition établies par Mario Roques et élaborées par Alfred Foulet et Mary Speer[1].

Mise en page : Nous avons voulu, dans la mesure du possible, rendre le lecteur attentif à la mise en page du manuscrit médiéval. Nous avons donc indiqué par un chiffre entre crochets chaque folio et chaque changement de colonne dans le texte. Les rubriques – titres qui séparent des sections de texte – à défaut de pouvoir paraître ici dans leur couleur rouge d'origine, sont imprimées en majuscules pour être plus facilement repérables. Les lettrines, c'est-à-dire les lettres majuscules peintes et décorées, paraissent dans l'édition en caractères gras. Le « pied de mouche » médiéval, symbole d'un début de paragraphe, apparaît dans la marge gauche de l'édition, où il est signalé par son homologue moderne ¶. Le symbole ❁ dans le texte de l'édition, à côté d'une rubrique, indique la place de chacune des huit illustrations dans le manuscrit Harley.

---

1. Mario Roques, « Établissement de règles pratiques pour l'édition des anciens textes français et provençaux », *Romania* 52 (1926), 243-9 ; Alfred Foulet et Mary Blakely Speer, *On Editing Old French Texts*, Lawrence, Kansas : Regents, 1979.

INDICATIONS BIBLIOGRAPHIQUES

I - BIBLIOGRAPHIES

HICKS, Eric, Nadia MARGOLIS, Christine RENO, éds. *Christine de Pizan: Bibliographie des Écrivains Français*. Paris-Roma : Memini (Bibliographica), (en préparation).

LEFÈVRE, Sylvie. Article « Christine de Pizan », dans HASENOHR, Geneviève, et Michel ZINK, éds., *Dictionnaire des lettres françaises : le Moyen Âge*. Paris : Fayard/Livre de Poche, 1992, 280-287.

KENNEDY, Angus J. *Christine de Pizan, a Bibliographical Guide*. Londres : Grant & Cutler, 1984.

–. *Christine de Pizan, a Bibliographical Guide : Supplement 1*. Londres : Grant & Cutler, 1994.

MARGOLIS, Nadia, et Earl Jeffrey RICHARDS. « The Christine de Pizan Society Newsletter », numéros 1-8 (Margolis, 1991-1996) et 9 (Richards, depuis 1999). D'abord publiée sur un support papier, cette série de mises à jour de la bibliographie christinienne est maintenant disponible sur l'Internet : *www.CdeP-newsletter.uni-wuppertal.de/index.html*, ou *www.uni-wuppertal.de/FB4/romanistik/CdeP/*

YENAL, Edith. *Christine de Pizan : A Bibliography*. 2nd ed. Metuchen, NJ & Londres : Scarecrow, 1989.

II - BIOGRAPHIES

PINET, Marie-Josèphe. *Christine de Pisan 1364-1430 : étude biographique et littéraire*. Paris : Champion, 1927, réimp. Genève, Slatkine, 1974.

WILLARD, Charity Cannon. *Christine de Pizan: Her Life and Works*. New York: Persea, 1984.

III - TRADUCTIONS D'ŒUVRES DE CHRISTINE DE PIZAN EN FRANÇAIS MODERNE

MOREAU, Thérèse, et Eric HICKS. *Le Livre de la cité des dames*. Paris: Stock, 1986.

MOREAU, Thérèse, et Eric HICKS. *Le Livre des faits et bonnes mœurs du roi Charles V le Sage*. Paris: Stock, 1997.

IV - ÉDITIONS RÉCENTES D'ŒUVRES DE CHRISTINE DE PIZAN

ALTMANN, Barbara K. *The Love Debate Poems of Christine de Pizan*. Gainesville, FL: University Press of Florida, 1998 [contient *Le Livre du débat de deux amans, Le Livre des trois jugements*, et *Le Livre du dit de Poissy*].

CERQUIGLINI-TOULET, Jacqueline. *Cent ballades d'amant et de dame*. Paris: Union Générale d'Éditions, 1982.

FENSTER, Thelma S., et Mary C. ERLER. *Poems of Cupid, God of Love: Christine de Pizan's «Epistre au dieu d'amours» and «Dit de la Rose»; Thomas Hoccleve's «The Letter of Cupid»*. Leiden: Brill, 1990 [contient aussi des traductions en anglais pour les deux poèmes de Christine de Pizan].

–. *Le Livre du duc des vrais amans*. Binghamton, NY: Medieval and Renaissance Texts and Studies, 1995.

HICKS, Eric. *Le Livre des epistres sur «Le Roman de la Rose»*. Paris: Champion, 1977, réimpr. 1996.

KENNEDY, Angus J. «Christine de Pizan's *Epistre à la reine* (1405)», dans *Revue des langues romanes* 92 (1988), 253-264.

– et Kenneth VARTY. *Le Ditié de Jehanne d'Arc*. Oxford: Society for the Study of Mediaeval Languages and Literature, 1977.

–. *La Lamentacion sur les maux de la France,* dans

Mélanges de langue et littérature françaises du Moyen Âge et de la Renaissance offerts à Charles Foulon. Rennes : Université de Haute-Bretagne, 1980, 177-185.

–. *Le Livre du corps de policie*. Paris : Champion (Études christiniennes, 1), 1998.

KOSTA-THÉFAINE, Jean-François. « Les *Proverbes moraulx* de Christine de Pizan », *Le Moyen Français* 38 (1997), 61-78.

–. « L'*Epistre a Eustache Morel* de Christine de Pizan », *Le Moyen Français* 38 (1997), 79-92.

PARUSSA, Gabriella. *Epistre Othea*. Genève : Droz, 1999.

RENO, Christine, et Liliane DULAC. *L'Advision-Cristine*. Paris : Champion, 1999.

RICHARDS, Earl Jeffrey. *La Città delle dame*. Milan : Luni, 1997 ; 2e édition, 1998 [édition du texte français du *Livre de la cité des dames* de Richards ; traduction en italien de Patrizia Caraffi].

WILLARD, Charity Cannon, et Eric HICKS. *Le Livre des trois vertus*. Paris : Champion, 1989.

WISMAN, Josette A. *The « Epistle of the Prison of Human Life », with « An Epistle to the Queen of France » and « Lament on the Evils of the Civil War »*. New York : Garland, 1984 [édition de l'*Epistre de la prison de vie humaine*, l'*Epistre a Isabelle de Baviere, reine de France*, et *La Lamentacion sur les maux de la France* avec traductions en anglais ; voir aussi Kennedy, qui fait autorité pour les deux derniers].

V - LIVRES RÉCENTS TRAITANT DE L'ŒUVRE DE CHRISTINE DE PIZAN

BLAMIRES, Alcuin. *The Case for Women in Medieval Culture*. Oxford : Clarendon, 1997.

BLUMENFELD-KOSINSKI, Renate. *Reading Myth ; Classical Mythology and Its Interpretations in Medieval French Literature*. Stanford, CA : Stanford University Press, 1997.

BROWN-GRANT, Rosalind. *Christine de Pizan and the Moral Defence of Women : Reading Beyond Gender.* Cambridge : Cambridge University Press, 1999.

BROWNLEE, Kevin. *Discourses of the Self : Autobiography and Literary Models in Christine de Pizan*. Stanford, CA : Stanford University Press, 2000.

CERQUIGLINI-TOULET, Jacqueline. *La Couleur de la mélancolie. La fréquentation des livres au XIVe siècle.* Paris : Hatier, 1993.

FERRANTE, Joan. *To the Glory of Her Sex : Women's Roles in the Composition of Medieval Texts*. Bloomington : Indiana University Press, 1997.

HINDMAN, Sandra. *Christine de Pizan's « Epistre Othéa » : Painting and Politics at the Court of Charles VI.* Toronto : Pontifical Institute, 1986.

LECHAT, Didier. *Fictions du « Je » et traditions littéraires chez Guillaume de Machaut, Jean Froissart et Christine de Pizan* (thèse de doctorat sous la direction d'Emmanuèle Baumgartner). Paris : Université de Paris III-Sorbonne Nouvelle, 1997.

LEMAIRE, Jacques. *Les Visions de la vie de cour dans la littérature française de la fin du Moyen Âge*. Paris et Bruxelles : Klincksieck et Palais des Académies, 1994.

QUILLIGAN, Maureen. *The Allegory of Female Authority : Christine de Pizan's « Cité des dames »*. Ithaca, NY & Londres : Cornell University Press, 1992.

SOLTERER, Helen. *The Master and Minerva : Disputing Women in French Medieval Culture*. Berkeley : University of California Press, 1995.

ZÜHLKE, Bärbel. *Christine de Pizan in Text und Bild. Zur Selbstdarstellung einer frühhumanistischen Intellektuellen*. Stuttgart & Weimar : J.B. Metzler, 1994.

VI - RECUEILS CONSACRÉS À CHRISTINE DE PIZAN

BORNSTEIN, Diane, éd. *Ideals for Women in the Works of Christine de Pizan*. Ann Arbor, MI : Medieval and Renaissance Monograph Series 1, 1981.

BRABANT, Margaret, éd. *Politics, Gender, and Genre: The Political Thought of Christine de Pizan*. Boulder, CO: Westview, 1992.

DESMOND, Marilynn, éd. *Christine de Pizan and the Categories of Difference*. Minneapolis: University of Minnesota (Medieval Cultures 14), 1998.

DULAC, Liliane, et Bernard RIBÉMONT, éds. *Une femme de lettres au Moyen Âge: études autour de Christine de Pizan*. Orléans: Paradigme, 1995.

– et Jean DUFOURNET, éds. *Revue des langues romanes* 92: numéro spécial Christine de Pizan, 1988.

HICKS, Eric, éd., avec la collaboration de Diego Gonzales et Philippe Simon. *Au Champ des escriptures* (Actes du 3e Colloque international sur Christine de Pizan, Lausanne, 18-22 juillet 1998), Paris: Champion, 2000.

RIBÉMONT, Bernard, éd. *Sur le chemin de longue étude...*, Actes du colloque d'Orléans, juillet 1995. Paris: Champion (Études christiniennes, 3), 1998.

RICHARDS, Earl Jeffrey, éd. *Christine de Pizan and Medieval French Lyric*. Gainesville, FL: University Press of Florida, 1998.

– éd., avec Joan WILLIAMSON, Nadia MARGOLIS, et Christine RENO. *Reinterpreting Christine de Pizan*. Athens, GA: University of Georgia, 1992.

ZIMMERMANN, Margarete, et Dina DE RENTIIS, éds. *The City of Scholars: New Approaches to Christine de Pizan*. Berlin: de Gruyter, 1994.

VII - ESSAIS VISANT PARTICULIÈREMENT LE *CHEMIN DE LONG ESTUDE*

BELTRAN, Evencio. « Christine de Pizan, Jacques Legrand et le *Communiloquium* de Jean de Galles », *Romania* 104 (1983), 208-228.

BLUMENFELD-KOSINSKI, Renate. « Christine de Pizan and the Misogynistic Tradition », *Romanic Review* 81 (1990), 279-292.

BROWNLEE, Kevin. « Le moi "lyrique" et la généalogie littéraire : Christine de Pizan et Dante », dans *« Musique naturele » : Interpretationen zur französischen Lyrik des Spätmittelalters*, éd. Wolf-Dieter Stempel, Munich : Fink, 1995, 105-139.

DE RENTIIS, Dina. « "Sequere me" : "Imitation" dans la *Divine Comédie* et dans le *Livre du chemin de long estude* », dans ZIMMERMANN et DE RENTIIS, *The City of Scholars, supra*, 31-42.

DULAC, Liliane. « Thèmes et variations du *Chemin de long estude* à l'*Advision-Christine* : remarques sur un itinéraire », dans RIBÉMONT, *Sur le chemin de long estude... supra*, 77-86.

EHRHART, Margaret J. « Christine de Pizan and the Judgment of Paris », dans *The Mythographic Art : Classical Fable and the Rise of the Vernacular in Early France and England*, éd. Jane Chance, Gainesville, FL : Florida University Press, 1990, 125-156.

FARINELLI, Arturo. « Dante nell'opere di Christine de Pisan », dans *Aus romanischen Sprachen und Literaturen : Festschrift Heinrich Morf*, Halle : Max Niemeyer, 1905, 117-152.

GIBBONS, Mary Weitzel. « The Bath of the Muses and Visual Allegory in the *Chemin de long estude* », dans DESMOND, *Christine de Pizan and the Categories of Difference*, 128-145.

GOMPERTZ, Stéphane. « Le Voyage allégorique chez Christine de Pisan », dans *Voyage, quête, pèlerinage dans la littérature et la civilisation médiévales, Sénéfiance* 2, Aix-en-Provence, 1976, 195-208.

HECK, Christian. « De la mystique à la raison : la spéculation et le chemin du ciel dans *Le Livre du chemin de long estude* », dans *Au Champ des escriptures* (Actes du 3e Colloque international sur Christine de Pizan, Lausanne, 18-22 juillet 1998), éd. Eric HICKS, avec la collaboration de Diego Gonzales et Philippe Simon, Paris : Champion, 2000, 709-722.

KELLY, Douglas. « Les Mutations de Christine de Pizan », dans *Ensi furent li ancessor* (Mélanges de philologie médiévale offerts à Marc-René Jung), éd. Luciano ROSSI, avec Christine JACOB-HUGON et Ursula BÄHLER, Turin : dell'Orso, t. II, 1997, 599-608.

LAIDLAW, James Cameron. « How Long is the *Livre du chemin de long estude* ? », dans *The Editor and the Text*, éd. Philip E. BENNETT et Graham A. RUNNALLS, Édimbourg : Edinburgh University Press, 1990, 83-95.

LECHAT, Didier. « L'Utilisation par Christine de Pizan de la traduction de Valère Maxime par Simon de Hesdin et Nicolas de Gonesse dans *Le Chemin de long estude* », dans *Au Champ des escriptures* (Actes du 3e Colloque international sur Christine de Pizan, Lausanne, 18-22 juillet 1998), éd. Eric HICKS, avec la collaboration de Diego Gonzales et Philippe Simon, Paris : Champion, 2000, 175-197.

RIBÉMONT, Bernard. « Christine de Pizan : entre espace scientifique et espace imaginé (le *Livre du chemin de long estude*) », dans DULAC et RIBÉMONT, éds., *Une femme de lettres au Moyen Âge, supra*, 245-261.

RICHARDS, Earl Jeffrey. « Christine de Pizan and Dante : A Re-examination », dans *Archiv für das Studium der Neueren Sprachen und Literaturen* 222 (1985), 100-111.

ROQUES, Gilles. « Sans rime et sans raison », *Le Moyen Français* XIV-XV (1984), 419-436.

SASAKI, Shigemi. « Chateaumorant et *Le Chemin* de Christine de Pizan – à propos des "ruines" de Constantinople », dans *Et c'est la fin pour quoy sommes ensemble* (Mélanges J. Dufournet), éd. J.C. AUBAILLY, E. BAUMGARTNER, Francis DUBOST, L. DULAC et M. FAURE, Paris : Champion, 1993, t. III, 1261-1270.

–. « Le Poète et Pallas dans le *Chemin de long estude* (vers 737-1170 et 1569-1780) », *Revue des langues romanes* 92 (1988), 369-380.

SLERCA, Anna. « Le *Livre du chemin de long estude* (1402-1403) : Christine au pays des merveilles », dans RIBÉMONT, éd., *Sur le chemin de longue étude…, supra*, 135-147.

STAKEL, Susan. « Structural Convergence of Pilgrimage and Dream-Vision in Christine de Pizan », dans *Journeys Toward God: Pilgrimage and Crusade,* éd. Barbara N. SARGENT-BAUR, Kalamazoo, MI : Medieval Institute Publications (Studies in Medieval Culture XXX), 1992, 195-203.

WILLARD, Charity Cannon. « Une source oubliée du voyage imaginaire de Christine de Pizan », dans *Et c'est la fin pour quoy sommes ensemble* (Mélanges J. Dufournet), éd. J.C. AUBAILLY, E. BAUMGARTNER, Francis DUBOST, L. DULAC et M. FAURE, Paris : Champion, 1993, t. I, 321-326.

ZAGO, Ester. « Christine de Pizan : A Feminist Way to Learning », dans *Equally in God's Image : Women in the Middle Ages*, éd. Julia B. HOLLOWAY, Constance WRIGHT et Joan BECHTOLD, New York : Peter Lang, 1990, 103-116.

ZÜHLKE, Bärbel. « Christine de Pizan – le "moi" dans le texte et l'image », dans ZIMMERMANN et DE RENTIIS, *The City of Scholars, supra*, 232-241.

–. « "Je, Christine…" : Zur Selbstdarstellung der Christine de Pizan, Leben und Werk », dans Michaela HOLDENRIED, éd., *Geschriebenes Leben : Autobiographik von Frauen*, Berlin : Erich Schmidt, 1995, 33-48.

TABLE DES RUBRIQUES

Les chiffres renvoient aux vers.

LE CHEMIN
DE LONGUE ÉTUDE

✿ CY COMMENCE LE LIVRE DU CHEMIN DE LONC ESTUDE *[178ra]*

Tres excellant Magesté redoubtee,
Illustre honneur en dignité montee,
Par la grace de Dieu royauté digne,
4 Puissant valeur, ou tout le monde encline,
Tres digne lis hault et magniffié,
Pur et devot, de Dieu saintifié,
Cil glorieux de qui vient toute grace
8 Vous tiengne en pris et croisce vostre attrace.
A vous, bon roy de France redoubtable,
Le VIe Charles du nom nottable,
Que Dieu maintiengne en joye et en santé,
12 Mon petit dit soit premier presenté,
Tout ne soit il digne qu'en tieulx mains aille;
Mais bon vouloir comme bon fait me vaille.
¶ Et puis a vous, haulx ducs magniffiez,
16 D'ycelle flour fais et edifiez
Dont l'esplandeur s'espart par toute terre,
Par quel honneur fait loz a France acquerre.
Et aux gittons d'icelle flour amee
20 De qui l'onneur par le monde est semee,
Loz, gloire et pris soit toujours envoyee
Et paradis a la fin ottroyé.
Princes tres haulx, a vous tant humblement *[178rb]*
24 Comme je puis de cuer me recommand,

** **Rubrique**: Prologue (*sans autre rubrique à cet endroit*) *AD* ...estude. Et premierement prologue *C La rubrique manque dans B, et de toute façon dans E, où les 105 premiers vers sont absents* (*voir notre description des manuscrits*) Livre de la longue estude *G Après la rubrique de R, le chiffre* .xix. *indique la place du texte du* Chemin de lonc estude *dans la table des matières de cette collection des œuvres de Christine; la table comporte un total de trente entrées* – **13.** Tant *G* tes *F* – **17.** s'espant *A* – **19.** de celle *F* – **20.** De qui grant voix par *D* De qui l'oudeur par *FGL* – **21.** soit tousdiz *FG* – **24.** Comme plus puis de *FGL*

ICI COMMENCE LE LIVRE DU CHEMIN
DE LONGUE ÉTUDE

Très excellente et redoutée Majesté,
élevée dans sa dignité au plus illustre honneur,
roi par la grâce de Dieu,
suprême puissance devant qui le monde entier se
très digne lys, superbe et glorieux[1], [soumet,
pur et dévot, sanctifié par Notre-Seigneur,
que Dieu, de qui émane toute grâce, dans sa gloire
vous chérisse et accroisse votre lignée.
Bon roi de France très puissant,
Charles sixième de ce nom illustre[2]
que Dieu veuille garder en joie et santé,
qu'à vous en premier mon petit poème soit présenté,
encore qu'il ne soit pas digne de se trouver entre vos
[mains,
mais que ma bonne volonté me soit comptée pour
À vous ensuite, nobles ducs glorieux[3], [fait.
branches de cette fleur
dont le lustre resplendit sur toute la terre,
vous dont l'honneur attire sur la France les louanges.
Et à vous, rejetons de la fleur bien-aimée,
qui semez votre honneur de par le monde,
que louanges, gloire et valeur vous soient toujours
jusqu'à l'octroi final du paradis. [accordées
Très hauts princes, je me recommande à vous de tout
aussi humblement que je puis, [cœur,

---

1. Emblème de la maison royale de France. Des lys dorés sur fond bleu représentent la monarchie, en héraldique, ainsi que dans les illustrations des manuscrits de Christine. Pour une analyse détaillée du symbole du lys, voir Colette Beaune, *Naissance de la nation France* (Gallimard, 1985), surtout les pages 317-356. – **2.** Charles VI de Valois régna de 1380 à 1422. *Le Chemin de longue étude* date de 1402. – **3.** Les ducs Jean de Berry et Philippe de Bourgogne, oncles de Charles VI, et le duc Louis d'Orléans, son frère. L'enjeu du pouvoir de ces hommes était particulièrement important, à cause de la maladie mentale du roi. Sur la vie et le règne de Charles, voir la belle étude de Françoise Autrand, *Charles VI* (Paris: Fayard, 1986).

Pryant mercis par grant affection
Que repputé ne soit presomcion
D'escripre a vous de tele digneté,
28 A moy, femme, pour mon indigneté,
Ainçois vous plaise acepter le desir
Qu'ay de servir ou faire aucun plaisir
A vostre tres digne et haulte noblece ;
32 Si soit cause d'excuser ma simplece
Se je mesprens par aucune ignorance,
Et pris en gré ma loyal desirance.
¶ Pour vous donner matiere aucunement
36 De solacier, ay fait presentement
Cestui dictié que j'ay en termes mis.
Et dessus vous en sont en compromis
Les parties d'un debat playdoyé
40 Com vous pourrés ouÿr, et envoyé
L'ont devers vous par moy, qui sans pratique
Le compteray par maniere poetique
Aucunement et com la chose avint ;
44 Car je l'escri et pour ce m'en souvint.
Si soit de vous ottroyé la sentence
D'un grant debat dont plusieurs sont en tence,
Car devers vous comme a fontaine vive
48 De souverain sens m'ont requis que j'arive,
Et ilz sont tieulx et de si noble affaire
Que l'en doit bien pour eulx quelque riens faire.
Mais ne vueillés despriser l'arbitrage,
52 Pour ce qu'il est par trop petit message

** **28.** A moy femme *souligné dans BD, mais peut-être par une main autre que celle du scribe* – **36.** fait nouvellement *FGL* – **37.** en rime mys *G* – **45.** Si soit ottroyé de vous *D* – **46.** Du grant *EL* – **48.** m'ont commandé q. *ADFGL* qu'arrive *DFGL*

---

1. Christine inscrit sa dédicace dans une tradition littéraire qui veut que l'écrivain fasse montre de modestie vis-à-vis de son public. Mais cette humilité devient plus désirable encore du fait de la féminité de Christine ; une femme-écrivain ne remet-elle pas en cause l'ordre du monde ? C'est une question qui préoccupe l'auteur, par ailleurs grande admiratrice des « belles ordenances » (voir la visite de Christine au firmament, vv. 1785-2020, et surtout les vers 1825, 1862, 1864, 1881, 1942, 1956, 1962, et 1987-90, où elle exprime sa

en demandant avec effusion la faveur
de n'être pas taxée de présomption
à cause de mon indignité, si moi, une femme, je
[prends la liberté[1]
de vous écrire, à vous dont la dignité est si grande.
Daignez plutôt accepter mon ardeur à vous servir,
ou à offrir quelque plaisir
à votre digne et haute noblesse.
Puisse-t-elle faire excuser ma naïveté
si je me trompe par ignorance,
et veuillez prendre en gré mon zèle loyal.
Pour vous donner quelque matière à divertissement,
j'ai fait présentement ce poème,
que j'ai couché par écrit.
C'est à votre arbitrage que s'en remettent
les parties adverses, dans une cause qui s'est plaidée
comme vous allez l'apprendre et qu'elles vous font
par moi qui, n'étant pas de la pratique, [parvenir
vous la conterai de manière poétique[2],
sans détour, et comme ça s'est passé ;
car pour l'avoir écrit, j'en ai gardé bonne mémoire.
On vous sollicite de rendre la sentence
en ce grand débat, disputé par plusieurs[3] ;
car c'est à vous qu'ils m'ont dépêchée
comme à la source vive de la souveraine sagesse,
et ils sont de condition si noble
qu'il faut s'employer à les satisfaire.
Veuillez ne pas dédaigner l'arbitrage
parce qu'un trop modeste messager

---

joie devant l'ordre céleste immuable). – **2.** Le mot « poétique » suggère chez Christine un moyen de transmettre des vérités cachées. Dans un essai qui discute de l'évolution de ce terme à la fin du Moyen Âge, Jean-Claude Mühlethaler propose de traduire librement « manière poétique » par « sous le voile de la fiction ». « Les poètes que de vert on couronne », *Le Moyen français* 30 (1992) 97-112 ; ici, 106. – **3.** Sur l'habitude de Christine de dédier ses œuvres à des protecteurs puissants en leur demandant de juger un débat, voir Barbara Altmann, « Reopening the Case : Machaut's *Jugement* Poems as a Source in Christine de Pizan », dans E.J. Richards, ed., *Reinterpreting Christine de Pizan*, (Athens, Georgie : University of Georgia Press, 1992, 137-156), p. 138.

A vous tramis ; mais de simple personne
Peut bien venir vraye raison et bonne.
Princes poissans, si n'ayés en despris
56 Mon petit dit pour mon trop petit pris.
Et or est temps de m'euvre encommencer ;
Comme il avint diray sans delaisser.
Si vous plaise l'oÿr et escouter,
60 Ou, quoy, comment, que c'est vueillés notter.

Comme Fortune perverse *[178va]*
M'ait esté souvent averse,
Ancor ne se peut lasser
64 De moy nuire sans cesser
Par son tour qui plusieurs tue,
Qui du tout m'a abatue,
Dont de doulour excessive
68 Souvent seulete et pensive
Suis, regruttant le temps passé
Joyeux, qui m'est ore effacé
Tout pour elle et par la mort
72 Dont le souvenir me mort,
Sans cesser remembrant cellui

---

* **60.** Et quoy (*corr. d'apr. ABCDFGL*) – **70.** ores (*+1 ; corr. d'apr. ABDFGL*)

** **57.** commencier *F* – **59.** l'escouter *FG* – **60.** Et quoy *E Entre les vv. 60 et 61, la rubrique:* Ci commence le livre du chemin de lonc estude *ADF* – **62.** M'ait souvent esté *CD* M'ait esté long temps diverse *FGL* – **64.** nuire adés sanz *FL* – **67.** Dont douleur *D* – **70.** ores *C* – **71.** par elle *A* Et tout par elle *F* Et tout pour elle et pour *GL* – **72.** me remort *FGL*

---

1. La première des personnifications allégoriques dans un texte – et chez un auteur – qui en use d'abondance, comme de coutume en cette fin de Moyen Âge ; voir surtout la mise en scène des cinq reines du ciel, vv. 2257 sq. Fortune, c'est-à-dire le hasard, indifférente aux mérites et aux démérites des hommes, s'amuse à améliorer, puis à rabaisser leur condition. Elle est représentée dans les miniatures de l'époque comme une femme tournant une roue à laquelle des hommes s'agrippent ; tandis que l'un monte, l'autre descend, toujours au gré de la dame. Christine rechigne à accepter Fortune comme la force neutre de l'arbitraire, nourrissant un sen-

vous l'a soumis : des paroles vraies et bonnes
peuvent venir de personnes simples.
Princes puissants, ne méprisez donc pas
mon petit poème pour ma trop petite valeur.
Maintenant, il est temps de commencer ;
je rapporterai la chose sans différer.
Puisse-t-il vous plaire d'entendre et d'écouter :
où, quoi, comment, ce qu'il en est, veuillez en prendre
[acte.

La Fortune perverse[1]
m'a été longtemps contraire ;
et elle ne se lasse pas encore
de me nuire sans répit.
Son manège fatal,
m'a complètement abattue,
et de douleur excessive
je suis souvent seule et pensive[2].
Je regrette l'heureux passé,
maintenant effacé
par Fortune et par la Mort
dont le souvenir me mord.
Je ne cesse de me rappeler

---

timent d'amertume à l'égard de cette puissance qu'elle considère comme ennemie. L'imprévisibilité des mouvements de Fortune s'oppose aux révolutions stables et apaisantes des astres. Voir aussi Bernard Ribémont, « Christine de Pizan : Entre espace scientifique et espace imaginé (*Le Livre du chemin de long estude*) », dans Liliane Dulac et Bernard Ribémont, éds., *Une femme de lettres au Moyen Âge : Autour de Christine de Pizan* (Orléans : Paradigme, 1995, 245-261), p. 249 : « ...si le monde du chaos est en relation avec les éléments, c'est parce qu'il est sublunaire, soumis donc à la *mixtio* et à la *reactio* élémentaires, comme il est sous la coupe de la roue de Fortune. Le cosmos quant à lui, lieu de la quintessence aristotélicienne... est le lieu... du mouvement circulaire éternel et parfait ». – **2.** Dans l'œuvre lyrique qui ouvre la carrière de Christine, le morceau le plus célèbre reste sans doute la ballade XI des *Cent Ballades* (1395), où vingt-cinq fois en autant de vers, sonne le refrain « seulete suy ». L'usage du diminutif « seulete » souligne la fragilité et l'isolement de celle qui pleure la disparition de son ami ; voir Nadia Margolis, « Elegant Closures : The Use of the Diminutive in Christine de Pizan and Jean de Meun », E.J. Richards, ed., 111-123, et surtout 115-116.

Par lequel sens autre nullui
Je vivoye joyeusement
76 Et si tres glorieusement,
Quant la mort le vint happer,
Que de moy il n'avoit per
En ce monde, ce m'iert vis ;
80 Car souhaidier a devis
Je ne peüsse personne
Sage, prudent, belle et bonne
Mieulx que lui en tous endrois ;
84 Il m'amoit et c'estoit drois,
Car jeune lui fus donnee.
Si avions toute ordenee
Nostre amour et noz .ii. cuers,
88 Trop plus que freres ne seurs,
En un seul entier vouloir,
Fust de joye ou de douloir.
Sa compaignie m'estoit
92 Si plaisant, quant il estoit
Pres de moy, n'yert femme en vie
De tous biens plus assouvie ;
Car de toute riens plaisans,
96 Delitables et aysans
A son povoir il m'aysoit.
A bon droit s'il me plaisoit,
Plaisoit, lasse ! voirement
100 Me plaisoit si tenrement
Que de lui assez louer, *[178vb]*
Pour mon temps y alouer
Tout entier, me semble bien,
104 N'en diroie assez de bien.
Në oncques puis n'oz partie
Que de lui je fus partie,
Ne jamais n'atens avoir,

** **77.** le vid *C* – **105.** puis je n'oz *GL* – **107.** jamais n'entens *F*

celui-là seul
qui rendait ma vie heureuse
et même rayonnante,
jusqu'à ce que la mort vînt à l'emporter[1] ;
pour moi, j'en suis sûre,
il n'avait pas son pareil en ce monde :
je ne pourrais raisonnablement
imaginer quelqu'un
à tous égards mieux pourvu que lui
de sagesse et de toutes les qualités.
Il m'aimait, et c'était à juste titre
car toute jeune je lui fus donnée pour épouse.
Ainsi nous avions entièrement réglé
notre amour et nos deux cœurs,
mieux que ceux de frère et sœur,
selon une seule et même volonté
dans la joie comme dans la peine.
Sa compagnie m'était si charmante…
lorsqu'il était près de moi,
aucune femme n'était
plus comblée de bonheur ;
car il me procurait, autant qu'il le pouvait,
toutes choses plaisantes,
douces et agréables.
C'était à bon droit, s'il me plaisait ;
plaisait – hélas ! En vérité
je l'aimais si tendrement
que même en consacrant mon temps
tout entier à faire sa louange,
je suis sûre que je ne pourrais
en dire assez de bien.
Depuis que je fus séparée de lui
je n'ai pas eu d'autre moitié,
et n'aspire pas à en avoir,

---

1. Dans ce texte parfois autobiographique, Christine fait ici référence à la mort de son mari, Étienne de Castel, décédé dans une épidémie en 1390 ; voir au vers 130 l'allusion aux treize ans écoulés depuis la mort d'Étienne.

108 Tant ait autre sens n'avoir.
¶ Ainsi un temps me dura,
Mais Fortune procura
Tant qu'el lui osta la vie.
112 Bien croy qu'elle avoit envie
Du tres joyeux temps plaisant
Dont cellui m'estoit aysant.
Moult me fu le cas amer
116 De perdre cellui qu'amer
Devoye sur toute rien
En ce monde terrïen.
Si fus de grief dueil confuse
120 Et devins comme recluse,
Matte, morne, seule et lasse,
Ne pas un seul pas n'alasse
Que n'eusse la larme a l'ueil,
124 Demenant mon mortel dueil.
Lors m'avint la mescheance
Qui me fu dure escheance,
N'oncques puis des lors en ça
128 Un seul jour ne me laissa,
Combien qu'il ait ja par temps
Environ .xiii. ans de temps.
Si n'est pas chose nouvelle,
132 Mais mon grief dueil renouvelle
Chacun jour, ne plus ne mains,
Que s'il n'eust que un an ou mains,
Car la grant amour ne laisse,
136 Qui noz cuers en une lesse
Mist tous .ii., que je l'oublie,
Quoy que je soie affoiblie
De corps, de vigour assez
140 Pour les griefs meschefs passez,
Combien qu'aye lie face *[179ra]*
Devant gent, et que je face

** **111.** que lui *EGL* – **121.** Matte seulle morne *G* – **124.** moult mortel *CEGL* – **134.** Com s'il *F* – **136.** Que *F* leesse *B* – **139.** corps et de *A*

si sage ou si riche soit-il[1].
Il resta avec moi quelque temps,
mais la Fortune s'appliqua
à lui ôter la vie.
Je crois bien qu'elle était jalouse
des moments si joyeux et plaisants
que cet homme me faisait vivre.
Ce me fut un malheur amer
de perdre celui
que je devais aimer
plus que tout autre sur terre.
Un deuil pénible me bouleversa,
je devins comme une recluse :
triste, morne, seule et malheureuse,
je ne faisais un pas
sans verser des pleurs,
affligée par mon deuil cruel.
Ce malheur m'arriva,
ce fut mon douloureux partage ;
cette tristesse ne m'a plus quittée
un seul jour, et pourtant
treize ans se sont écoulés
depuis l'événement.
La chose n'est donc pas nouvelle,
mais ma profonde douleur se renouvelle
chaque jour ; je la ressens
comme si elle datait de moins d'un an,
car le grand amour
qui lia nos deux cœurs
ne permet pas que je l'oublie,
bien que mon corps soit affaibli
et ma vigueur diminuée
à cause des graves malheurs passés –
même si je montre un visage souriant
en société et fais semblant,

---

1. En effet, Christine ne s'est jamais remariée – choix d'autonomie rare à son époque –, préférant consacrer sa vie à l'étude et vivre de sa plume.

Semblant qu'il ne me souviengne
144 De doulour, quoy qu'il m'aviengne.
Mais tel rit et se soulace
Qu'il n'a plus triste en la place.
Ainsi vint le commencement
148 De tout mon desavancement
Par Fortune qui m'assailli,
Në oncques puis ne me failli;
Ains a si bien continué
152 Que cuer et corps a desnué
De joye et de bonne aventure,
De tous biens par mesaventure,
Par meschef et par meseur
156 Qui pieça m'osta tout eur,
Tant que du tout suis au bas;
Et pour neant me debas,
Puis qu'elle l'a entrepris,
160 Mon cuer rendra mort ou pris.
Pris est il en si dur las
Que l'estrainte le fait las.
Si ay cause de douloir,
164 Tout me puist il pou valoir;
¶ Et pour ce que suis en ce point
Par Fortune, qui si me point,
Voulentiers suis solitaire
168 Pour le dueil qu'il me faut taire
Devant gent, a par moy plaindre.
Et pour moy ainsi complaindre,
Un jour de joye remise
172 Je m'estoie a par moy mise
En une estude petite,
Ou souvent je me delite
A regarder escriptures
176 De diverses aventures.
Si cerchay un livre ou .ii.,

** **143.** ne m'en *D* – **144.** qu'il aviengne *AB* – **146.** Qu'il n'est plus *G* – **151.** Ains ay *B* – **153.** Et de joie *D* – **156.** m'osta mon heur *G* – **162.** estraindre *C* – **163.** doulour *C* – **164.** il *manque C* Tant me *G* – **166.** m'a point *EFGL*

---

1. Motif de la « couverture » : le poète doit maintenir une façade de contentement devant la société, quels que soient ses vrais sen-

quoi qu'il advienne,
de ne pas me souvenir de ma douleur[1].
Tel qui rit et se divertit
peut être le plus triste de tous.
Voilà quel fut le commencement
de mon déclin, que je dois à Fortune ;
elle m'a assailli, et depuis
s'acharne sur moi.
Ses attaques se sont poursuivies,
si bien que la mésaventure,
la malchance et le malheur
ont ôté de mon cœur et de mon corps
la joie et le bonheur.
Depuis longtemps privée de tout plaisir,
je suis au plus bas ;
c'est en vain que je me débats,
car elle l'a résolu :
elle tuera mon cœur ou le fera prisonnier ;
prisonnier de liens si étroits
qu'il est las de leur étreinte.
Ainsi ma plainte est-elle fondée,
si inutile soit-elle.
Et puisque je suis en ce point
si tourmentée par Fortune,
je reste volontiers solitaire
car il me faut taire mon deuil à autrui ;
me plaindre dans mon coin.
Un jour privé de joie,
je m'étais retirée ainsi
pour bercer mes malheurs
dans une petite étude
où souvent je me plais
à regarder des récits
de diverses aventures[2].
Je parcourus un livre ou deux,

---

timents. – **2.** L'œuvre de Christine naît d'autres œuvres ; elle est lectrice avant de devenir écrivain. L'image du retrait dans l'étude évoquée ici est reprise au début du *Livre de la cité des dames* (1405). Des miniatures des manuscrits de Christine la montrent au travail, assise ou debout à sa table d'écriture, des livres à ses côtés.

Mais tost je m'anuiay d'eulx,
Car riens n'y trouvay au fort
180 Qui me peust donner confort
D'un desplaisir que j'avoye, *[179rb]*
Dont voulentiers quisse voye
De m'en oster la pensee,
184 Ou trop estoie appensee.
Le jour que j'os cel oprobre
Fu le .v.e d'octobre
Cest an mille .cccc.
188 Et .ii.. Fust folie ou sens,
Mais nul qui ne l'eust sceü
Ne s'en fust apperceü,
Par semblant que j'en feïsse,
192 Quoy que j'amasse ou haÿsse;
Car demonstrer son courage
Toudis n'est pas avantage.
Ainsi fus la enserree,
196 Et ja estoit nuit serree;
Si huchay de la lumiere,
Pour le dueil qui ennuy m'iere,
Veoir s'en fusse delivre
200 En musant sus quelque livre
Ou pour passer temps au mains.
Et lors me vint entre mains
Un livre que moult amay,
204 Car il m'osta hors d'esmay
Et de desolacion:
Ce ert *De Consolacion*
Böece, le prouffitable

** **178.** Mais tout *B* – **183.** de la p. *AB* – **185.** j'oz tel *F* – **186.** .vi.e *EFGL* – **194.** Tousjours *G* – **198.** dueil qui anuy qui m'iere *B* que ennuy *G* – **200.** En lisant *EFGL* – **206.** Ce est *G*

1. Haut fonctionnaire romain sous le règne du roi ostrogoth Théodoric, accusé d'avoir trempé dans un complot contre celui-ci, Boèce fut emprisonné en 522. Il écrivit pendant sa captivité son chef d'œuvre *De consolatione philosophiae*, un dialogue entre le prisonnier et dame Philosophie. Philosophie est témoin de l'angoisse et du découragement de Boèce, qui se sent injustement accusé; peu à peu, elle le convainc de la vanité du pouvoir social

mais bientôt ils m'ennuyèrent,
car au fond, ils ne contenaient rien
qui pût me réconforter
d'un déplaisir que j'avais ;
je cherchais le moyen
de m'en ôter la pensée
qui m'accablait.
Ce jour de chagrin
fut le cinq octobre
de l'an mille quatre cent deux.
Était-il déraisonnable de s'attrister ? Je ne sais.
Mais en tout cas, qui n'aurait rien su
n'aurait pu percer mes sentiments
à voir ma contenance,
ni haine ni amour ne transparaissait ;
faire état de ses pensées
n'est pas toujours avantageux.
Ainsi m'étais-je enfermée ;
déjà la nuit était tombée.
Je demandai de la lumière pour voir si,
en me penchant sur quelque livre,
je pourrais me délivrer de ma peine,
ou du moins
faire passer le temps.
Alors me vint entre les mains
un livre qui m'a beaucoup plu,
car il m'a soustraite à mon trouble
et à mon deuil.
C'était *De la consolation*,
le célèbre livre de Boèce[1]

---

et des richesses matérielles. Les vers 241-283 du *Chemin* passent en revue les thèmes principaux de la *Consolation*.

Ce n'est pas seulement en citant son œuvre que Christine fait appel à Boèce ; la structure même du *Chemin* imite celle de la *Consolation*. Christine et Boèce sont chacun seuls et désespérés ; puis chacun reçoit la visite extraordinaire d'une dame allégorique qui apporte le réconfort sous forme de savoir et de sagesse (voir vv. 235 sq. et 458 sq.).

Sur la place de Boèce dans l'œuvre de Christine, voir Glynnis M. Cropp, « Boèce et Christine de Pizan », *Le Moyen Âge* 87 (1981) 387-417.

208 Livre qui tant est notable.
Lors y commençay a lire,
Et en lisant passay l'ire
Et l'anuyeuse pesance
212 Dont j'estoie en mesaisance –
Car bon exemple ayde moult
A confort, et anuy toult –
Quant ou livre remiray
216 Les tors fais, et m'i miray,
Qu'on fist a Böece a Romme,
Qui tant ert vaillant preudome
Et a tort fu exillié
220 Pour avoir bien conseillié
Et au bien commun aydier. *[179va]*
Ce n'est pas ne d'ui ne d'ier
Que, pour soustenir droiture,
224 Ont eu maint male aventure.
Cil tout bien leur pourchaçoit,
Merite autre n'i chaçoit
Fors le loyer que Dieu donne
228 A qui a son vueil s'ordonne.
[Mais mal en fu merité
D'en estre desherité,
Et ce fist la fausse envie
232 De ceulz qui heent la vie
Des bons, vrays, non mesdisans,
A qui mauvais sont nuisans.]
Mais sages est qui se fie
236 En Dieu, car Philosophie,
Qui l'ot a l'escole appris,
Ne l'avoit pas en despris
Pour exil ne pour contraire
240 Ne pour Fortune contraire ;
Ains le vint reconforter
Et tant fit par ennorter,

---

* **229-234.** *manquent dans notre ms.*

** **212.** mesance *F* – **217.** Com fist a Böece *B* Com fist Böece *F* Qu'on fist Böecë *EGL* – **218.** tant y ert *EGL* – **220.** Pour amour *F* –

dont on tire tant d'enseignements.
Je commençai à lire,
et au fur et à mesure que je lisais,
l'ire et la peine, qui me pesaient,
passaient
(le bon exemple réconforte
et ôte le chagrin)
lorsque je considérais
les malheurs que Boèce subit à Rome,
et me mettais à sa place.
Homme de grandes valeur et noblesse,
il fut tourmenté à tort
pour avoir donné de bons conseils
dans sa recherche du bien commun ;
ce n'est pas chose nouvelle,
maintes gens subissent des peines
parce qu'ils soutiennent la justice.
Boèce voulait du bien à tous ;
il ne cherchait d'autre mérite
que le salaire donné par Dieu
à ceux qui lui obéissent.
Mais il fut mal récompensé pour sa peine,
et mis à mort.
Il fut perdu par la sale jalousie
de ceux qui haïssent
les gens de bien, vrais et honnêtes,
et essaient de leur nuire par méchanceté.
Mais qui se fie en Dieu est sage ;
Philosophie,
qui avait fait l'éducation de Boèce,
ne l'a pas méprisé à cause de son tourment,
de ses revers
ou de sa mauvaise fortune.
Elle vint le réconforter,
et lorsqu'elle put s'entretenir avec lui,

---

224. maint dure a. *EFGL* – **226.** autre ne c. *A* – **229-34.** *Ne figurent que dans EFGL* – **237.** Qu'il ot *AB* Quilot (*comment diviser les mots ?*) *F* Qu'il l'eut *G* – **240.** *manque dans E*

Quant bien l'ot mis a raison,
244 Que lui monstra par raison
Que felicité mondaine,
Qui n'est que joye soubdaine
Ou n'a nulle seürté,
248 N'est mie beneürté,
Et que chose sans duree
N'est mie beneüree ;
Donc est le bien qui ne fault
252 Beneürté, il le fault.
Si ne se doit nullui troubler
Pour les biens perdre qu'assembler
Fortune a fait, qui tolt et donne
256 Et a son vouloir en ordonne.
N'il n'est nul bien fors de vertus,
Et ceulx sont toudis en vertus ;
Fortune ne les peut tolir,
260 Tout puist richeces retollir ;
Et cil qui en est enrichis,
Jamais jour ne sera flechis
A ce pour riens qui puist venir
264 Que doulereux puist devenir.
Autre richece asseüree
N'est, ne nul temps beneüree.
Et par vive raison monstra *[179vb]*
268 Philosophie, et demonstra
Par plusieurs poins, que plus doubtable
Et moins seure et moins prouffitable
Est bonne fortune que male,
272 Tout soit elle diverse et male.
Et par beaulx silogisemens
Lui en fist plusieurs argumens,
A lui meismes les faisoit souldre.
276 Ainsi com li prestres assouldre
Seult le pecheur qui se confesse,

** **244.** Qu'el lui monstra *BC* – **251.** Et dont *ABEFGL* – **252.** Beneure *EFGL* – **256.** vouloir cy ordonne *G* – **257.** Ne il n'est bien fors *EFGL* – **258.** tousjours *G* – **263.** pourra *G* – **264.** Qu'il puist douloureux d. *EFGL* – **265.** Ne autre *F* – **269.** plus a doubter *E* –

elle l'exhorta tant,
qu'elle put lui démontrer, par le raisonnement,
que les plaisirs de ce monde,
qui ne sont qu'une joie passagère,
et où il n'y a nulle certitude,
ne font point le bonheur,
et que ce qui est éphémère
ne peut être heureux.
Seul le bien indéfectible
apporte le bonheur, comme de juste.
Nul ne doit se plaindre
de perdre les biens que Fortune régit ;
elle ôte, donne,
et en dispose à son gré.
Les vertus sont les seuls biens
qui gardent toujours leur force ;
Fortune ne peut pas les enlever,
bien qu'elle puisse reprendre les richesses.
Celui qui s'est enrichi de vertu
ne sera jamais assujetti
à la douleur,
quel que soit son destin ;
il n'y a pas d'autre richesse
assurée ni durable.
Par un raisonnement rigoureux
Philosophie structura sa démonstration
en plusieurs points : si la mauvaise fortune
est changeante et néfaste,
la bonne est plus douteuse,
moins sûre et moins profitable.
Par de beaux syllogismes
Philosophie proposa à Boèce des cas
qu'il devait résoudre lui-même.
Le prêtre absout
le pécheur qui se confesse ;

---

270. Est moins seure *ABCD* – **271.** Bonne fortune que la male *A* Bonne fortune que est la malle *B* Bonne fortune est que *C* Bonne fortune est que la male *D* – **272.** *manque dans EGL*

Tout ainsi Böece confesse
En la fin son dit, car voit bien
280 Qu'elle lui dit et voir et bien.
¶ Et ainsi fu reconfortez,
Par Philosophie ennortez,
Du mal qu'on lui avoit traictié,
284 Comme il racompte en son traictié
Ou je leu toute la seree ;
Mais se j'eusse eu longue asseree,
L'i eusse, croy, voulu user,
288 Tant me plaisoit m'i amuser,
Car moult m'estoit belle matiere
Et de moy conforter matiere.
¶ Ainsi pris a Böece garde
292 Et pensay que cellui n'a garde
Qui de vertus peut estre plains ;
En joye sont tournez ses plains.
¶ Si fus auques hors de l'esmay
296 Que j'avoie, mais plus amay
Ce livre qu'onques je n'oz fait,
Et mieulx consideray le effaict,
Combien que autrefois l'eusse leu ;
300 Mais je n'avoye si esleu
Le reconfort que l'en y prent ;
Bonne est la peine ou l'en apprent.
Si os cause de l'avoir chier,
304 Mais il fu temps d'aler coucher,
Car ja estoit mi nuit passee.
Et en assez lie pensee
Je me couchay ; il fu saisons ; *[180ra]*
308 Et quant j'oz dit mes oroisons
Et je me cuiday endormir,
Je n'oz garde de me dormir,
Car en un grant penser chaÿ.
312 Je ne sçay comment g'i chaÿ,

---

* **286.** lengue asseree (*corr. d'apr. EGL*) – **305.** Et ja (*leçon de ABCDEFGL*)

** **278.** Tout aussi *CD* – **280.** dit v. *AB* – **282.** Par Ph. et ennortez

ainsi Boèce finit par confesser
toute son histoire, car il voyait bien
que la dame disait vrai et juste.
Exhorté par Philosophie,
il fut ainsi réconforté
du mal qu'on lui avait fait subir;
il le raconte dans son traité
que je lus toute la soirée;
si j'avais pu veiller longuement
je crois que j'y aurais passé toute la soirée,
tant j'aimais y consacrer mon temps.
La matière en était très belle
et propre à me réconforter.
Ainsi je songeais à Boèce
et pensais que celui qui est plein de vertus,
n'a pas de souci à se faire;
ses plaintes se changent en joies.
J'étais quelque peu sortie de mon chagrin,
et j'aimais ce livre
plus que jamais;
car je l'avais lu autrefois,
mais sans bien me rendre compte
du réconfort que l'on peut y puiser;
j'en ressentais mieux l'effet à présent.
La peine est bonne quand elle instruit;
j'avais raison de le chérir.
Mais je devais aller au lit
car il était minuit passé.
L'esprit allégé,
je me couchai; l'heure l'exigeait.
Une fois mes prières dites,
alors que je croyais m'endormir,
je n'ai pas pu trouver le sommeil,
car je tombai, j'ignore comment,
en une grande méditation

AB Ph. ennortés *EFGL* – **286.** langue aceree *AB* langue asseree *CDF* – **289.** Car m'estoit moult *F* – **290.** *manque dans F* – **291.** Ainsi a Böece garde *G* – **293.** vertu *EGL* – **298.** Car mieulz *EFGL* – **310.** m'en *EGL* – **312.** g'y enchay *D* je chey *G*

Mais ne m'en povoie retraire,
Tout y eusse je assez contraire.
Il me va venir au devant
316 Comment ce monde n'est que vent :
Pou durable, plain de tristour,
Ou n'a seürté ne bon tour,
Ou les plus grans ne sont asseur
320 De fortunë et de meseur ;
Comment si corrompt est le monde
Qu'a peine y a personne monde.
Si pensoie aux ambicions,
324 Aux guerres, aux afflictions,
Aux trahisons, aux agais faulx
Qui y sont, et aux grans deffaulx
Que l'en fait, dont c'est grant meschefs
328 Qu'on doubte si pou les pechez,
Moy merveillant dont peut venir
C'on ne se peut en paix tenir.
Dessoubs le ciel tout maine guerre,
332 Non pas seulement sur la terre,
Ou les hommes tant se combatent,
Mais mesme en l'air oyseaulx se batent :
Ceulx de proye les autres chacent,
336 Si les occïent et dechacent,
Et ceulx par nature les craignent
Qui les deffuient et recraignent.
Mais sur terre sont les meschefs ;
340 Tous li mondes est empeschez
De guerres, et plus sont renté,
Tant mains aiment leur parenté
Et plus queurent sus l'un a l'autre
344 A armeures, lances sur fautre,
Ou ilz assaillent leurs voisins.

** **314.** Tant *G* eusse assés *EGL* – **319.** les grand *G* – **321.** Com si corrompu *EFGL* – **332.** en la terre *C* – **338.** Si les deffuient *EGL* – **340.** en pechez *C* – **343.** courent sus *C* – **344.** A armee lance *ABD* A armes lances de sur fautre *F* A armes lances dessus fautre *EGL*

---

1. Remarque de valeur historique. Les tensions récurrentes franco-anglaises (la guerre de Cent Ans, 1337-1453) demeuraient,

à laquelle je ne pouvais me soustraire,
malgré mes efforts répétés.
Je me prends à songer
combien ce monde n'est que vent :
de peu de durée, plein de tristesse,
sans certitude ni bonne foi ;
les plus grands ne peuvent se prémunir
contre Fortune et Malheur,
et il y a tant de corruption
qu'à peine voit-on des gens purs.
Je pensais aux ambitions,
aux guerres, aux épreuves,
aux trahisons, aux embûches qui y règnent,
et aux graves fautes que l'on y commet ;
quel grand malheur
que l'on craigne si peu les péchés.
Je m'étonnais – d'où vient
qu'on ne peut se tenir en paix ?
Sous le firmament, tout se livre la guerre[1] ;
pas seulement sur la terre,
où les hommes se combattent tant,
mais même dans l'air il y a conflit :
les oiseaux de proie chassent les autres,
les poursuivent et les tuent ;
ceux-ci, les craignant par nature,
les fuient et les redoutent.
Mais les vrais malheurs sont sur terre ;
tout le monde est embarrassé de guerres
et, plus les gens sont riches,
moins ils aiment leur parentèle
et plus ils s'attaquent,
tout armés et lances baissées ;
ou alors ils assaillent leurs voisins.

---

malgré une paix officielle temporaire. La guerre civile menaçait aussi, à cause de disputes entre le duc de Bourgogne et le duc d'Orléans ; la croisade de 1396, qui aurait dû unir tous les chrétiens contre leur ennemi ottoman, avait donné lieu à des luttes de pouvoir entre croisés ; enfin, l'Église était scindée par les prétentions de deux hommes à la papauté (le Grand Schisme, 1378-1417).

Et meisme entre les sarrasins,
Le basat contre Tambourlan – *[180rb]*
348 Que Dieux mette en si tres mal an
Qu'ilz se puissent entre eulx deffaire,
Si n'y ait crestïen que faire !
¶ Mais des crestïens c'est dommages,
352 Qui pour envie des hommages
Et d'estranges terres conquerre,
S'entreoccïent par mortel guerre.
C'est pitié quant tel couvoitise
356 Homme mortel si fort atise
Qu'il consent tant de sanc espandre ;
Et si couvient ou rendre ou pendre,
Ou l'Escripture, qui ne fausse,
360 Couvendroit du tout estre faulse.
Et puis vient la mort, qui tost prent
Cellui qui garde ne s'en prent,
Et ne lui fault de tout avoir
364 Fors de son lonc de terre avoir ;
S'il a mal fait, alors l'espreuve,
Et s'il a bien fait, il le treuve ;
Plus n'en ara de sa conqueste ;
368 Si est bien folz qui tant acqueste
En faisant male extorcion
Pour si petite porcion.
¶ L'Eglise de Dieu desolee
372 Est plus qu'onques mais adoulee ;
Or en sont ferus les pastours,
Et les brebis vont par destours
Esperses et esperdües,
376 Dont maintes y a de perdues,

---

* **366.** s'il l'a bien (*corr. d'apr. BDEFL*)

** **347.** le Tamburlan *C* – **353.** Et d'estranges guerres *EL* Et estranges guerres *G* – **357.** Qu'il couvient *EGL* – **358.** Et si command *F* – **361.** qui tout prent *AB* – **363.** du tout *ABF* – **366.** s'il l'a bien *ACG* – **371.** Dieu adoulee *EFGL* – **372.** desoulee *EFGL* – **376.** a perdues *EFGL*

Il en va de même chez les sarrasins[1],
le pacha contre Tamerlan[2] –
puisse Dieu les accabler tant
qu'ils se détruisent entre eux
sans qu'un chrétien ait à s'en mêler !
Mais il est regrettable que les chrétiens,
par envie d'étendre leurs possessions
et de conquérir des terres lointaines,
s'entre-tuent par une guerre sans merci.
Il est lamentable qu'une telle convoitise
consume l'homme mortel, au point
qu'il consente à répandre tant de sang ;
pourtant, il lui faut restituer ou être destitué
ou alors l'Écriture, qui ne saurait tromper,
est mensongère du tout au tout.
Et quand survient la mort, qui surprend
qui n'y prend pas garde,
on n'a alors plus besoin de rien,
sauf d'un bout de terre à sa taille.
Si on a fait du mal, on en éprouve ;
et si on a fait du bien, on s'en trouve bien.
On ne tire rien de plus de ses conquêtes terrestres ;
il est donc bien fou,
celui qui acquiert tant par de mauvais procédés,
pour finir avec si peu.
L'Église de Dieu, malmenée,
est plus affligée que jamais ;
ses pasteurs sont maintenant frappés,
et les brebis errent et s'égarent,
éparses et éperdues[3].
Il en résulte que beaucoup sont perdues,

---

1. Ici le mot désigne des musulmans, mais il pouvait s'appliquer aux non-chrétiens en général. – **2.** En juillet 1402, trois mois avant que Christine n'entreprît d'écrire *Le Chemin de long estude*, il y eut une confrontation à Ankara entre Bayazid (Bajazet) I, le sultan ottoman, et Tamerlan, un émir qui avait conquis l'Eurasie centrale ainsi que des parties du Proche et du Moyen-Orient. Le sultan fut défait. Si Christine en parle, c'est sans doute parce que les actions de Bayazid retenaient l'attention européenne ; l'Ottoman avait écrasé les troupes chrétiennes à la bataille de Nicopolis (Bulgarie) en 1396. – **3.** Voir la note au v. 331 à propos du Grand Schisme.

Et ainsi va pis qu'onques mais.
Mais je ne sçay pas se jamais
Homme qui adés vive voye
380 Le monde aler par autre voye;
Et Dieux le doint qui brief l'amende,
Ains qu'il y tausse dure amende.
¶ Et ainsi pensoie en cel estre
384 Dont ce vient, ne que ce peut estre
Que mesmement les bestes mues,
Soient ou aux champs ou en mues,
Se vont ensemble combatant, *[180va]*
388 Entreocciant et abatant,
Et c'est moult divers appetis
Qu'ensement les grans, les petis
De tous animaulx se deffoulent
392 L'un l'autre et mahaignent et foulent;
Et les poissons dedens la mer
Peut on veoir souvent armer
Et fort aricier leurs arestes;
396 C'est pour n'estre angoulez es testes
Des grans poissons qui devorer
Les veulent et eulx acourer.
Tout y va a rebellion,
400 Et non pas seulement li hom;
Ains y va ainsi estrivant
Toute creature vivant
Et mesmement li element;
404 Et qui vouldroit dire: «elle ment»,
Si regarde l'air et la terre;
Entre eulx trouvera tele guerre
Que jamais ne se souffreroient
408 L'un l'autre, ainçois loing s'en fuiroient,
La terre embas, li air amont.
Në oncques puis tout en un mont
Ne furent, në ensemble trais,
412 Que Dieux les ot de chaoz trais.
Le feu et l'eaue s'entreheent,

** **381.** Et Dieu doinct *G* que brief s'amende *EFGL* – **392.** menguent *EGL* – **394.** on souvent veoir *CG* – **411.** ne semble *G*

et ainsi tout va plus mal que jamais.
Mais je ne sais pas s'il sera un jour
donné à l'homme de voir
le monde prendre une autre voie.
Puisse Dieu accorder qu'il s'amende sous peu,
avant qu'Il n'impose une lourde amende.
Ainsi, dans cette disposition de pensée,
je réfléchissais au pourquoi et au comment,
et me demandais pourquoi même les bêtes,
en liberté aussi bien qu'en captivité,
se livrent bataille,
se font mordre la poussière et s'entre-tuent.
Un désir dénaturé les pousse ;
de même que les grands,
les petits animaux se malmènent,
se mutilent l'un l'autre et se détruisent.
Et l'on peut souvent voir
les poissons dans la mer s'armer
et hérisser leurs piquants ;
c'est pour ne pas être engloutis
par les grands poissons, qui veulent
les dévorer et les éventrer.
Tout tourne à rébellion ;
il ne s'agit pas seulement des hommes,
mais toutes les créatures vivantes :
et même les éléments
se disputent de cette manière.
Que celui qui voudrait dire : « elle ment »
regarde l'air et la terre ;
entre eux il trouvera une guerre
telle qu'ils ne se souffrent jamais,
mais se fuient tant qu'ils le peuvent,
la terre en bas, l'air en haut.
Ils n'ont jamais été amalgamés
ni mis ensemble,
depuis que Dieu les a tirés du chaos[1].
Le feu et l'eau se haïssent l'un l'autre

---

1. Genèse 1 :1-10

A destruire l'un l'autre beent.
La cause, c'est verité pure,
416 Qu'ilz sont de descordant nature,
Et l'en ne pourroit a paix traire
Chose l'un a l'autre contraire.
Si est nostre corps composé
420 De eulx, et pour ce est mal reposé;
Car ce que Nature dispose
D'un ellement, l'autre y oppose,
Et d'entr'eulx ne m'esbahi mie;
424 Mais que soit Nature ennemie
D'omme l'un a l'autre semblable,
Ce m'est chose trop merveillable.
Li mauvais angelz ensement, *[180vb]*
428 Dit l'Escripture qui ne ment,
Vouldrent ou ciel mouvoir jadis
Guerre, quant Dieu de Paradis
Les trebucha par leur orgueil,
432 Et ne volt plus que jamais vueil
Venist a ange de pecher
Depuis ceulx qu'il fist trebucher,
Dont oncques puis cellui meffait
436 Nul pechié ne fu ou ciel fait.
¶ A toutes ces choses pensoie
Et maintes autres, et disoie
A moy meismes que Dieu celestre
440 Tel discorde seuffre en terre estre
Pour le prouffit d'omme mortel;
Car quant il voit le monde tel,
Bien desirer doit Paradis
444 Ou n'a ne meffais ne mesdis,
Mais paix, joye, concorde, amour,
Et n'a l'en du perdre cremour.
Et par un petit traveiller
448 Contre le monde a batailler
Celle grant gloire l'en acquiert;
Certes folz est qui autre quiert.

---

* **420.** (+1)

** **417.** en paix *EFGL* – **433.** angres *A* – **443.** Bien doit desirer *ABCDEFGL* – **446.** n'a lieu du *B* – **448.** monde et batailler *EFGL*

et cherchent à s'entre-détruire.
La cause de cette haine – c'est la pure vérité –
est leur nature discordante ;
on ne saurait faire la paix
entre deux contraires.
Or, ce sont eux qui composent notre corps,
et c'est pour cela qu'il est si agité,
car ce que Nature prévoit pour un élément,
un autre élément le contrarie.
Quant à eux, cela ne m'étonne pas,
mais que la Nature oppose,
des hommes qui sont de même espèce,
c'est pour moi le comble de l'étonnement.
L'Écriture, qui ne saurait mentir,
dit que jadis les mauvais anges
voulurent eux aussi allumer une guerre dans le ciel,
quand Dieu les précipita du paradis
pour leur orgueil.
Depuis qu'Il les a renversés,
Il ne voulut plus que l'envie de pécher
vienne à un ange,
donc, jamais après ce méfait
le ciel n'a connu de péché.

Je songeais à toutes ces choses
et à plusieurs autres, et je me disais
que le Dieu du ciel souffre
une telle discorde sur terre
pour l'édification de l'homme mortel ;
car lorsque l'homme voit le monde en un tel désarroi,
il doit bien aspirer au paradis,
où il n'existe ni méfaits ni médisance,
mais paix, joie, concorde et amour
que l'on ne craint pas de perdre un jour.
Et si on se donne un peu de mal
pour se battre contre le siècle,
on acquiert cette suprême gloire ;
qui en chercherait une autre est sûrement fou.

❁ COMMENT SEBILLE S'APPARUT [181ra]
EN DORMANT A CRISTINE ET L'AMENA
PAR TOUT LE MONDE

Ainsi pensant je m'endormi,
452 Mais je n'oz pas gueres dormi
Que j'oz estrange vision;
Ce ne fu pas illusion,
Ains fu demonstrance certaine
456 De chose tres vraye et certaine.
Sicom a dormir je beoye,
Avis m'estoit que je veoye
Une dame de grant corsage,
460 Qui moult avoit honneste et sage
Semblant, et pesante maniere.
Ne jeune ne jolie n'yere,
Mais ancianne et moult rassise;
464 N'ot pas couronne ou chef assise,
Car roÿne n'yert couronnee,
Si fu simplement atournee
Et voilee d'un cueuvrechief
468 Entortillé entour le chief,
Et selon l'ancian usage
Vestue ot une cotte large.
Par semblant si fort et durable,
472 Si sembla bien femme honorable:
Quoye, attrempee et de grant sens,
Et maistrece de tous ses sens.
¶ Celle dame, ce me sembla,
476 Devers moy vint; point ne troubla
Mon courage pour son venir,
Ainçois me faisoit souvenir
De la deesse de savoir,

** **Rubrique:** *Le ms. R est le seul à comporter une rubrique ici* – **456.** veoye *E* – **460.** honneste sage *EG* – **471.** fu fort *ABCDEFGL*

1. Christine parle d'une «vision» et affirme sa véracité, afin d'opposer son expérience à celle du songe, moins fiable, selon la

COMMENT LA SIBYLLE APPARUT À CHRISTINE DANS SON SOMMEIL ET LA CONDUISIT À TRAVERS LE MONDE

Sur ces réflexions je m'endormis,
mais à peine avais-je fermé l'œil
que j'eus une étrange vision ;
ce n'était pas une illusion,
mais au contraire le signe tangible
d'une chose vraie et sûre[1].
Alors que je me livrais au sommeil,
il me semblait que je voyais
une dame de haute stature ;
elle avait l'air probe et sage,
et se comportait avec dignité.
Elle n'était ni jeune ni légère,
mais âgée et de grande expérience.
Aucune couronne n'ornait son front,
car ce n'était pas une reine ;
elle était mise avec simplicité,
coiffée d'un voile
ceint autour de la tête,
et portait une ample tunique
à l'ancienne mode.
À la sûreté de son maintien
on devinait une femme digne d'être honorée,
calme, tempérée et sage,
maîtresse de tous ses sens.
Cette dame, à ce qu'il me sembla,
se dirigeait vers moi,
ce qui ne troubla point mon courage ;
au contraire, elle rappelait à mon souvenir
la déesse du savoir,

---

théorie médiévale du rêve. Les auteurs se plaisaient à jouer sur la rime songe/mensonge ; voir par exemple les quatre premiers vers du *Roman de la Rose* de Guillaume de Lorris : « Maintes genz cuident qu'en songe / N'ait se fable non et mençonge. / Mais on puet tel songe songier / Qui ne sont mie mençongier... »

480 Dont Ovide nous fait savoir
Quë ellë est Pallas nommee,
De grant scïence renommee ;
Mais que ne fust elle doubtay,
484 Pour ce que je vy et nottay
Qu'elle n'ot couronne en sa teste.
Et celle dame adont s'arreste
Costé l'esponde de mon lit ;
488 De sa venue j'oz delit. *[181rb]*
Adont me dist a son venir :
« Fille, Dieux te vueille tenir
En paix d'ame et de conscïence
492 Et en l'amour qu'as a scïence
Ou ta condicion t'encline ;
Et ains que vie te decline,
En ce t'iras tant deduisant
496 Que ton nom sera reluisant
Aprés toy par longue memoire ;
Et pour le bien de ton memoire,
Que voy abille a concevoir,
500 Je t'aim, et vueil faire a savoir
De mes secrés une partie
Ains que de toy soie partie ;
Et se un petit de mon fait sens,
504 Encore en croistra plus ton sens.
Et affin que tu mieulx m'ensuy,
Vueil que tu saches qui je suy :
¶ Jadis fus femme moult senee,
508 De la cité de Cumins nee,
Qui siet en terre de Romaigne

---

* **483.** Mais que ce ne fust (*+1 ; corr. d'apr. BDF*)

** **483.** que ce fust *A* que elle ne fu ce doubtay *EGL* – **485.** Qu'elle eut *G* – **493.** condicion encline *F* – **500.** faire savoir *EGL* – **504.** Encore croistre *F* Encore accroistra *EGL* – **506-518.** *transcrits deux fois de suite dans F* – **506.** sachiez *F* (*les deux versions*) *L* que je *EF* (*deuxième version*) *L*

---

1. Pallas : déesse de la sagesse. Christine invoque Pallas dans les pièces VII et XIV des *Autres ballades* (t. 1 des *Œuvres poétiques*, éd

renommée pour l'étendue de sa science,
dont Ovide nous apprend
qu'elle se nomme Pallas[1].
Mais je doutai que ce fût elle,
parce que je vis et remarquai
qu'elle ne portait pas de couronne.
Alors cette dame s'arrête
à toucher le bord de mon lit;
je me réjouis de sa venue.
Lorsqu'elle fut auprès de moi, elle dit:
« Ma fille, que Dieu consente à te garder
en paix avec ton âme et ta conscience,
et en l'amour de la science
pour quoi ta condition te prédispose;
et avant que ta vie ne tire à sa fin
tu y prendras tant de plaisir
que ton nom resplendira dans les mémoires
longtemps après ta disparition[2].
Pour la qualité de ton intelligence,
que je vois habile à concevoir,
je t'aime. Et je veux te faire savoir
une partie de mes secrets
avant de prendre congé de toi;
à connaître quelque chose de mes activités
ta sagesse croîtra encore.
Afin que tu suives mieux,
je voudrais que tu saches qui je suis:
  Je fus jadis une femme de grand sens,
née dans la ville de Cumes,
en cette partie du territoire romain

Maurice Roy, Paris: Firmin Didot, 1886, 214 et 223). Voir Shigemi Sasaki, « Le poète et Pallas, dans *Le Chemin de long estude* », et Andrea Tarnowski, « Pallas Athena, la science et la chevalerie », dans Bernard Ribémont, éd., *Sur le chemin de longue étude*, 149-158. Renate Blumenfeld-Kosinski évoque l'importance de Pallas dans l'œuvre de Christine dans *Reading Myth*: voir surtout les pages 175, 193, 196, 210-212. – **2.** L'aspiration au renom, à l'immortalité par le livre, occupe une place privilégiée dans l'œuvre de Christine. De même que le noble chevalier recherche la gloire dans des prouesses d'armes, Christine avait l'ambition de se faire connaître par l'écriture.

Que l'en nomme la grant Champaigne.
Almethea fus appellee.
512 A toy ne vueil que soit celee
La maniere dont tel savoir
Aquis, que disoie le voir
De ce qui ert a avenir:
516 De toutes pars veist on venir
Gent pour savoir et pour enquerre
Ou fust de paix ou fust de guerre;
Tout ce qui avenir devoit
520 Autre de moy ne le savoit
En mon temps – ne le dis pour vent –,
Combien que eussent esté devant
.vi. femmes sages si parfaites
524 Que par grace de Dieu prophetes
Furent et du secret haultiesme
Parlerent. Et moy la .vii.e
Fus; .iii. autres puis moy nasquirent, *[181va]*
528 Prophetisans tant qu'elz vesquirent.
Et toutes .x. prophetisames
De Jhesucrist, et dire osames
Que de vierge parfaicte et monde
532 Naistroit un homme qui le monde
Sauveroit et mettroit a chief

---

* **527.** *Ce vers a été copié deux fois dans R; c'est le dernier vers de 181 rb, et encore le premier de 181 va* – **528.** qu'ilz (*corr. d'apr. ABCD*)

** **515.** ce qui est *G* – **517.** savoir ou pour *EFGL* – **518.** ou de grant guerre *FGL* – **519.** ce que *AB* qui a avenir *D* – **521.** A mon temps *EFGL* – **524.** Dieu parfaittes *D* – **527.** poins moy *EL* – **528.** qui *E* qu'ilz *FGL*

---

1. Dans la religion grecque, les sibylles prédisaient l'avenir au moyen d'oracles, énoncés mystérieux et symboliques qui se prêtaient à l'interprétation. À l'époque chrétienne, on incorpora la tradition sibylline au catholicisme en considérant que les sibylles avaient prévu la venue du Christ sur terre (voir les vv. 529-544). Christine est fascinée par la sagesse et le pouvoir de ces femmes; elle en parle non seulement dans *Le Chemin*, mais aussi dans *L'Epistre Othea* et *Le Livre de la Cité des Dames*. Parmi ses sources pour l'histoire d'Almathée, l'on compte le *De claris mulieribus* de

qu'on nomme la grande Campanie.
On m'appela Almathée[1].
Je ne veux pas te cacher
comment j'ai acquis
un savoir tel que je pouvais révéler
la vérité en ce qui concerne l'avenir[2].
De toutes parts les gens venaient
pour savoir et s'informer
si la paix ou la guerre les attendait.
À mon époque – je ne le dis pas pour me vanter –
personne d'autre que moi ne savait
tout ce qui devait advenir,
bien que, jadis, il y ait eu
six femmes sages tellement parfaites
que par la grâce de Dieu elles furent prophétesses,
et parlèrent du secret suprême.
Moi, je fus la septième ;
trois autres naquirent après moi,
prophétisant tant qu'elles vécurent.
Toutes les dix nous prophétisâmes
la venue de Jésus-Christ :
nous osâmes dire que d'une vierge parfaite et pure,
un homme naîtrait qui sauverait
le monde et guérirait

Boccace, l'*Ovide moralisé* (livre XIV) – remaniement médiéval des *Métamorphoses* d'Ovide – et l'*Énéide* de Virgile. Pour l'importance de la Sibylle dans l'œuvre de Christine, voir Nadia Margolis, « Christine de Pizan : The Pœtess as Historian », *Journal of the History of Ideas* 47 (1986), 361-375. Autre essai utile : Bernard McGinn, « The Sibylline Tradition in the Middle Ages », dans Julius Kirshner et Suzanne Wemple, eds., *Women in the Medieval World : Essays in Honor of John H. Mundy* (Oxford : Blackwell, 1985), 7-35. – **2.** Voir l'article de Jean-Claude Muhlethaler : « Le Poète et le prophète : littérature et politique au XVe siècle », *Le Moyen Français* 13 (1983), 37-57 ; Stephen G. Nichols, « Prophetic Discorse : St. Augustine to Christine de Pizan », dans Bernard S. Levy, ed., *The Bible in the Middle Ages : Its Influence on Literature and Art,* (Binghamton, NY : MRTS, 1992), 51-76 ; et Andrea Tarnowski, « Le Geste Prophétique », dans Claude Thomasset et Michel Zink, éds., *L'Apogée et le déclin en Europe, 1200-1500* (Paris, Presses de la Sorbonne, 1993), 225-236.

D'Adam la playe et le meschief,
Tout fust ancore la foy nue
536 De clarté ; car ains la venue
De Jhesucrist plus de mil ans,
Nous asseurasmes les dolens
Que cil racheter les vendroit
540 Qui estoit pere de tout droit.
Mains beaulx vers furent par nous fais,
Et mains grans volumes parfais
Du temps qui avenir devoit,
544 A qui entendre les savoit.
¶ Au monde vesqui longuement,
Et je te compteray comment
J'oz le don de longuement vivre.
548 Ainsi est il escript ou livre :
Pucelle estoie jeune et tendre,
Phebus moult se penoit d'entendre
Comment en grace le receusse,
552 Et que la grant amour sceüsse
Dont il m'amoit parfaitement.
Si me couvoitoit durement,
Et par dons et par bel lengage
556 Moult requeroit mon pucellage.
Mais je lui sos bien escondire,
Ne tant ne pot faire ne dire
Quë il peust m'acointance avoir
560 Pour son sens ne pour son savoir.
Quant vid que riens ne conquestoit,
Et qu'en vain son temps y gastoit,
Et comment pour riens nel feïsse,
564 Adont me dist que requeïsse
Tel don comme avoir je vouldroie
De lui, et que ja n'y fauldroie.
¶ Adont m'enclinay vers la terre
568 Pour au dieu nouvel don requerre. *[181vb]*

** **540.** Qui est *G* – **542.** mains beaulz volumes *EGL* – **544.** le savoit *D* – **548.** en livre *ABCEFGL* – **550.** de tendre *EGL* – **557.** je le *G* – **560.** son avoir *ABDF* Ne pour son sens *C* Par son sens ne par son savoir *EGL* – **561.** riens n'y *EGL* – **562.** y gistoit *B*

la plaie et la disgrâce d'Adam,
quoique la croyance d'alors fût privée de clarté;
car plus de mille ans
avant la venue de Jésus-Christ,
nous assurâmes le peuple dolent
que celui qui était le Père de toute justice
viendrait les délivrer.
Nous avons composé beaucoup de beaux vers,
et parachevé plusieurs grands volumes
sur les temps à venir,
destinés à qui savait les comprendre.

Je vécus longtemps dans ce monde,
et je te raconterai
comment je reçus le don de longévité.
Voici ce qui est consigné dans mon livre:
j'étais une tendre et pure jeune fille;
Phébus employait ses soins à découvrir[1]
comment gagner mes faveurs
et me faire savoir de quel grand amour
il m'aimait parfaitement.
Il me convoitait avec ferveur,
et par des dons et de beaux discours
prétendait à ma virginité.
Mais je sus l'éconduire;
il ne put rien faire ni dire
qui le fît entrer dans mon intimité,
ni esprit ni savoir n'y firent.
Lorsqu'il vit qu'il n'obtenait rien,
et qu'il perdait complètement son temps,
et que pour rien je ne céderais,
il me dit de lui demander en don
ce qu'il me plairait,
il ne manquerait pas de me l'accorder.

Alors je me penchai vers le sol
pour demander un nouveau don au dieu;

---

1. Phébus: le dieu grec Apollon. Ovide raconte l'histoire d'Apollon et de la Sibylle dans les *Métamorphoses* 14; *Ovide moralisé* XIV, vv. 919-972.

Si pris comme mal enseignee
De la pouldriere une poignee,
Et lui priay que je vesquisse
572 Autant d'ans, sans que mort acquisse,
Com de pierretes soustenoie
En mon poing que je clos tenoie.
Le dieu l'ottroya voulentiers ;
576 Si n'y avoit ne quart ne tiers,
N'une ne .ii., ne plus ne mains
Que mille en l'une de mes mains
Des pierrettes que pris avoie
580 En la pouldre d'emmy la voie.
Et ainsi mille ans je vesqui ;
Je t'ay dit comment et par qui.
Si fus si foible et envieillie
584 Ains que ma vie fust faillie,
Que du don je me reppenti ;
Car mon corps tout anïenti
Devint, si qu'a pou nel veoient
588 La gent, mais ma voix ilz ouoïent,
Qui trop durement leur plaisoit
Pour le voir quë el leur disoit.
Ainsi aage et grant sens acquis,
592 Mais se j'eusse aussi bien requis
Force et vigour en tout cel aage,
Je l'eusse eu, mais ne fu si sage.
¶ Ancor que mieulx croyes mes dis,
596 Celle suis, qui mena jadis
Eneas, l'exillé Troyen ;
Sans autre conduit ne moyen
Par mi enfer le convoyay,
600 Puis en Ytalie l'avoyay.
Et suis celle qui lui monstra
Les merveilles, et demonstra
Ce qui lui ert a avenir,
604 Et comment lui faloit venir

** **573.** pierres je *EFGL* – **576.** Et n'y *G* – **582.** Or t'ay *EGL* – **591.** aage eut grant *G* – **600.** l'envoiay *EGL* – **601.** Et fuz *EFGL* – **603.** Ce que *F* leur ert *EL* leur est *G*

je fus assez malavisée pour prendre
une poignée de poussière,
et le priai de me faire vivre,
sans laisser la mort m'emporter, autant d'années
que je tenais de grains de sable
enclos dans la main.
Le dieu l'octroya de bonne grâce,
et, vois-tu, dans ma main, il n'y avait
ni une portion de grain, ni un seul, ni deux,
mais mille grains, ni plus ni moins,
de cette poussière que j'avais ramassée
au milieu du chemin.
Ainsi, je vécus mille ans ;
maintenant je t'ai dit comment, et grâce à qui.
Or, je devins si faible et décrépite
avant que ma vie ne prît fin,
que je me repentis du don,
car mon corps s'anéantit progressivement,
à tel point que les gens le voyaient à peine ;
mais ils entendaient toujours ma voix
qui les comblait de plaisir
parce qu'elle révélait la vérité.
Ainsi gagnai-je en âge et en sagesse ;
si j'avais également demandé
force et vigueur durant toute ma vie,
je les aurais obtenues – mais je ne fus pas assez avisée.
Pour que tu te fies encore mieux à mes dires :
je suis celle qui jadis servit de guide
à Énée, le Troyen en exil ;
je le conduisis à travers les Enfers
sans autre escorte ni secours,
puis le mis sur la voie de l'Italie[1].
Je suis aussi celle qui lui montra
les merveilles, lui révéla
son avenir,
et qu'il lui fallait

1. *Énéide* VI, vv. 316-1203 ; *Ovide moralisé* XIV, vv. 796-912.

En Ytalie, et la devoit
Espouser tel dame y avoit,
Dont aprés de lui dessendroient
608 Princes qui le monde tendroient *[182ra]*
En leur baillie. Et a cel homme
Dis la fondacion de Romme,
Dont il mesmes seroit la souche,
612 Ce lui prophetisay de bouche.
En enfer lui monstray son pere
Anchises, et l'ame sa mere,
Et d'aultres merveilles notables
616 Dont li taires est prouffitables,
Et vif tout sauf l'en menay hors.
.vii.[c] ans jë avoie lors ;
Ancore a vivre avoye assez.
620¶ Et depuis plusieurs ans passez
Portay a Romme .ix. volumes
De livres de loys et coustumes
Et des secrés de Romme, ou temps
624 Que la gouvernoit par bon sens
Tarquinius Priscus, et lors
Estoit moult affoibli mon corps.
¶ Virgile, qui aprés moy vint,
628 Lonc temps de mes vers lui souvint,
Car bien les avoit accointiez.
De moy parla en ses dictiez
Et dist : "Or est venu le temps,
632 Ainsi com je voy et entens,
Que Sebille Cumee ot dit."
Ainsi le recorde en son dit.
Or me suis je magnifestee
636 A toy, que je voy apprestee
A concevoir, s'en toy ne tient
Ce que grant estude contient ;
Et pour ce me suis apparue
640 Ci endroit, car a ta parue
Me sembles trop plus diligent

** **607.** aprés lui *EGL* – **616.** l'istoires *EGL* – **618.** j'avoye tres lors *EFGL* – **623.** de decrés *EFG* des decrés *L* – **624.** par son sens *EGL*

venir en Italie,
où il devait épouser une dame de cette terre
qui lui assurerait une lignée
de princes qui tiendraient le monde
en leur pouvoir. À cet homme,
je prédis la fondation de Rome,
dont lui-même serait la souche ;
mes lèvres prononcèrent la prophétie.
Aux Enfers, je lui montrai son père,
Anchise, et l'âme de sa mère,
et d'autres merveilles remarquables
qu'il convient de passer sous silence,
je l'en fis ensuite sortir sain et sauf.
J'avais alors sept cents ans ;
il me restait encore bien du temps à vivre.
Quelques années plus tard
je portai à Rome neuf volumes
sur les lois, les coutumes
et les secrets de cette ville ;
c'était durant le règne avisé
de Tarquin Priscus, et mon corps[1]
était alors grandement affaibli.
Virgile, qui vécut après moi,
se souvint longtemps de mes vers,
car il les avait étudiés de près.
Il parla de moi dans ses poèmes ;
voici ce qu'il a noté :
"Voici qu'est venu le temps,
à ce que je vois et comprends,
que la Sibylle de Cumes a prédit."
À présent, je me suis manifestée à toi
que je vois prête à recevoir mes paroles,
même si tu ne peux pas prétendre
à une vaste érudition ;
voilà pourquoi je suis apparue
en ce lieu précis ; ton attitude
me donne à penser que tu portes

1. Tarquin Priscus fut le cinquième roi de Rome (616-579 av. J.-C.).

D'estre a l'estude qu'entre gent.
Si sçay comment, n'a pas grammment,
644 Tu fus en un grant pensement,
Ou te sembloit et t'iert avis
Qu'en ce monde divers et vilz
N'a se pestillence et mal non.
648 Mais se veulx suivre mon penon, *[182rb]*
Je te cuid conduire de fait
En autre monde plus parfaict,
Ou tu pourras trop plus apprendre
652 Que ne peus en cestui comprendre,
Voire de choses plus nottables,
Plus plaisans et plus prouffitables,
Et ou n'a vilté ne destrece.
656 Et se de moy fais ta maistrece,
Je te monstreray dont tout vient
Le meschef qui au monde avient. »
Quant j'entendi que ce ert Sebile
660 La Cumee, qui si abile
Fu en son temps a prophecie,
De joye adont Dieu remercie
Qui a moy la fist reveler :
664 Car d'elle oz moult ouÿ parler.
Si respons, quant sos qui elle yere :
« Ha ! tres amee et singuliere
Amarresse de sapïence,
668 Du colege de grant scïence
Des femmes qui prophetiserent
Par grace divine, et qui erent
Du secret de Dieu secretaires,
672 Signiffians divers misteres,
Dont vous vient tele humilité
Qu'a moy par tel benignité
Magnifestez vostre plaisir ?

** **642.** qu'autre gent *CD* – **643.** Je sçay *EFGL* – **653.** des choses *EFGL* – **654.** plus delictables *F* – **663.** l'ot fait *EGL* – **666.** tres louee *EFGL* – **668.** de science *B* – **673.** He dont vient *F* Et dont vient *EGL*

1. « Penon » en ancien français veut dire à la fois « bannière, étendard » et « plume ». En proposant à Christine de suivre son

bien plus d'attention à l'étude qu'aux gens.
Oui, je sais comment, il n'y a pas longtemps,
tu entras dans une méditation profonde,
où tu avais l'intime conviction
qu'en ce monde inconstant et vil,
il n'y a que calamités et malheurs.
Mais si tu veux te ranger sous ma bannière[1],
je prétends te transporter
dans un autre monde plus parfait,
où tu pourras apprendre bien plus de choses
que tu ne peux en comprendre ici-bas –
au vrai, des matières plus dignes d'attention,
d'un agrément et d'un enseignement plus grands,
et dépourvues de bassesse et de misère.
Si tu me reconnais pour maîtresse,
je te montrerai la source
de tout le mal en ce monde. »

Quand j'entendis que c'était la Sibylle de Cumes,
qui de son temps fut
si habile dans ses prophéties,
je remerciai joyeusement Dieu,
qui permit qu'elle m'apparût ;
car j'avais beaucoup entendu parler d'elle.
Et quand je sus qui elle était,
je répondis : « Ah ! très chère et distinguée
amie de sapience,
du collège de grand savoir des femmes
qui prophétisèrent de par la grâce divine,
et qui, en tant que dépositaires
des secrets de Dieu,
firent connaître bien des mystères !
D'où vous vient cette humilité,
qu'avec tant d'indulgence ce soit à moi
que vous manifestiez votre bon plaisir ?

« penon », la Sibylle lui offre par métaphore son savoir et sa protection. Mais l'acception de « plume » a aussi un sens dans ce vers si nous considérons que Christine de Pizan parle à son lecteur par la bouche de la Sibylle ; en suivant ce qu'a écrit la plume de l'auteur, l'on voyagera dans des lieux extraordinaires. À propos du décalque Sibylle/Christine, voir aussi au v. 1006.

676 Bien sçay que c'est pour mon desir
Plus que ce n'est pour mon savoir,
Car je n'en puis pas tant avoir
Que soit mon entendement digne
680 Que vostre voulenté benigne
Me doye a cil accompaigner
A qui il vous plot a daigner
Monstrer enfer le doulereux,
684 Ou le noble, chevalereux
Eneas vous voltes conduire.
Quant ainsi vous me voulez duire
En contree moins rioteuse
688 Que n'est ceste, et plus deliteuse, *[182va]*
Si vous merci de cest honneur.
Et s'encore eusse sens meneur
Que n'ay, si suis je grant assez,
692 Puis que de mon conduit pensez ;
Si vous vueil suivre en toute voye :
Car je sçay bien, se Dieux me voye,
Que ne me conduirés en place
696 Qui ne soit bonne et bien me place.
Si suis vostre humble chamberiere.
Alez devant ! G'iray derriere.
Mais lever m'esteut prestement. »
700¶ Adont vesti mon vestement,
Si m'atournay d'un atour simple,
Touret de nez je mis et guimple,
Pour le vent qui plus grieve a l'ueil
704 En octobre que grant souleil.
Et ma robe tout a esture
Je secourçay d'une çainture,
Affin qu'el ne me nuisist pas
708 A marcher de plus leger pas.
Si n'oz je aler a pié appris,
Mais le chemin que j'oz empris
Me plaisoit, et ce qui n'anuye

* **679.** moy entendement (*corr. d'apr. ABCDEFGL*)

** **681.** Me daingne *EGL* – **694.** say se *B* – **702.** je pris *C* en guymple *G* – **711.** m'anuye *EGL*

Je sais bien que c'est dû à mon ardeur d'apprendre
plus qu'à mon savoir,
car mes acquis ne sont pas bien grands ;
et mon entendement ne mérite pas
que votre volonté complaisante
doive me faire partager la faveur
de celui à qui il vous plut,
de montrer les Enfers, ce lieu misérable
où vous voulûtes bien conduire
le noble et vaillant Enée.
Lorsque vous proposez de m'emmener
dans une contrée moins querelleuse
et plus agréable que celle-ci,
je ne peux que vous remercier de cet honneur.
Et, avec encore moins de discernement que je n'en ai,
j'y parviendrais tout de même,
puisque vous proposez de m'escorter ;
je veux vous suivre, quelle que soit la voie,
car je suis certaine (Dieu m'assiste !),
que vous ne sauriez me conduire
qu'en un lieu bénéfique et qui me plaise.
Je suis donc votre humble chambrière.
Allez devant ! J'irai derrière[1] ;
encore faut-il que je me lève en vitesse ! »

Alors j'endossai mon vêtement,
choisissant une parure simple ;
je m'enveloppai bien d'un voile
à cause du vent, qui en octobre
nuit plus aux yeux que le grand soleil.
Puis, je fis exprès,
de retrousser ma robe avec une ceinture,
afin qu'elle ne m'empêchât pas
de marcher d'un bon pas.
Je n'avais pas coutume de voyager à pied,
mais le chemin où j'entrai me plaisait,
et ce qui ne rebute pas

---

1. Chez Dante, c'est le guide et non l'élève qui parle. Virgile dit : « Io sarò primo, e tu sarai secondo » (« J'irai devant, et toi derrière »), *Enfer* IV, 15.

712 N'est grief ne par vent ne par pluye.
¶ Ainsi nous .ii. nous deppartismes,
Mais je ne sçay quel chemin tismes,
Ne deviser ne le saroie ;
716 Mais bien sçay qu'en petite voye
En une champaigne arrivasmes.
Ainsi flourie la trouvames
Et verdoyant d'erbe menue
720 Et tout en l'estat maintenue
Que ou mois de may sont les vers prez
De plusieurs couleurs dyaprez.
Lors m'est droitement souvenu
724 Que le doulx may fust revenu,
Tant senti attrempé le temps.
Or verray merveilles par temps.
De ce beau lieu fres et entier *[182vb]*
728 Nous entrasmes en un sentier
Larget a point, tant qu'avec nous
Plus qu'autre .xx. de front trestous
Passassent bien, large ert, a point.
732 Et de ce beau lieu fait a point
Se devisoient maint sentiers,
Dont de plus estroit bien le tiers
Y avoit, l'un plus l'autre moins,
736 Et en tournant a toutes mains
Traversoient ces belles voyes,
Qui de tous bons lieux sont avoies ;
Aussi de mauvais, qui ne tient
740 Droit chemin comme il appartient.
Mais ce lieu ou fumes seur
Est sans doubte de mal eur,
Ne de larrons ne robeours.
744 N'y reppaire ne loup ne ours
Ne riens dont homs soit offendus,
Car meffaire y est deffendus ;

---

* **734.** Dont le plus (*corr. d'apr. BDEFGL*)

** **716.** petit de voie *ADEFGL* – **721.** Qu moye *EL* – **725.** Tant sens *G* – **729.** Largent apoint *F* – **730.** Plus d'autre *F* Plus d'autres *EGL*

n'est jamais pénible, qu'il pleuve ou qu'il vente.
Nous nous mîmes ainsi en route toutes deux,
mais je ne sais quel chemin nous tînmes,
ni ne saurais le décrire;
pourtant, je sais bien qu'en peu de temps
nous arrivâmes dans une plaine.
Nous la trouvâmes fleurie et
verdoyante d'herbe fine,
tout à fait comme
les prés verts au mois de mai,
quand ils sont diaprés de couleurs variées.
En effet, j'eus l'impression
que le doux mai était revenu,
tant je sentais la clémence du temps.
J'allais voir à présent des merveilles.
Depuis ce beau lieu frais et intact
nous entrâmes dans un sentier
assez large pour qu'avec nous
plus de vingt autres pussent aisément passer de front;
ses proportions étaient parfaites.
De ce beau lieu admirablement conçu
partaient de nombreux sentiers,
dont un tiers au moins étaient plus étroits,
et de différentes largeurs;
en serpentant en tous sens,
ils traversaient les belles voies
qui mènent à tous les bons lieux –
et aussi aux mauvais, pour qui ne garde,
ainsi qu'il convient, le droit chemin.
Mais celui sur lequel nous nous trouvions est sûr:
on n'y craint ni la mauvaise fortune,
ni les brigands, ni les voleurs.
Ni loup ni ours n'y a son repaire,
ni rien qui attaque l'homme,
car la malfaisance y est proscrite;

– **731.** larget a point *F* – **734.** Dont le plus *AC* – **739.** Et de mauvaises *EFGL* – **741.** Mais celi *ABD* Mais cellui *CEFGL* – **743.** ne de robeours *EGL* – **745.** dont on soit *AB*

Aler y peut asseur tout homme.
748¶ Mais je ne diroie la somme
De la beauté des beaulx sentiers
Se vivoie cent ans entiers
Et je ne finasse d'escripre,
752 Si ne pourroie tout descripre.
Car toutes beautez delitables
Ymaginees plus nottables
Que cuer humain peut resjouir,
756 On peut la veoir et oÿr :
La veïssiés sentiers couvers
De haulx arbres fueillus et vers
Qui chargez sont de fleurs et fruit,
760 Ou oysillons mainent tel bruit
Que ce semble, pour voir vous dis,
Estre Terrestre Paradis.
Si en y a a grant planté,
764 Et en tel maintien sont planté
Que souleil d'esté trop divers
Ne froidure de temps d'yvers *[183ra]*
Ne pourroit grever les passans
768 Qui par ce lieu sont trespassans.
Et le goust du fruit gracieux
Est ancore plus precieux
Qu'il n'est bel, qui a point le queult
772 Et a qui repaistre s'en veult.
Et la s'en peut rassadïer
Tout cuer humain sans mendïer,
Si y sont assis de tous rencs.
776 Et ces flourettes odorans
Par les chemins sont dru semees,
Në il n'est belles fleurs amees,
Roses, violettes ne lis
780 Ne belles fleurs n'autres delis
Ne chose bonne a medicine,
Prouffitable herbe, flour, racine,

** **751.** finoye *EFGL* – **752.** escripre *C* pourroie descripre *EGL* – **755.** Qui *EFGL* – **758.** Des *EFGL* – **760.** oisillons maint tel *F* – **763.** Et en y a *C* – **766.** divers *CDEFGL* – **770.** plus delicieux *C* – **771.** la

tous peuvent y aller en sûreté.
Mais je ne saurais énumérer
toutes les beautés de ces sentiers ;
dussé-je vivre cent ans
sans cesser d'écrire,
je ne pourrais tout décrire.
On y entend et voit
tout ce qu'on peut imaginer
de plus beau
et de plus capable de réjouir le cœur.
Vous y auriez vu des sentiers sous le couvert
de grands arbres, verts et feuillus,
chargés de fleurs et de fruits,
où des oisillons chantent de telles mélodies,
que ma foi, l'on se croit
au paradis terrestre.
Les arbres sont si nombreux,
et plantés de telle façon,
que ni un méchant soleil d'été
ni le froid du temps hivernal
ne pourraient incommoder les passants
qui traversent ce lieu.
La délicate saveur du fruit qu'ils prodiguent
surpasse encore sa beauté
lorsqu'on le cueille au bon moment
pour le savourer.
Tout un chacun peut en rassasier son cœur
sans se priver ;
les arbres poussent là un peu partout.
Des fleurettes odorantes
tapissent le chemin ;
de fait, il n'est aucune des belles fleurs aimées
roses, violettes, lis
et autres fleurs délicieuses ;
ni des plantes médicinales,
herbes, fleurs et racines utiles,

---

queult *B* – **772.** Et qui a *G* – **777.** le chemin *AB* – **780.** N'erbes flourans n'autres *EFGL*

Nez poulieul, ysoppe et mante,
784 Ne cuidez mie que je mente,
Dont tout le lieu ne soit semé,
Qui par ordre est bien assesmé.

❁ LA FONTAINE DE SAPIENCE QUE SEBILLE MONSTRA A CRISTINE EN LA VOYE DU CHEMIN DE LONC ESTUDE

Ainsi de grant desir ardant
788 Aloye par tout regardant
Les tres beaulx lieux que je veoye, *[183rb]*
Et a tout aviser beoye
Se bonnement fairë el peusse ;
792 Mais en nul temps compris ne l'eusse.
¶ Et ainsi com je me tournay
Vers dextre ma veue atournay
Sus le sommet d'une montaigne
796 Si haulte qu'il pert qu'elle ataigne
Jusque aux nues, tant par fu haulte ;
Si croy qu'elle y ataint sans faulte.
¶ La vi fontaine clere et vive,
800 Sourdant d'un gros dois qui l'avive.
Maçon n'i fist mur ne masure,
Mais beauté ot oultre mesure
Le lieu, la place et tout l'espace,
804 Si grant que toutes autres passe
Les fontaines qui sont ou monde,
Tant est nette, clere et parfonde.

** **783.** ysoppe mente *B* – **Rubrique :** Comment Sebille monstra a Cristine la Fontaine de Sapience *C Les autres mss ne comportent pas de rubrique ici* – **789.** Le *C* tres haulz *EGL* – **790.** viser *EGL* – **792.** en mil ans *ACDEFGL* – **801.** ne fit *BEGL* – **806.** est clere nette et *D*

---

1. L'ordre souverain équivaut toujours chez Christine au bien souverain ; voir la note au v. 28. – **2.** Il s'agit du mont Parnasse, demeure

y compris le pouliot, l'hysope et la menthe –
ne croyez pas que j'invente des histoires ! –
qui ne pousse abondamment
dans ce lieu souverainement ordonné[1].

LA FONTAINE DE SAPIENCE
QUE SIBYLLE MONTRA À CHRISTINE
AU COURS DU CHEMIN DE LONGUE ÉTUDE

Ainsi, brûlant d'une grande curiosité,
partout j'explorais du regard
les très beaux lieux que je traversais ;
j'aurais voulu tout contempler,
si j'avais tout simplement pu le faire ;
mais jamais je n'y serais parvenue.
Me tournant vers la droite,
je dirigeai mon regard
sur le sommet d'une montagne
tellement haute et éminente
qu'elle semblait toucher au ciel[2] ;
je pense en effet qu'elle y touchait.
Là je vis une fontaine claire et vive,
alimentée par une source d'un bon débit.
Aucun maçon n'y avait érigé d'édifice,
mais le lieu, la place et tout l'espace
étaient d'une exceptionnelle beauté,
si grande que cette fontaine surpassait
toutes les autres au monde
en agrément et en qualités,

---

des poètes dans la mythologie classique ; la Sibylle expliquera la scène que les deux femmes rencontrent ici à partir du vers 977. Sur les illustrations de cette scène dans les mss du *Chemin*, voir Mary Weitzel Gibbons, « Visual Allegory in the *Chemin de long estude* », dans Desmond, *Christine de Pizan and the Categories of Difference*, 128-145.

En saveur, en toute bonté,
808 Celle a les autres surmonté
De santé, de goust, de freschour,
De soubtilleté, de blancheur.
Si m'arrestay pour aviser
812 Ce que vous m'orrés deviser :
¶ La vi ge .ix. dames venues
Qui se baignoient toutes nues
En la fontaine ; en verité
816 Moult sembloient d'octorité
Et de grant valour et savoir.
Moult voulsisse apprendre et savoir
De leur estat. Ancore vi
820 En l'air sus la roche ravi
Un grant cheval qui avoit eles
Et aloit volant entour elles.
De ce trop fort m'esmerveillay
824¶ Et ancore a veoir veillay
Lieux et voyes, de flours couvertes,
Plus belles qu'aultres et plus vertes,
Entour la fontaine par voyes ;
828 Et me sembloit bien toutevoyes
Que pou de gent eussent repaire *[183va]*
Ou plus hault lieu de ce repaire,
Car pou y fu l'erbe foullee.
832 Et de celle fontaine lee
Par plus d'un miller d'uissellés
Dessendoient beaulx ruissellés,
Jus de la roche decourans,
836 Sus clere gravelle courans.
Si sembloit a veoir a l'ueil
Cler argent contre le souleil,
Et si doulx son au bruire firent
840 Que la doulceur du lieu parfirent.
Si pensez quel plaisir ce estoit
De Zephirus, qui lors vantoit,
Qui es arbres rendoit doulx son,

* **811.** deviser (*corr. d'apr. ABCDEFGL*)

tant elle était pure, claire et profonde ;
elle l'emportait absolument
en vertu curative, en goût, en fraîcheur,
en finesse et en limpidité.
Je m'arrêtai donc pour regarder
la scène que je vais vous décrire :
 Je vis là neuf dames
qui se baignaient toutes nues
dans la fontaine ; en vérité,
elles semblaient pleines d'autorité,
de valeur et de savoir.
J'aurais voulu en apprendre davantage
sur leur identité. Je vis encore,
en l'air, au-dessus de la roche,
un grand cheval ailé
qui volait autour des dames.
 Je m'émerveillai fort à ce spectacle,
et m'appliquai à regarder de nouveau
diverses places couvertes de fleurs,
plus belles et plus vertes que les autres,
autour de la fontaine.
Toutefois, il me semblait bien
que peu de gens avaient leur demeure
au plus haut de ce site,
car l'herbe y était peu foulée.
De la large fontaine,
par plus de mille petits interstices,
coulaient de beaux ruisselets
descendant le long de la roche
et courant sur le gravier brillant.
À les voir, on aurait dit
de l'argent scintillant au soleil,
et les ruisseaux avaient un murmure si doux,
qu'ils rendaient ce lieu d'une douceur parfaite.
Songez donc quel plaisir c'était
d'écouter Zéphyre, qui soufflait alors,
inspirer aux arbres une douce mélodie.

** **809.** et de frescheur *EGL* – **810.** Ne subtillité *G* – **812.** m'oriés *B* m'ouirrez *D* m'oyés *EFGL* – **815.** la fontanta en *D*

844 Et rossignolz qui leur leçon
Recordoient par doulx recors,
Et cent mille autre oysel ancors,
Et le son de l'eaue coulant,
848 Qui jus s'en aloit decoulant
Et tous les chemins arrosoit,
Ne nul temps ne s'en repposoit;
Si les maintenoit en verdour
852 Sans secherresse et sans ardour.
¶ Adont fu temps que je parlasse,
Avant que plus avant alasse,
Car moult desiray a savoir
856 De l'estre du lieu tout le voir.
Par quoy vers mon conduit m'adrece,
Et lui ay dit: « Doulce maistrece,
Conduiserresse de la voye
860 Que je tant desiree avoye,
Or vous depri pour celle amour
Qu'a scïence avez, sans demour,
Dame, qui tant fustes lettree,
864 Que ou je suis et en quel contree,
De l'estre du lieu et passage
Me vueillés de tout faire sage,
Car en vous ay je grant fiance.
868 Le nom et la signiffiance
Me vueillés tout magnifester, *[183vb]*
En alant sans nous arrester.
Et des chemins plains de verdure
872 Me dites la verité pure
Et des arbres chargez de fruis
Ou si doulx et plaisant goust truis,
De la fontaine delitable
876 Ou compaignie si nottable
Je voy, et les chemins divers
Qui sont environ beaulx et vers,
Et de toutes choses pressises
880 Que g'i voy si par ordre assises,

** **847.** de l'erbe *EGL* – **848.** de coulant *C* – **857.** Pourquoy vers *EGL* – **860.** desire avoye *F* j'ay tant *G* – **861.** par celle *EGL* – **864.** suis ne en *EGL* – **866.** du tout *EGL* – **880.** voy par tel ordre *B*

Et les rossignols, qui rappelaient
leur histoire édifiante par de doux récits ;
et cent mille autres oiseaux encore ;
et le bruit de l'eau courante
qui s'écoulait en cascade
et irriguait tous les chemins
sans se reposer un instant.
Elle les gardait verts,
à l'abri de la sécheresse et de la chaleur ardente.
Le temps était venu de parler
avant d'aller plus avant,
car j'avais un pressant désir de savoir
tout ce que je pouvais sur ce lieu.
À cette fin, je me tournai vers ma guide,
et lui dis : « Douce maîtresse,
qui me conduisez sur la voie
que j'avais tant désirée,
maintenant je vous supplie,
au nom de l'amour que vous portez à la science,
de m'instruire de tout sans délai.
Ô dame, vous qui fûtes si versée dans les lettres,
veuillez me dire où je suis, dans quel pays,
et la nature du lieu et de cette voie,
car j'ai grande confiance en vous.
Chemin faisant, sans que nous fassions halte,
veuillez m'exposer le nom de l'endroit
et tout ce qu'il signifie.
Dites-moi aussi l'exacte vérité
sur les chemins couverts de verdure,
sur les arbres chargés de fruits
d'une saveur si douce et agréable,
sur la fontaine délicieuse
où je vois une si remarquable compagnie,
sur les différents chemins alentour,
beaux et verts,
et sur tout ce qui se trouve par ici,
tellement bien ordonné

Que je ne cuid en ce monde estre
Plus plaisant paradis terrestre. »
Adont la dame renommee
884 Me respont : « Fille bien amee,
Bien me plaist tout le voir t'expondre
Et a ta demande respondre :
¶ Saches que ceste plaisant voye
888 En tous les lieux du monde avoye.
Ces chemins que vois traversans,
Ou nul ne passe, s'il n'a sens,
Conduisent par trestous les lieux
892 Ou gent vont au dessoubz des cieulx ;
¶ Et ceulx que tu vois si estrois
Dont .ii. y a, sans plus, non trois,
Qui ayent autelle estresseur,
896 Ou d'abres a plus d'espesseur
Et dessoubs et flours et verdure
Plus qu'ailleurs qui en tout temps dure,
Ceulx conduisent la droite voye
900 Ou ciel qui a droit s'i convoye,
Tout soient ilz haulx et estrois.
Le chemin que tu vois plus drois,
Plus estroit et plus verdoiant,
904 La face de Dieu est voyant
Cil qui le suit jusqu'a la fin.
¶ Le chemin de plus courte fin
Qui est de cellui au delez,
908 Que tu vois plus large en tous lez,
Cil, je te creant fermement, *[184ra]*
Conduit jusques au firmament
Qui bien le scet a droit tenir
912 Et la droite voye y tenir,
Combien qu'autre chemin y maine.
Mais ceste voie est plus certaine,
Car par scïence est ordenee.
916 Mais celle autre est ymaginee ;
Par celle nous fault toutevoye
Passer, car ceste estroite voye

** **887.** Sachiez *ABEFGL* – **897.** dessoubz de fl. *ABEFGL*

que je ne crois pas qu'il existe en ce monde
un tel paradis terrestre.»
Alors l'illustre dame me répondit :
« Ma fille bien aimée,
ce sera un plaisir pour moi de t'exposer toute la vérité,
et de répondre à ta demande.
Saches que cette voie plaisante
mène en tous les lieux du monde.
Ces chemins transversaux que tu vois,
que nul n'emprunte s'il n'a suffisamment d'esprit,
conduisent partout
sous les cieux où vont les gens ;
et ceux que tu vois si étroits –
il y en a deux seulement
d'aussi étroits, pas plus –
là où les arbres sont plus denses,
les fleurs et la verdure plus abondantes qu'ailleurs,
et perpétuellement fraîches,
ceux-là conduisent au plus court
jusqu'au ciel celui qui marche droit,
bien qu'ils soient étroits et raides.
Le plus direct des deux,
qui est également plus étroit et plus vert,
révèle la face de Dieu
à celui qui le suit jusqu'au bout.
L'autre chemin, à côté du premier,
plus court, et, comme tu le vois,
plus large de partout,
celui-là, je te l'assure,
conduit jusqu'au firmament
celui qui sait le mériter
et s'y tenir ferme.
Pourtant, d'autres chemins y mènent –
mais celui-ci est plus sûr,
car il est réglementé par la science.
Le premier chemin requiert l'imagination ;
il faut nous en abstenir,
car cette voie étroite

Te seroit trop fort a suivir;
920 Si te couvient l'autre ensuivir,
Qui est belle a qui bien emprise
L'a, a ceulx qui n'ont ceste aprise.
¶ Ces chemins, et ces beaulx passages
924 Que vois l'un plus que l'autre larges,
Si sont reservez aux soubtilz
Selon leurs divers appetis;
Et tant plus les verras estrois,
928 Plus sont delitables et drois,
Et mains y repaire de gent.
Si couvient estre diligent
A qui veult suivre ce chemin.
932 Mais cestui plus que parchemin
Ouvert, ou nous sommes entrez,
Si est reservé aux lettrez
Qui veulent aler par le monde,
936 Sans querir voye trop parfonde;
Car qui en trop parfonde mare
Se met, souvent noye ou s'esgare.
Si n'ont ci mestier nulz parceux,
940 Car ce lieu est gardé pour ceulx
Qui sont diligens de comprendre
Et se delitent en apprendre;
Autre gent n'aroient poissance
944 D'appercevoir la grant plaisance
Qui est en ce doulx lieu enclose;
A telz gens est toute forclose.
¶ Des voyes a cy forvoyans
948 Et a mal chemin avoyans
Regarde loings la voye ombreuse! *[184rb]*
La vois tu noire et tenebreuse?
En enfer celle conduiroit
952 Sans revenir qui s'i duiroit.

---

* **922.** *La première lettre du mot* aprise *est illisible; le* a *est écrit dans l'entrecolonnement, à la fin du vers.* – **927.** le (*corr. d'apr. ACDEFGL*) – **949.** Regardez (*corr. d'apr. BDEFGL*)

te serait trop difficile à suivre;
il vaut mieux que tu poursuives la seconde;
elle paraît belle à qui s'y prend bien, et convient
à ceux qui n'ont pas appris comment prendre la
[première.
Ces chemins et ces beaux lieux de passage que tu
certains plus larges que d'autres, [vois,
sont réservés aux esprits subtils,
selon leurs appétits divers;
plus étroits tu les verras,
plus ils sont plaisants et directs,
et moins l'on y trouve de gens.
Celui qui veut les suivre
doit se montrer diligent.
Mais la voie où nous sommes entrées,
qui se déroule aussi facilement qu'un parchemin,
est destinée aux lettrés
qui veulent parcourir le monde
sans rechercher une route trop ardue.
Car souvent, celui qui plonge en eau trop profonde
se noie ou s'égare.
Ici les paresseux n'ont que faire,
car le lieu est réservé à ceux
qui s'efforcent de comprendre
et se délectent à apprendre;
d'autres ne sauraient pas
apercevoir la grande joie
que renferme ce doux lieu;
elle est parfaitement inaccessible à ces gens.
Regarde, au loin, le sombre tracé
de voies qui s'écartent d'ici
et qui mènent à un mauvais chemin!
Le vois-tu, noir et ténébreux?
Il conduirait qui s'y engagerait
en enfer, sans espoir de retour.

** **922.** emprise *C* – **927.** le verras *B* – **928.** Tant sont plus d. *EGL* – **938.** ou esgare *E* – **939.** Cy nyont mestier *A* – **944.** *manque dans E* – **945.** en ce beau lieu *EFGL* – **947.** voyuoians *EGL* – **948.** a mains chemins *C* – **949.** Regardes *A* Regardez *C* – **952.** qui la suidroit *B*

[Toute plaine elle est d'anemis,
Folz est qui celle part s'est mis.]
Mais par tel voye n'irons mie,
956 Car aux sages est ennemie ;
Ainçois yrons le beau chemin,
Car aultre nul temps ne chemin.
Ces arbres que tu si hault vois,
960 Ou d'oysiaulx on ot toutes voix,
Qui ont fleur et fruit et verdure,
Et ombre font contre l'ardure
Du souleil, c'est pour le confort
964 Des passans qui cheminent fort,
Car ilz se pevent aysïer
Du fruit et eulx recrasïer.
Aucuns en goustent par delit
968 Pour le goust qui leur abelit ;
Autres du tout s'en engraississent
Et eulx et leurs gens en nourrissent.
Et en tout ce n'a nul mal vice ;
972 Mais toy trop pou as de malice
Pour t'en engraisser ne nourrir,
Car ton delit est de courir
Par ces beaulx lieux ; il te souffit
976 Que ton sens en ait le prouffit.
La montaigne que vois lassus
Est appellee Pernasus,
Ou mons Helicon est de moult
980 Appellé ce tres beau hault mont.
Et la fontaine que sus vois
Est celle qui a si grant voix
De noblece et de renommee,
984 Qui de Sapience est nommee
Fontaine, dont les beaulx ruisseaulx

---

* **953-954.** *manquent* – **980.** beau, *qui figure dans le vers mais sous rature, est gardé ici pour préserver l'octosyllabe*

** **953-954.** *Ces vers ne figurent que dans A, où ils ont été rajoutés dans la marge de droite* (*nous avons corrigé le* c'est *en* s'est) – **957.** le droit chemin *A* le bon chemin *B* par saint Fremin *EFGL* – **958.** Le bel et seur et cler chemin *EFGL* – **960.** Ou tu d'oysiaulx *E* oyt

Il est tout plein de démons,
et celui qui l'emprunte est fou.
Mais nous ne prendrons pas une telle voie,
car elle est l'ennemie des sages;
nous irons plutôt par le beau chemin;
je ne m'achemine jamais par un autre.
Ces arbres que tu vois si hauts,
où l'on entend les chants d'oiseaux,
et qui offrent fruits, fleurs et verdure,
et créent de l'ombre contre l'ardeur
du soleil – ces agréments sont pour le confort
des passants qui peinent en cheminant,
car ils peuvent se servir
du fruit et s'en rassasier.
Certains en goûtent par plaisir,
parce que le goût leur est délectable;
d'autres en prennent pour se nourrir;
eux et leur entourage en font leur repas.
Dans tout cela, il n'y a aucun vice;
mais toi, tu es trop peu experte
pour te repaître de ces nourritures;
ton délice, c'est de courir
par ces beaux lieux; il te suffit
que ton esprit puisse en tirer profit.
La montagne haute et superbe
que tu vois s'élever ici
s'appelle le Parnasse;
beaucoup de gens disent également "Hélicon".
La fontaine à proximité
est celle dont le nom et la grandeur
sont si célèbres:
elle s'appelle la Fontaine
de Sapience. Ses beaux ruisseaux

---

toute vois *ABEL* ot toutevois *CF* – **961.** fruit et fleur *AB* fleur frui *G* – **965.** a aisier *G* – **966.** raccasïer *A* racrasïer *B* rassaissïer *C* raccaissïer *D* rasasïer *EL* recrassïez *F* rassasïer *G* – **971.** n'a mal ne vice *EFGL* – **973.** engressir *EFG* – **975.** souffist *CEGL* – **976.** tous sens *F* – **980.** tres haut bel mont *EFL* ce tres beau mont *G* – **981.** La f. q. lassus vois *AB*

Vont arrosant les vers rinsseaulx
Qui le monde tient en verdour
988 Et dont le fruit rent grant odour.
Et le nom te vueil enseigner
Des dames que tu vois baigner,
A quoy ententivement muses. *[184va]*
992 On les appelle les .ix. muses.
Celles gouvernent la fontaine
Qui tant est belle, clere et saine;
Si tiennent la l'escole sainte
996 Qui de grant scïence est ençainte.
Le cheval que tu vois qui vole,
Jadis par lui fu celle escole
Establie, chose est certaine;
1000 Car de son pié vint la fontaine,
En frappant grant coup par derriere
Contre la roche grant et fiere.
Si peus l'effait du lieu comprendre,
1004 Car a soubtil qui scet entendre
Ne couvient grant expositeur
Pour du tout declairier l'aucteur.
¶ Ces chemins que vois verdoyans,
1008 Ou les ruisseaulx courent royans,
Lassus en ces voyes plus belles,
Ce sont les chemins ou a celles
Dames jadis parler aloyent
1012 Les philosophes, quant vouloient
Eulx abuvrer du doulx beuvrages
Qui les faisoit tenir a sages.
Vois tu celle place flourie,
1016 De ces haulx arbres en lorie
Qui en monstre signifiance?
La le prince de grant scïence
Abitoit sus la haulte motte;

** **998.** pour lui *EGL* – **1002.** roche haute et f. *ADEFGL* – **1003.** le fait *ABCDEFGL* – **1013.** des *ABCDF* de *EGL* – **1014.** faisoit devenir sages *EFGL* – **1016.** enlorie *BEFGL*

1. Aux vers 1003-6, la Sibylle abrège ses explications pour encourager Christine à la réflexion. « L'auteur » du vers 1006, laissé sans

vont arroser les rameaux de verdure
dont le monde profite
et dont le fruit embaume.
Je veux t'apprendre le nom
des dames que tu vois se baigner,
et que tu contemples attentivement :
on les appelle les neuf muses.
Elles gouvernent la fontaine
qui est si belle, limpide et saine ;
et elles y tiennent la sainte école
qui enfante la grande science.
Le cheval volant que tu vois
établit jadis cette école,
c'est chose certaine ;
car la fontaine naquit sous son sabot
lorsqu'il frappa un grand coup par-derrière
contre la roche haute et fière.
Tu peux maintenant comprendre la nature du lieu,
car à l'esprit subtil doué d'entendement
il ne faut pas de grand interprète
pour expliquer tout ce que dit l'auteur[1].

Ces chemins que tu vois pourvus de verdure,
où courent les ruisseaux brillants,
là-haut sur ces plus belles voies,
ce sont les chemins
où les philosophes allaient jadis parler
à ces dames, lorsqu'ils voulaient
s'abreuver de l'eau si douce
qui leur valait leur réputation de sagesse.
Vois-tu cette place fleurie,
entourée de hauts lauriers
en signe de son importance ?
Là, sur la haute colline,
habitait le prince de grande science,

---

nom, renvoie de façon générale à une source littéraire telle que l'*Ovide moralisé*. Mais le vague que Christine maintient ici suggère qu'elle parle elle-même à son lecteur, qui doit comprendre à l'aide de son intelligence ce que dit l'auteur du *Chemin de long estude*. Christine, l'apprentie de son guide sibyllin, est à son tour le guide de ceux qui la suivent en lisant.

1020 C'ert le philosophe Aristote
Qui de l'eaue empli son giron.
Et peus veoir tout environ
Les lieux qui tant sont bel et gent,
1024 Ou la philosophique gent
Habitoient ou sommeton.
Vois ou Socrates et Platon,
Democlite et Diogenés
1028 Venoient en ces beaulx lieux nés.
Hermés le philosophe grant
Du lieu hanter fu moult engrant.
Haulces les yeulx et tu verras *[184vb]*
1032 Ou ja fu Anaxagoras ;
Empidocles, Eraclitus
Maintes fois s'i sont esbatus.
Accoglitor Dyascoride
1036 Costé celle eaue qui si ride,
Seneque, Thules, Ptholomee
Venoient a l'escole amee.
Geometre Ypocras, Galien,
1040 Avicene entour le lïen
De la fontaine s'assembloient,
Ou de scïence s'affubloient,

** **1020.** Ce est *F* – **1031.** les lieux *G* – **1032.** Ou jadis fu *EGL*

---

1. Les listes de penseurs et de poètes qui suivent sont compilées en grande partie d'un passage de l'*Enfer* de Dante : Dante et Virgile visitent les Limbes, et y contemplent les âmes des philosophes qui, quoique vertueux, ne pourront accéder au royaume céleste parce qu'ils n'étaient pas chrétiens. chant IV, vv. 73-5, 115-127. La mise en scène de ces mêmes personnages revêt chez Christine un aspect beaucoup plus joyeux. Pour l'usage que Christine fait de Dante, voir Kevin Brownlee, « Le moi "lyrique" et la généalogie littéraire : Christine de Pizan et Dante » dans « *Musique naturele* » : *Interpretationen zur französischen Lyrik des Spätmittelalters*, éd. Wolf-Dieter Stempel, Muenchen : Fink, 1995, 105-39 ; A. Farinelli, *Dante e la Francia dall'età media al secolo di Voltaire*, Milan : Ulrico Hoepli, 2 vol, 1908, I : 345-81 ; M. Merkel, « *Le chemin de long estude*, primo tentative di imitatione dantesca in Francia », *Rassegna Nazionale*, 1er et 16 avril 1921, 194 et suiv. ; Earl Jeffrey Richards, « Christine de Pizan and Dante : A Reexamination », dans *Archiv für das Studium der neueren Sprachen und Literaturen* 222 (1985), 100-111 ; et

qui s'était repu de cette eau :
c'était le philosophe Aristote[1].
Tu vois tout autour
des lieux extrêmement beaux et gracieux,
où la race des philosophes
habitait sur les hauteurs.
Regarde ces lieux beaux et purs
où venaient Socrate et Platon,
Démocrite et Diogène[2] ;
le grand philosophe Hermès[3]
fréquentait aussi très volontiers ce lieu.
Lève les yeux et tu verras
l'ancien domaine d'Anaxagore ;
Empédocle et Héraclite
s'y sont maintes fois promenés.
À côté des cascades
venaient à l'école aimée
Dioscoride, le botaniste[4]
Sénèque, Cicéron et Ptolémée.
Le géomètre Hippocrate, Galien
et Avicenne se réunissaient[5]
autour de la fontaine,
où ils revêtaient l'habit de science.

Charity Cannon Willard, « Christine de Pizan : the Astrologer's Daughter », dans *Mélanges à la mémoire de Franco Simone : France et Italie dans la culture européenne,* Genève : Slatkine, 1980, 95-111. – **2.** Philosophes grecs du Ve au IVe s. av. J.-C. Christine retourne à l'exemple de Diogène aux vv. 4753-4804 et à celui de Démocrite aux vv. 4817-4828. Didier Lechat évoque les « échos » qui relient la narration du voyage de Christine à la description du débat ; en voici un exemple. – **3.** Hermès Trismégiste, c'est-à-dire « trois fois grand ». Réputé l'auteur de quarante-deux livres d'astrologie, de cosmologie, de géographie et de médecine. – **4.** La source de la phrase de Christine au vers 1035, « Accoglitor Dyascoride », se trouve chez Dante : « e vidi il buono accoglitor del quale, / Dïascoride ». *Enfer* IV, vv. 139-40. – **5.** Anaxagore, Empédocle et Héraclite : philosophes grecs ; Dioscoride : médecin et naturaliste grec ; Sénèque : philosophe romain ; Tulles, c'est-à-dire Cicéron : philosophe et orateur romain ; Ptolémée : astronome et géographe grec ; Hippocrate et Galien : médecins grecs ; Avicenne, médecin et philosophe de langue persane du Xe siècle de notre ère.

Et mains autres grans philosophes :
1044 Tous marchierent par sus ces crofes.
Ton pere meismes y savoit
Bien la voye ; si la devoit
Savoir, car bien l'avoit hantee,
1048 Dont grant scïence en ot portee.
¶ Et les poetes ensement :
Tu peus la bien veoir comment,
Petit plus bas, la ou Virgile,
1052 Ains que l'en chantast Euvangille,
Venoit par ces belles herbetes.
La s'assembloient les poetes
Qui doulx son de leurs cornemuses
1056 Chantoient par devant ces muses,
Qui forment s'en esjouissoient
Pour les chançons qu'ilz leur disoient ;
Si leur faisoient de flourettes
1060 Chappiaulx jolis par amourettes.
¶ Omer, le poete souvrain,
Qui es arbres cueilli maint raim
Dont il fist flajols gracieux,
1064 Dont yssoit chant melodieux ;
Ovide et Orace satire,
Orpheüs... Mais toute la tire
Je mettroie trop a nommer
1068 De ceulx qui ont voulu amer
Ce beau lieu qui les honora.
Et si y ot et ancore a
Des docteurs tant que c'est sans nombre, *[185ra]*
1072 Qui se soulacent dessoubs l'ombre
Et d'escoliers qui l'eaue prennent

1044. trofes *BG* – **1047.** car moult l'avoit *EGL* – **1050.** peuz bien la veoir *D* – **1056.** Sonnoient *EFGL* – **1064.** yssoient sons *EGL* – **1073.** des escoliers *ABG*

---

1. Thomas de Pizan (Tommaso di Benvenuto da Pizzano), le père de Christine et l'objet de sa grande admiration, fut suffisamment célèbre en tant qu'astrologue à l'université de Bologne pour rece-

Il y avait aussi maints autres grands philosophes
qui visitaient ces lieux.
Ton père lui-même connaissait bien la voie[1] ;
c'était normal,
puisqu'il y avait ses habitudes ;
il en a donc rapporté une grande science.
Les poètes aussi hantaient l'endroit :
tu vois bien, là, un peu plus bas,
c'est là où Virgile[2] ;
se promenait à travers prés
avant l'ère de l'Évangile.
Les poètes s'y retrouvaient
et s'accompagnaient des doux accents
de leurs cornemuses pour chanter devant les muses.
Celles-ci se réjouissaient fort
des chansons qu'on leur jouait
et tressaient amoureusement aux poètes
de jolies couronnes de fleurs.
Parmi eux, Homère, le prince des poètes,
cueillit nombre de rameaux aux arbres
pour en faire de gracieuses flûtes
dont sortaient des airs mélodieux ;
puis Ovide, Horace le satirique
et Orphée. Mais je mettrais trop de temps[3]
à énumérer toute la liste
de ceux qui rendirent hommage
à ce beau lieu qui les honora.
De plus, il y eut et il y a encore
d'innombrables savants
qui se distraient sous le couvert,
et des étudiants qui prennent l'eau

---

voir une invitation du roi Charles V de s'installer à la cour de France en 1364. C'est à cause de cette invitation que Christine grandit à Paris. – **2.** Virgile : poète latin, auteur de l'*Énéide* et des *Églogues*, dont le quatrième est censé annoncer la naissance du Christ. – **3.** Ovide, Horace : poètes latins. Orphée : poète légendaire. Christine énumère ses lectures sur Orphée – dont les *Mythologies* de Fulgence, *La Consolation de Philosophie* de Boèce et les *Métamorphoses* d'Ovide – dans son *Avision Christine*, II.7.

Par qui se fondent et apprennent.
¶ Jadis Cadmus a moult grant peine
1076 Un grant serpent sus la fontaine
Dompta, qui avoit plusieurs testes
Et toutes dorees les crestes ;
Et c'est le serpent qui destourbe
1080 Moult a aler en celle tourbe.
Et toy qui vas ci traversant,
Tu vois la fontaine versant
A gros boullions l'eaue qui coule ;
1084 Mais s'estre de si haulte escole
Ne peus, tout au mains a seaulx
Puiseras dedens les ruisseaulx ;
Si t'i baigneras a ton ayse,
1088 A qui qu'il plaise ou a qui poyse.
Or t'ay je tout le voir appris
De ce beau lieu et du pourpris
De la fontaine de clergie,
1092 Ou l'en apprent astrologie ;
Et Philosophie y repaire,
Et jadis y ot son repaire
Pallas, et croy qu'elle a encore,
1096 Car telle qu'elle fu est ore ;
Et toute scïence ensement
Que clers vont au monde semant.
¶ Mais de ce chemin ou nous sommes,
1100 Dont ne te diroie les sommes
Des grans bontez en tout ton aage
Le nom te diray du passage :
¶ Saches qu'il a nom "Lonc Estude",
1104 Ou il n'entre personne rude
N'il n'y trespasse nulx vilains,
Et pour ce saches que je l'aims ;
Pour les gentilz est reservé,

---

* **1096.** Car telle qu'elle fu elle est ore (*+1 ; corr. d'apr. F*) – **1102.** t'en diray (*corr. d'apr. ABDEFGL*)

** **1080.** Maint a *AB* – **1088.** A a qui qu'il *D* – **1096.** Car telle qu'el fu elle est ore *BCDEGL* – **1103.** Sachiez *F* Sachies *EGL* – **1106.** sachiez *FGL*

pour s'instruire et apprendre.
Jadis, au bord de la fontaine,
Cadmus, luttant de toutes ses forces,
dompta un grand serpent à plusieurs têtes[1]
dont chacune avait une crête dorée ;
c'est le même serpent qui empêche toujours
bien des gens de se rendre à cette assemblée.
Toi qui traverses ce lieu,
tu vois la fontaine déverser
ses eaux à gros bouillons ;
si tu ne peux pas faire partie de la haute école[2],
du moins pourras-tu puiser à pleins seaux
dans les ruisseaux ;
tu t'y baigneras à ton aise,
que l'on t'approuve ou non.
Maintenant je t'ai enseigné toute la vérité
de ce beau lieu et de l'enclos
de la fontaine de science,
où l'on apprend l'astrologie,
et où la Philosophie tient ses quartiers ;
jadis Pallas y résidait,
et je crois en fait qu'elle y est toujours
car elle demeure inchangée à travers le temps.
Ce lieu contient également
toute la science que les savants sèment de par le monde.
En ta vie entière, je ne pourrais te dire
toutes les grandes vertus
du chemin où nous sommes ;
mais je te dirai son nom :
sache qu'il s'appelle "Longue Étude".
Aucun ignare n'y entre,
et nul rustre n'y passe ;
sache que je l'aime pour ces raisons.
Il est réservé aux cœurs nobles,

---

1. Ovide, *Les Métamorphoses* III, vv. 28-93 ; *Ovide moralisé* III, vv. 44-145. P.G.C. Campbell donne une analyse détaillée de l'usage que Christine fait de Cadmus dans *l'Epistre Othea* et dans *Le Chemin*, 73-6. – **2.** *Le Chemin de long estude* souligne aussi bien les limites que les possibilités de Christine. Voir aussi vv. 932-938 et vv. 1677-1684.

1108 Et pour les soubtils fu trouvé. »
Alors me suis moult esjouÿe,
Quant j'oz tele parole ouÿe
Que Lonc Estude ert celle voye ; *[185rb]*
1112 Adont soz je bien ou j'estoye,
Car celle bien congnoistre doy –
Tout le me monstrast elle au doy –
Car je l'oz autrefois hantee,
1116 Mais par ce lieu n'y fus montee.
Si me pris un pou a soubzrire
Et entre moy mesmes a dire :
« Suis je fole ? Sainte Marie !
1120 Des vaches suis de Barbarie
Qui ne recongnoit ses vëaulx !
Autrefois vi ces lieux royaux,
Mais je n'y pris tel appetit,
1124 Ains les consideray petit ;
Mais le nom du plaisant pourpris
Oncques mais ne me fu appris,
¶ Fors en tant que bien me recorde
1128 Que Dant de Florence recorde
En son livre qu'il composa
Ou il moult beau stile posa,
Quant en la silve fu entrez
1132 Ou tout de paour ert oultrez,
Lors que Virgile s'aparu
A lui dont il fu secouru,
Adont lui dist par grant estude
1136 Ce mot : "Vaille moy lonc estude
Qui m'a fait cercher tes volumes
Par qui ensemble accointance eumes."

---

* **1114.** le (*corr. d'apr. ABCDEFGL*) – **1122.** cest lieu (*corr. d'apr. ABCDEFGL*)

** **1109.** resjoye *EFL* – **1110.** j'oz celle *EFGL* – **1111.** est celle *EGL* – **1113.** Car bien celle *G* – **1119.** Suys folle *GL* – **1121.** congnoist *EGL* – **1124.** le *ABED* – **1127.** Fors que tant *EFGL* – **1128.** Florence le recorde *G* – **1132.** ert entrez *C* est oultrez *EGL* – **1137.** telz volumes *EFGL*

et fut conçu pour les esprits subtils. »
Je me réjouis beaucoup
d'entendre ces paroles ;
cette voie était donc Longue Étude.
Je savais bien où j'étais à présent ;
je devais moi-même reconnaître la route,
quoique Sibylle me la montrât du doigt[1],
car je l'avais déjà fréquentée autrefois[2] –
mais je n'étais jamais montée par ici.
Je me mis alors à sourire un peu,
et à me dire tout bas :
« Suis-je folle ! Sainte Marie !
Je suis comme ces vaches de Barbarie
qui ne reconnaissent pas leurs veaux !
Je vis jadis ces lieux superbes
sans prendre pour eux un tel goût ;
au contraire, je les estimai peu.
Mais personne ne m'avait jamais appris
le nom de cet agréable enclos,
sauf dans la mesure où je me souviens
que Dante de Florence le mentionne[3]
dans le livre qu'il composa
en y inaugurant un très beau style.
Lorsqu'il entra tout apeuré
dans la forêt, et que Virgile,
qui allait le secourir,
apparut devant lui,
Dante prononça avec beaucoup de zèle
ces paroles : "Que m'aide la longue étude
qui m'a conduit à étudier tes ouvrages,
et faire ainsi ta connaissance ![4]"

---

1. La Sibylle ne cesse pas d'encourager l'autonomie de son élève. – **2.** De même que Christine avait déjà lu *La Consolation de Philosophie* de Boèce avant d'en mesurer toute la force, elle a déjà parcouru le chemin de longue étude avant de faire ce voyage en compagnie de la Sibylle. – **3.** Christine de Pizan est le deuxième auteur en France, après Philippe de Mézières, à parler de Dante, mais elle est la première à se servir de l'*Enfer* en tant que modèle pour son propre ouvrage. – **4.** « vagliami 'l lungo studio e 'l grande amore / che m'ha fatto cercar lo tuo volume. Tu se' lo mio maestro e 'l mio autore », *Inferno* I, vv. 83-5.

Or congnois a celle parole
1140 Qui ne fu nice ne frivole
Que le vaillant poete Dant,
Qui a lonc estude ot la dent,
Estoit en ce chemin entrez,
1144 Quant Virgile y fu encontrez
Qui le mena par mi enfer,
Ou plus durs lïens vid que fer. »
Si dis que je n'oublieroie
1148 Celle parole, ains la diroie
En lieu d'Evvangille ou de croix
Au passer de divers destrois
Ou puis en maint peril me vis ; *[185va]*
1152 Si me valu, ce me fu vis.
¶ Mais trop avoie ja pensé
A ce que j'ay ci rescensé ;
Si respondis comme joyeuse :
1156 « Ha compaignie gracieuse,
Dame de grant savoir aduite,
Par qui suis apprise et conduite
Ou lieu ou n'a mal n'eresie,
1160 Moult m'avez fait grant courtoisie,
Qui a lonc estude menee
M'avez, car je suis destinee
A y user toute ma vie ;
1164 Ne jamais je n'aray envie
De saillir hors de ceste voye
Qui a tout solas me convoye.
Ne vueil autre perfeccion ;
1168 C'est toute mon affeccion
En ce monde, car a devis
N'est plus deduit, ce m'est avis. »
Ainsi cheminions en alant,
1172 Et si m'oublioye en parlant

---

* **1152.** fu pis (*corr. d'apr. ABCDEFGL*) – **1154.** rensce (*leçon de C ; corr. d'apr. ABCDEFGL*)

** **1144.** rencontrez *G* – **1146.** lians *C* lieux *EGF* – **1150.** estrois *FGL* – **1156.** compaingne *AB* – **1159.** En lieu *DEFGL* – **1168.** enten-

Maintenant je reconnais à ces mots
ni sots, ni légers
que Dante, poète vaillant
et acharné à l'étude,
était entré dans ce chemin
lorsqu'il rencontra Virgile ;
Virgile, qui le mena à travers l'enfer,
où il vit des entraves bien pires que celles de fer. »
Je déclarai que je n'oublierais pas cette phrase,
mais l'emploierais
en guise d'Évangile ou de signe de croix,
lorsque, par la suite, je serais mise en péril
par diverses difficultés ;
et il me sembla qu'elle m'aida en effet.
J'avais déjà bien réfléchi
à ce que j'ai raconté ici ;
je répondis donc, ô combien heureuse :
« Ah ! Gracieuse compagne,
dame pleine d'un grand savoir,
qui m'instruisez et me guidez
en un lieu exempt de mal et d'hérésie ;
vous m'avez accordé une belle faveur
en m'amenant à Longue Étude,
car je suis destinée
à la pratiquer toute ma vie ;
et je n'aurai jamais envie
de sortir de cette voie
qui me conduit à toutes les joies.
Je ne recherche pas d'autre perfection ;
ce chemin est toute mon affection
en ce monde, car je pense
que l'on y trouve quantité de plaisirs. »
Ainsi cheminions-nous,
et j'étais si absorbée par ces propos

---

cion *EFGL* – **1171.** cheminons *E* en parlant *EFGL* – **1172.** en alant *EFGL*

Que un jour ne me sembloit une heure ;
Ne me donnay de garde en l'eure,
Que par celle voye abrigee,
1176 Sans estre de riens engrigee,
Ne traveillee, ne grevee,
Ne trop matin estre levee,
N'avoir cause de moy blamer,
1180 Que je me trouvay oultre mer,
Sans en navire entrer ne barge
Et sans avoir mauvais heberge.
Adont m'esbahi ou j'estoie,
1184 Et celle vid q'un pou doubtoie ;
Si me dit : « Fille, n'ayes doubte,
Car bien te conduiray sans doubte.
Si te monstreray maint nottable
1188 Lieu qu'au veoir t'iert delitable,
Et toute ta vie en aras
Joye aprés, quant veü l'aras. »
Ainsi m'aloit asseurant *[185vb]*
1192 Sebile ce chemin durant,
Tant qu'en la cité grant et noble
Qu'on appelle Constantinnoble,
Qui jadis fu le chief de Grece,
1196 Sans avoir chose qui nous griece,
Arrivasmes pour ens entrer,
Car toutes me vouloit monstrer
Les merveilles de la cité,
1200 Comme en mains lieux est recité.

** **1176.** dommagiees *EFGL* – **1181.** n'en barge *BF* – **1182.** Ne sanz *DEGL* – **1185.** Et *G* dist *ACDEFGL* – **1188.** qu'a *F* te sera *G* – **1189.** en seras *EGL* – **1190.** Joyeuse *EGL* les aras *EFGL* – **1198.** voult demonstrez *EFGL* – **1200.** maint lieu *C*

---

1. En considérant la rapidité avec laquelle le temps semble passer en compagnie de la Sibylle, il faut se rappeler le cadre du songe que Christine donne à son poème : tout son voyage ne durera en réalité qu'une nuit. – **2.** Parmi les sources de Christine pour la description de son tour du monde, citons les très célèbres *Voyages* de Jean de Mandeville, dont on a conservé plus de 250 mss. Récit en français d'un auteur qui se présente comme un chevalier anglais de retour de voyages qui ont duré trente-quatre

qu'un jour ne me semblait pas durer une heure[1].
Je ne prêtais pas attention au temps,
de sorte que par cette voie raccourcie,
sans aucun accroc,
sans être ni tourmentée ni fatiguée,
sans avoir eu à me lever trop tôt,
et sans rien à me reprocher,
me voilà soudain outre-mer,
sans être montée dans un navire ou une barque
ni avoir fait une mauvaise étape.
Je m'ébahis alors de me trouver où j'étais ;
ma guide, voyant mon désarroi, dit :
« Fille, ne crains rien, car sans aucun doute
je te conduirai à bon port
et te montrerai maints lieux remarquables
que tu auras plaisir à voir,
et dont le souvenir te procurera
de la joie toute ta vie. »
Ainsi Sibylle me rassurait-elle
le long du chemin,
si bien que sans encombre
nous arrivâmes aux portes
de la grande et noble cité
que l'on appelle Constantinople,
jadis capitale de la Grèce[2].
Nous entrâmes, car Sibylle voulait me montrer
toutes les merveilles de la ville,
celles dont on fait partout le récit.

---

ans, le texte combine les éléments d'un pèlerinage religieux et d'explorations à des fins séculières. Voir Paget Toynbee, « Christine de Pisan and Sir John Maundeville », *Romania* 21, 1892, 228-239. Toynbee démontre la dette du *Chemin* envers les *Voyages* en comparant de nombreux passages des deux textes. Il note que là où Mandeville parle de tel ou tel lieu comme étant particulièrement difficile d'accès, Christine prend plaisir à annoncer qu'elle ne ressent pas les difficultés en compagnie de la Sibylle. Dans son article « Une source oubliée du voyage imaginaire de Christine de Pizan », Charity Cannon Willard discute également du recueil *Fleurs des histoires de la terre d'Orient* comme influence possible sur la narration de Christine.

De mabre vi l'encaint des murs,
De grant circuit, haulx et durs,
Maint hault palais, mainte maison
1204 Y vi qui de mabre ot cloison,
Maint ediffice grant et bel,
Maint hault piller et maint chambel
Ouvré de moult soubtil ouvrage,
1208 Maint bel et maint estrange ymage
Merveillable, je vous affie,
Et l'Eglise Sainte Sophie,
La quellë est grant a merveilles,
1212 Ou l'en peut voir maintes merveilles,
Ou je prenoie grant plaisir
De tout viseter a loisir,
Car ce bien semble estre ediffice
1216 Fait de puissans gens, non pas nice.
Si louoie les ancians
Qui avoient tieulx essïens
Que faire firent tieulx ouvrages ;
1220 Mais trop plaignoie les domages
Des ruines de ceste ville,
Ou il y a en plus de mille
Lieux les haulx murs tous cheus par terre
1224 Par meschef et par longue guerre
Qu'ilz ont tout temps aux Sarrasins,
Qui trop leur sont prochains voisins –
Dont la ville est moult depeuplee
1228 Qui jadis fu plaine et comblee.
Je vi les champs et le vignoble
Qui tout dedens Constantinoble
Sont, pour assez vivres donner *[186ra]*
1232 A celle ville gouverner ;
Toutes ces choses me monstra
La dame qui m'aministra.
Si nous departismes atant,
1236 Alames tousdis en montant,
Approuchant vers la Terre sainte,

** **1207.** de maint subtil *EGL* – **1211.** Laquelle est moult grant *ABCDEFGL* – **1215.** ce semble bien *A* – **1221.** celle *ABCDEFGL* – **1222.** il y a eu p. *ABD* – **1223.** Lieux haulz *AB* – **1228.** Qui estre

Je vis les murs de marbre de l'enceinte
au vaste périmètre, hauts et solides ;
je vis de nombreux palais imposants,
des maisons aux parois de marbre,
de grands et beaux édifices,
beaucoup de hautes colonnes et autant de chambres
décorées d'ornements très fins ; [intimes
de belles et d'étranges statues –
extraordinaires, je vous l'assure ;
et l'église Sainte-Sophie,
étonnamment grande
et contenant tant de merveilles.
Je prenais beaucoup de plaisir
à tout visiter en prenant mon temps,
car, de toute évidence, l'édifice
avait été fait par des gens capables et intelligents.
Je louais en effet les anciens
qui avaient eu l'esprit
de faire faire de telles œuvres d'art :
mais je déplorais les dommages
subis par les ruines de cette ville,
où l'on trouve en plus de mille lieux
de hauts murs, maintenant effondrés
à cause de malheurs et de longues guerres ;
les habitants sont toujours aux prises
avec les Sarrasins, qui vivent trop près d'eux.
La ville, jadis riche et remplie de monde,
en est largement dépeuplée.
Je vis les champs et le vignoble
dont tout Constantinople est planté
afin de produire assez de vivres
pour subvenir à ses besoins ;
la dame qui m'accompagnait
me montra toutes ces choses.
Nous nous en fûmes alors,
nous allions toujours plus haut,
nous approchant de la Terre sainte ;

---

souloit bien peuplee *EFGL* – **1231.** vivre *C* – **1235.** en partismes *ABCDEFGL* – **1237.** la cité *AB*

Mais ains vy estrangeté mainte ;
Quant la me vy, j'en fus joyeuse,
1240 Car a la cité glorieuse
De Jherusalem desiroye
Aler au plus tost que pourroye,
Pour les devoz lieux viseter.
1244 Quant de ce m'ouÿ guermenter
La dame qui me convoyoit
Et ma devocion voyoit,
Si s'est de celle part tournee,
1248 Et en tous les lieux m'a menee
Ou Jhesus fu et mort et vifs.
En Egypte tous les lieux vis
Ou Nostre Sires repaira ;
1252 Vi Nazareth ou repaira
De Bethleem, ou il fu né ;
Ou il nasqui, ou fu mené
Ou saint temps de sa passion,
1256 Par tous ces lieux nous passion.
Plus regarday et visetay
Jherusalem et m'arestay
Ou lieu qu'autre part je n'avoye
1260 Sejourné en toute la voye.
Vi le Saint Sepulchre et baisay
Et la un pou me reposay.
Quant j'oz fait mes oblacions
1264 Et dites mes devocions,
Je regarday comme il est fait
A demy compas, et de fait
Le hault et le lé mesuray
1268 Et ancore la mesure ay.
Ce fait, issimes du repaire,
Montasmes au mont de Calvaire
Ou Jhesus o la croix monta,
1272 Et en ce lieu vi Golgatha *[186rb]*
Ou la sainte croix Dieu fu mise.

---

* **1240.** Car la (*corr. d'apr. ABCDEFGL*) – **1249.** vilz (*corr. d'apr. ABCDEFGL*) – **1252.** repaire a (*corr. d'apr. ABCDF*)

mais avant de l'atteindre, je vis plusieurs curiosités.
Une fois arrivée, je jubilai,
car je désirais me rendre
aussitôt que possible
dans la cité glorieuse de Jérusalem
pour visiter les Lieux saints.
Lorsque la dame qui me convoyait
m'entendit réclamer cette visite
et vit ma piété,
elle se tourna du côté des sites sacrés
et me mena dans tous les lieux
où fut Jésus, au cours de sa vie et à sa mort.
En Égypte je vis tous les endroits
où séjourna Notre-Seigneur ;
je vis Nazareth, où il arriva
de Bethléem, son lieu de naissance ;
nous passâmes par toutes ces contrées,
voyant où il naquit et où on le mena
au saint temps de sa Passion.
Je m'arrêtai plus longtemps à Jérusalem
à contempler et à visiter,
que je n'avais fait ailleurs
sur toute la voie.
Je déposai un baiser sur le Saint Sépulcre,
et y pris quelque repos.
Quand j'eus fait mes oblations
et accompli mes dévotions,
je regardai la forme du tombeau,
en plein cintre, et le mesurai
en long et en large ;
j'en ai encore les mesures[1].
Après quoi, nous sortîmes de ces lieux
et montâmes au mont du Calvaire
que Jésus gravit avec sa Croix ;
Là, je vis le Golgotha
où la sainte Croix de Dieu fut mise.

** **1239.** je fus *BEFGL* – **1252.** reppaire a *EGL* – **1266.** et deffait *BD*

---

1. Rappel de la « véracité » du rêve de Christine.

Le lieu, la place, la devise
Bien regarday, puis dessendimes,
1276 Car autre part aler tendimes.
Si vi maintes estranges choses
Ou paÿs de Judee encloses;
En Jherusalem mesmement,
1280 Dont me tais, car communement
Y vont gent en pelerinage,
Si scet on assez ce voyage.
¶ De Judee nous deppartismes,
1284 Vers oriant le chemin tismes,
Mais ains merveilles plus de mile
Me monstra la sage Sebile,
Et trestout me voult exposer
1288 Quanque voyons, sans reposer:
Le chastel vi de Thenedon
Ou la mer fiert de grant randon,
Qui le bras Saint George est nommee.
1292 Vi la grant terre renommee
Que jadis Frige on appelloit.
Adont celle qui me vouloit
Tout monstrer quanque yert en la voye,
1296 Me dit: « Regardes! La fu Troye,
La cité de si grant renom;
Or n'y voy se ruine non,
Mais ancor y perent les murs
1300 Selon la mer haulx, loncs et durs. »
¶ L'isle de Rodes trespassames
Ou maintes merveilles trouvames,
Sans gaire arrester la endroit:
1304 Ou je beoie, alames droit,
Et ancor vouloye viseter
Le lieu ou il couvient monter,
Ou la vierge est tres honoree

** **1284.** orient chemin *EG* – **1286.** la Sebile *G* – **1293.** Qui jadis Ayse on *EFGL* – **1295.** est en *G* – **1296.** dist *ADEFGL* – **1299.** encore perent *EGL* – **1300.** longs durs *B* loncs haulz *EFGL* – **1305.** Car encor voulz ie *ABCDF* Car encor vouloye visiter *EG*

Le lieu, la place, la disposition –
je prêtai à tout une attention extrême.
Puis nous descendîmes, car nous souhaitions aller [ailleurs.
Je vis bien des choses étranges
au pays de Judée,
de même qu'à Jérusalem ;
mais je les tais, étant donné que les gens
y vont souvent en pèlerinage,
et que cette route est donc déjà bien connue.
Nous quittâmes la Judée,
reprenant notre route vers l'est ;
mais d'abord, la sage Sibylle
me montra plus de mille merveilles,
et n'eut de cesse
qu'elle m'ait expliqué tout ce que nous voyions.
Je vis le château de Ténédos[1]
où la mer frappe avec violence ;
elle s'y appelle le bras de Saint-Georges.
Je vis les vastes terres renommées
auxquelles on donnait jadis le nom de Phrygie[2].
Alors, celle qui tenait à me montrer
tout ce qui se trouvait sur notre chemin
me dit : « Regarde ! Là fut Troie,
la ville si célèbre ;
maintenant ton œil n'embrasse que des ruines,
mais on aperçoit encore les murs
qui longent la mer, hauts, longs et résistants. »
Nous traversâmes l'île de Rhodes,
où nous découvrîmes beaucoup de merveilles ;
mais nous ne nous y attardâmes guère,
pour aller tout droit là où je désirais,
car je voulais encore visiter
ce site élevé
où l'on vénère et adore

---

1. Ténédos : île turque dans la mer Égée. – **2.** En Asie Mineure ; c'est l'association avec Troie, comme le dit la Sibylle, qui donne toute sa valeur au site.

1308 Sainte Katherine aouree ;
Car g'i os ma devocion
Et pour ycelle entencion
Sebille vers ce lieu m'avoye.
1312 Et si me monstra en la voye
¶ Babiloine, la grant cité. *[186va]*
Pour ce qu'il en est recité
En mains lieux et en mainte place,
1316 Voult celle que par la alasse
Veoir la terre du Souldan
Qui aux Crestïens fait maint dan.
Vi aprés la cité du Kaire,
1320 Qui plus grant est qu'aultres .ii. paire,
Vi le Nil qui croist et descroist,
Vi le champ ou le baume croist,
Vi comment Babiloine siet
1324 En beau paÿs qui moult bien siet.
Dessus le fleuve de Gion
Si vi tout la region
Et la court de cel empereur
1328 Qui tant est grant que c'est orreur,
Tout ait il guerre au Tamburlan
Qui le destruira, ce dit l'en.
Ce veu, Babiloine laissames
1332 Et dedens les desers entrames
D'Arabe, ou a .xii. journees
Jusqu'au mont Sinaÿ finees,
Mais nous y meismes moins d'espace.
1336 Et non obstant que la ne passe
Ame qui ne porte son vivre
Sus chameulx, nous tout a delivre
Y passames sans fain ne soy,
1340 Et sans denier porter sur soy ;

** **1318.** fait moult dan *G* – **1319.** en pres *F* – **1320.** plus est grant *AB* est plus grant *D* – **1329.** Tant ait *B* – **1333.** ou douze *G* – **1337.** Homme *AB* – **1339.** ne soif soy *L* – **1340.** sanz disner porter o soy *EGL*

la vierge sainte Catherine[1] ;
ma piété m'y portait,
et pour cette raison
Sibylle m'y emmenait.
En chemin elle m'indiqua
la grande cité de Babylone
Parce qu'il en est fait mention
dans de multiples ouvrages
elle voulut que je passe par là
pour visiter la terre du sultan
qui cause tant de mal aux chrétiens.
Après ce fut la ville du Caire,
quatre fois plus grande que d'autres :
je vis le Nil qui croît et décroît,
et le champ où l'on cueille le baume,
et l'emplacement de Babylone,
sise dans une belle contrée avenante.
Au-dessus du fleuve de Gion[2]
je contemplai toute la région,
y compris la cour de cet empereur[3]
dont l'énorme pouvoir nous horrifie –
quoiqu'on dise qu'il sera détruit
par sa guerre contre Tamerlan.
Ayant tout regardé, nous laissâmes Babylone
et entrâmes dans les déserts d'Arabie,
où il faut douze jours entiers
pour arriver au mont Sinaï ;
mais nous avons mis moins de temps.
Bien qu'aucun homme ne traverse ce désert
sans charger des chameaux de vivres,
nous sommes passées lestement,
sans avoir ni faim ni soif,
ni besoin d'argent ;

---

1. Sainte Catherine d'Alexandrie (IVe siècle). Sa légende veut que des anges aient transporté son corps sur le mont Sinai, ce « lieu où il convient monter » dont parle Christine. – **2.** Gion : le Nil. Paget Toynbee cite les *Voyages* de Mandeville : « La cité de Caire est plus grande qe celle de Babiloigne... Babiloigne siet sur la rivere de Gyon, autrement appelé Nil. » « Christine de Pisan and Sir John Maundeville », 232. – **3.** Bayazid ; voir la note au v. 347.

Ne nous y traveillames moult,
Et si montasmes sus le mont
Ou il a moult belle abaÿe
1344 Close, qu'el ne soit envaÿe
De serpentine ou male beste.
La arrivasmes sans moleste,
Et ou moutier mes oroisons
1348 Je dis, comme il estoit raisons.
La ot mainte lampe et maint cierge,
Si besay le chef de la vierge
Et du propre abbé de l'uile os
1352 Qui yst de ses precieux os.
Tout ce fait, du Mont devalames *[186vb]*
Et nostre chemin atournasmes
Vers Orient, sicomme il plot
1356 A celle qui prist le complot;
Car la me vouldra el mener,
Ains que ce chemin puist finer.
Si passames maintes contrees
1360 Diverses et fins et entrees;
Mais tout fussent elz merveilleuses,
A moy ne furent perilleuses
Pour le conduit qui me menoit.
1364 Et celle toudis m'aprenoit
Les noms des lieux par ou j'aloye
Et m'exposoit quanque vouloye.
Mais je compteray tout en brief
1368 Ce que g'i vi, car seroit grief
De tout faire narracion.
Si n'est pas mon entencion;
Maint en ont parlé a delivre,
1372 Je n'en quier faire nouvel livre.
¶ Nous passames en petit d'erre
Du Soubdan trestoute la terre;
Celle du grant Kam traversames,
1376 Ou moult pou les serpens doubtames;

---

* **1357.** vouldra le (*corr. d'apr. AEGL*)

** **1348.** Je fis *EGL* saisons *EGL* – **1353.** du moult *L* – **1357.** voul-

bref, cela ne nous coûta guère.
Nous escaladâmes le mont
où se trouve une splendide abbaye,
qu'on a clôturée pour la préserver contre une invasion
de serpents ou autres bêtes maléfiques.
Nous arrivâmes sans embarras,
et je dis mes prières à l'église,
ainsi qu'il convenait.
Entourée de lampes et de cierges,
je baisai la tête de la vierge
et reçus de l'abbé lui-même
de l'huile qui sort des os précieux.
  Après quoi, nous descendîmes du mont
et tournâmes nos pas vers l'Orient,
pour complaire à celle
qui dirigeait notre route ;
car elle voudra m'y mener
avant l'achèvement de notre voyage.
Alors nous parcourûmes plusieurs pays,
étranges du début à la fin ;
mais si terribles fussent-ils,
ils ne présentaient aucun danger pour moi,
car ma guide assurait ma sécurité.
Sibylle m'apprenait toujours
les noms des lieux par lesquels je passais
et expliquait tout à mon gré.
Mais je ne dirai que brièvement
ce que je vis ;
je pourrais ennuyer en narrant tout,
et telle n'est pas mon intention.
D'autres en ont amplement parlé ;
je ne cherche pas à en faire un nouveau livre.
  En peu de temps nous traversâmes
toutes les terres du Sultan ;
puis ce furent celles du grand Khan,
où nous craignîmes bien peu les serpents,

---

dra le *BCDF* – **1361.** Mais tant *G* ilz *AEFGL* – **1371.** en ot *E* – **1372.** Si n'en *EFGL* – **1375.** Et celle du grant cham trouvasmes *EFGL*

Si en veismes nous de divers,
Gittant feu orrible et pervers,
Cocodrilles, dragons et guievres,
1380 Ours et lyons qui ont les fievres
Unicornes, olephans, pantheres
Et de plus de .xx.^{m} paires,
Je croy, de teles bestes fieres
1384 De toutes estranges manieres.
Si m'eussent moult tost devoree,
Se je fusse entr'eulx demouree,
Sans le conduit qui me menoit;
1388 Mais tout adés me souvenoit
Du bon mot qui vault en tel cas,
Car quant j'estoie en un fort pas
Ou a passer je fusse rude,
1392 Disant : « Vaille moy lonc estude ! »
Alors passoye seurement, *[187ra]*
Sans avoir nul encombrement,
Non obstant celle terre sure
1396 Et du souleil la grant arsure.
¶ Toute passames Tartarie
Et la grant terre de Surie
Et la riche isle de Cathay
1400 Ou vi moult, mais riens n'achetay,
De soye, d'or, d'argent, d'espices
Et de toutes choses propices.
En Arabe vi le phenix,
1404 Le seul oysel qui est fenis
Par feu, puis un autre revient
De la cendre qui de lui vient.
En Ynde entrasmes la majour,
1408 Alant vers orient tousjour;
Vi la vigne qui poivre porte
Ou il en a de mainte sorte.
Maint estrange gent conversames,
1412 Et maint divers lieu traversames

---

* **1378.** Grant feu (*corr. d'apr. ABCDEFGL*)

** **1382.** plus dix mile *AB* de .x.m *CDEFGL* – **1391.** au passez *EFGL*

même si nous en vîmes diverses sortes,
crachant un feu horrible et pernicieux :
crocodiles, dragons et vipères,
et de plus, ours et lions enragés,
licornes, éléphants, panthères –
en tout, je crois, plus de vingt mille paires
de ces bêtes féroces
toutes plus bizarres les unes que les autres.
Elles auraient eu vite fait de me dévorer,
si j'étais demeurée parmi elles
sans mon escorte ;
mais alors je me rappelai les bonnes paroles
qui opèrent dans ces cas.
Me trouvant dans un passage étroit et périlleux,
et ignorant comment faire pour avancer,
je prononçai : « Que m'aide la longue étude »,
et voilà, je passai en toute sécurité,
sans rencontrer le moindre obstacle,
nonobstant cette terre amère
et l'ardeur extrême du soleil.

Nous traversâmes la Tartarie,
les grandes étendues de la Syrie
et la riche île de Cathay,
où je vis – sans en acheter – quantité de trésors :
soie, or, argent, épices
et toutes choses de bon augure.
En Arabie je vis le phénix,
le seul oiseau qui, mourant par le feu,
en fait renaître un autre
de ses cendres.
Ensuite, faisant toujours route vers l'est,
nous entrâmes en Inde Majeure.
Je vis les vignes où poussent
toutes les différentes sortes de poivre ;
nous croisâmes des gens singuliers,
et visitâmes des lieux curieux

– **1408.** En alant *EGL* – **1409.** qui le poivre *ABD* – **1411.** Maint estre gent *F* Maint estre de gent *EGL*

Ou de moy furent avisez
Divers monstres moult desguisez,
Plusieurs loys, diverses coustumes,
1416 Et en mains lieux, la ou nous fumes,
Geans orribles de grandeur,
Pimains et gens de grant laideur
Veismes ; maintes estranges isles,
1420 Divers paÿs, diverses villes.
Les Isles Fortunees vi,
Ou le paÿs est assouvi
De tous les biens que ou monde on fine.
1424 Je fus ou regne de Brachine,
Ou les gens sont bons de nature
Et ne font peché ne laidure.
Si grant chose ne vi en terre,
1428 Ce me sembla, en tout cel erre.
¶ Vi les .iiii. fleuves qui viennent
De Paradis Terrestre et tiennent
Grant paÿs et terre foison : *[187rb]*
1432 Le noble fleuve de Phison
Court par Ynde ; en lui sont trouvees
Precieuses et esprouvees
Pierres tout par la region ;
1436 Et puis le fleuve de Gion
Court par Ethioppe et Egipte,
Armenie grant et petite ;
[Tygris ne tient mendre païs,
1440 Car par Persie court laïs.
Euffrates mains ne possede :
Armenie, Persie et Mede]
Tient, ses flos me furent monstrez
1444 Et mains divers lacs demonstrez,
Maintes fontaines merveilleuses,

---

* **1417.** Gens (*-1 ; corr. d'apr. ABCDEFGL*) – **1439-42.** *manquent dans ABCDR Nous reproduisons ici la version du ms. F*

** **1413.** Et de moy *EFGL* – **1425.** bons par n. *AB* – **1435.** Pierres par tout la *EGL* – **1444.** lac *F*

où je pus contempler
des monstres étranges et extraordinaires ;
diverses lois et coutumes nous surprirent,
et partout où nous allâmes, nous rencontrâmes
des géants d'une taille effrayante,
des pygmées et des gens extrêmement laids.
Nous vîmes aussi beaucoup d'îles inhospitalières,
divers pays et diverses villes.
Je visitai les îles Fortunées[1],
où abondent naturellement tous les biens
qui se trouvent au monde.
Je me rendis au royaume de Brachine[2],
où les gens sont naturellement bons,
et ne commettent ni péché ni infamie.
De tout ce que je vis en voyageant,
voilà ce qui m'impressionna le plus.
Je vis encore les quatre fleuves
qui coulent du paradis terrestre,
nourrissant des terres fertiles :
le noble fleuve de Phison suit son cours en Inde[3] ;
on trouve partout dans ses eaux
des pierres précieuses,
d'une valeur incontestable ;
puis le Gion,
qui court à travers l'Éthiopie,
l'Égypte, et les deux Arménies ;
le Tigre n'est pas moins important,
qui traverse la Perse.
L'Euphrate également possède des terres :
l'Arménie la Perse et la Médie,
l'on me montra ses flots,
les divers lacs qui en naissent,
de nombreuses fontaines merveilleuses

---

1. Ancien nom des îles Canaries, connues pendant l'Antiquité mais redécouvertes et conquises par Jean de Béthancourt en 1402. – **2.** La Brahmanie, dans l'Inde du Sud. – **3.** Phison : le Gange. Paget Toynbee cite Mandeville : « Et el plus haut lieur de Paradys el droit my lieu est la fountaigne, q jette les iiij. fluvies qe courrent par diverses terrez. Dount li primer ad a noun Phison ou Ganges, c'est tout un... ». « Christine de Pisan and Sir John Maundeville », 235.

Maintes vallees perilleuses,
Mainte montaigne haulte et fiere
1448 Si qu'il pert que jusqu'au ciel fiere,
Tres que nous fumes par de la.
Pour la tres grant haulteur qu'elle a,
Ma maistrece me voult monstrer
1452 Olimpias tres a l'entrer
De Macedoine, et d'autre mainte
Est celle contree ençainte.
Et sans que mon corps fust point las,
1456 La grant montaigne d'Athalas
Nous passames en Ethioppe,
Qui a si tres haulte la croppe
Qu'aucun poete maintenoit
1460 Que celle le ciel soustenoit.
Les grans montaignes d'Armenie
Ou l'arche Noé bien garnie
S'arresta aprés le deluge,
1464 Et aussi ou mont Souffin fus je,
Ou siet une cité bien faite
Ou fu né Samuel prophete.
Vi les mons de Caspie, ou clos
1468 Sont Gos et Magos bien enclos;
De la sauldront, quant Antecrist
Vendra contre la loy de Crist.
Vi les grans mons d'or et d'argent
1472 Ou il entre moult pou de gent,
Car de serpens sont fort gardees *[187va]*
Qui rendroient dures souldees
A ceulx qui yroient celle part;
1476 Si s'en vault trop mieulx traire a part.
En Ynde vi en beau moustier
Le corps saint Thomas tout entier.
Toute passay celle grant marche,

---

* **1453** et autre (*corr. d'apr. ABCDEFGL*)

** **1447.** montaingne et haulte *F* – **1454.** celle terre toute *EFGL* – **1476.** Si vault *E*

beaucoup de vallées périlleuses,
et de montagnes si hautes et fières
qu'il nous semblait, avant d'arriver de l'autre côté,
que leurs cimes atteignaient le ciel.
À cause de sa grande altitude,
ma maîtresse voulut me montrer
l'Olympe, juste à l'entrée
de la Macédoine,
un pays environné de sommets.
Sans que je ressente de fatigue,
nous passâmes en Éthiopie
par la grande montagne d'Atlas,
dont la croupe est placée si haut
qu'un certain poète maintenait
qu'elle soutenait le ciel.
J'allai alors aux monts d'Arménie,
où l'arche de Noé bien pourvue
s'arrêta après le déluge ;
et au mont Souffin,
site d'une ville bien construite
où naquit le prophète Samuel.
Puis les monts de Caspie,
qui encerclent et enferment Gog et Magog ;
ils surgiront de cette enceinte
quand l'Antéchrist se dressera contre la Loi du Christ.
Je vis de grands monts d'or et d'argent
auxquels peu de gens accèdent,
car des serpents y montent la garde,
qui compteraient un mauvais salaire
à qui s'approcherait,
mieux vaut se tenir à distance.
En Inde, dans une belle église,
je vis tout le corps de saint Thomas[1] ;
puis je traversai la province frontière

---

1. Saint Thomas (apôtre – Ier siècle av. J.-C.). Selon la tradition, Thomas serait enterré en Inde, où il avait voyagé en tant que missionnaire.

1480 Celle Prestre Jehan, qui y marche,
Ou il y a tant de merveilles
Qu'onques hom ne vid les pareilles,
Se la ne les ala savoir;
1484 Mais l'or et l'argent et l'avoir,
La pierrerie et les richeces,
Les estrangetez, les nobleces
Qui y sont, non pas a millers,
1488 Ainçois en vi les grans pillers
Des sales des palais royaulx;
Il n'est tresor pareil a aux.
Brief, tant y vi d'estrangetez
1492 Que n'en seroit le fait comptez
En cent ans, se je tant vivoie;
Et qui nel croira, si le voye
Par le chemin que je le vi,
1496 Que sans lasseté j'assouvi.
¶ Mais ne cuidiés que fusse oyseuse
En celle voye deliteuse
D'apprendre moult et concevoir,
1500 Car Sebile me fist savoir
Les natures de toutes plantes.
Ainsi com nous marchion des plantes,
M'aloit devisant les natures
1504 De toutes mortieulx creatures
Et de toute chose insensible,
Në il n'est riens que homme sensible
Peust ymaginer ne comprendre,
1508 Qu'elle ne mait peine a m'aprendre;
Et les proprietez disoit
De tout quanque elle devisoit.
¶ D'ainsi deviser ne lachames *[187vb]*
1512 Tant que d'Orient approchames.

** **1482.** Qu'onques on *AB* – **1485.** pierrerie les *EGL* – **1497.** que je fusse *G* – **1505.** toute beste *AB* – **1506.** riens comme *EFL* N'est il riens c'omme *G* – **1508.** ne maist *B* ne meist *EG* ne mist *FL*

---

1. Prêtre Jean: potentat médiéval légendaire, dont on plaçait le royaume d'abord en Asie (Mongolie, Inde), puis en Afrique (Éthio-

du Prêtre Jean, qui est limitrophe[1]
et où l'on trouve tant de merveilles
que personne ne peut prétendre avoir vu leurs pareilles
s'il n'a connu celles-ci sur place.
Rares sont ces trésors –
or et argent, pierreries et richesses,
objets singuliers et magnifiques –
et pourtant j'en vis non des milliers,
mais tout un empilement
dans les salles des palais royaux ;
il n'y a pareil trésor au monde.
Bref, j'y vis des choses tellement extraordinaires
que je ne pourrais en conter la somme
en cent ans, dussé-je vivre aussi longtemps.
Si quelqu'un refuse de me croire,
qu'il aille voir par ce même chemin
que je poursuivis avec zèle.
N'allez pas penser que le caractère délicieux de
m'ait rendue paresseuse [cette voie
à apprendre et à réfléchir ;
car Sibylle m'apprit
la nature de toutes les plantes,
pendant que nous les piétinions.
Elle me parlait
de toutes les créatures vivantes
et de toutes les choses inanimées.
Il n'est rien de ce que l'homme doué de raison
peut imaginer ou comprendre
qu'elle ne prît la peine de me dire ;
elle indiqua les propriétés
de tout ce qu'elle décrivait.
Nous ne cessâmes pas de discuter de la sorte,
si bien que nous approchâmes de l'Orient.

---

pie). Monarque puissant et idéal, il était supposé régner sur un état utopique où l'abondance matérielle allait de soi et où tout le monde respectait la loi. En 1400, Henri IV d'Angleterre lui a adressé une lettre ; en 1430, le duc Jean de Berry a fait partir une ambassade en Éthiopie pour rechercher des renseignements. La légende du Prêtre Jean s'est dissipée au fur et à mesure que les Européens ont lié de vraies relations dans ces pays lointains.

Si fumes ja si loings alees
Par contrees grandes et lees
Et par destrois espouentables,
1516 Merveilleux et inopinables,
Que veoir les arbres a l'ueil
Pos de la lune et du souleil
Qui a Alixandre parlerent,
1520 Quant lui et ses gens y alerent
Et de sa demande responce
Lui firent ; mais de ce semonce
Ne leur fis, n'aucune priere ;
1524 Ainçois me tins vers eulx si fiere
Que ne les daignay aourer,
Car on ne doit riens honorer
En aourant, fors un seul Dieu.
1528 Et de l'estre et de tout le lieu
Sebile assez me devisa,
Në oncques mains ne me prisa
Dont ne les avoie aouré.
1532 Si n'avons la plus demouré,
Ains partismes, laissasmes les,
Jusques aux bonnes d'Erculés
Alames, qu'il mist a la fin
1536 Qu'on veist que s'iert du mond la fin.
Si tournasmes un pou a destre,
Alant vers paradis terrestre,
Et tant osmes ja cheminé
1540 Qu'ains que nostre erre fust finé,
Nous posmes ja le son oÿr
Des eaues que l'en ot broiyr
Au cheöir des montaignes dont
1544 Ce lieu est enclos ; et adont
Ma maistrece prist a parler,
Et dist : « De plus avant aler,
Belle fille, ne nous loit mie.
1548 Or montons sus ce mont, amye,

** **1513.** feusmes nous ja *G* – **1514.** contrees longues et *EGL* – **1530.** Mais oncques *ABCDEFGL* – **1532.** n'avons plus la *G* – **1534.** bonnes Hercules *AB* – **1536.** que c'estoit *G* – **1539.** eusmes la ch. *EGL* – **1547.** loist *EFGL* – **1548.** Si montons *EFGL*

Nous étions déjà allées si loin,
traversant de vastes étendues
et des défilés terribles,
étranges et incroyables,
que je distinguais à l'œil nu
les arbres de la Lune et du Soleil[1],
qui parlèrent à Alexandre,
répondant à sa requête
lorsqu'il les visita avec ses gens.
Mais je ne les y incitai pas,
ne les priai de rien ;
au contraire, je leur témoignai de la réserve
et me refusai à leur rendre hommage,
car on ne doit rien honorer
d'adoration, excepté le Dieu unique.
Sibylle m'entretint longuement
de leur nature et de tout ce lieu,
mais si j'ai omis de les adorer,
cela ne me fit point baisser dans son estime.
Nous ne nous attardâmes donc plus,
mais, les laissant derrière nous, nous remîmes en route,
allant jusqu'aux bornes d'Hercule[2]
qu'il avait placées afin que l'on vît
où s'arrêtait le monde.
Alors nous tournâmes un peu à droite,
en direction du paradis terrestre ;
nous cheminâmes tant
qu'avant de nous arrêter
nous pouvions déjà entendre
le grondement des eaux
qui tombaient en cascade des montagnes
qui l'entourent. À présent
ma maîtresse se mit à parler,
et dit : « Belle fille,
il ne nous est plus permis d'avancer.
Gravissons maintenant ce mont,

---

1. Voir *Le Roman d'Alexandre* d'Alexandre de Paris, branche III, laisses 212-214, Lettres gothiques n° 4542, traduction de Laurence Harf-Lancner, texte édité par E.C. Armstrong *et al.* – **2.** *Ibid.*, branche III, laisses 139-147.

Si verras ce que t'ay promis *[188ra]*
A l'ayde de Dieu, mes amis,
Car de plus avant approcher
1552 Nous le pourrions comparer cher.
Et celle eaue qui est la ouye
Tant grieve et estonne l'ouÿe
Que de leur nature essourdis
1556 Sont la gent la, pour voir te dis ;
Sicom noire ont pour la chaleur
Ethioppïens la couleur,
Ainsi sont cy pour les voysines
1560 Noises la gent sours com buisines.
Paradis est dedens enclos ;
Un mur de feu garde le clos.
La dedens n'entrerons nous pas,
1564 Car un angel se tient au pas.
Si nous en couvient traire en sus,
Et sus ce mont yrons lassus,
Et la prendrons nostre passage,
1568 Pour aler en lieu mains sauvage. »

❁ COMMENT SEBILLE, APRÉS QU'ELLE OT MENEE CRISTINE PAR TOUTE LA TERRE, L'AMENA AU CIEL ESTELLÉ

Adont sus un hault lieu montasmes
Et, la venus, un pou estames ;
Moult regarday qu'elle volt faire, *[188rb]*
1572 Un pou fremi en cel affaire,
Et celle un petit s'embruncha,
Puis de moult haulte voix hucha,
Mais je ne sçay quel nom nomma,

* **1553.** qu'est la (*corr. d'apr. EFGL*)

** **1553.** qu'est la *ABCD* – **1555.** estourdis *C* – **1556.** Sont la gent cy *AB* Sont la la gent *C* Sont la gent si *D* Sont la gent et pour *F*

et avec l'aide de Dieu, mon amie,
tu verras ce que je t'ai promis.
Si nous nous approchions encore,
nous pourrions le payer cher.
Le vacarme de cette eau
cause de tels dégâts à l'ouïe
que les habitants de cette contrée
sont, je te l'assure, sourds de naissance.
De même que les Éthiopiens
sont noirs à cause de la chaleur,
de même ces gens-ci sont sourds comme des clairons
parce qu'ils vivent entourés de bruit.
Le Paradis se trouve enclos dans ce site,
protégé par une muraille de feu.
Nous ne pourrons pas y entrer,
car un ange se tient à la porte ;
il convient plutôt que nous nous retirions,
et que nous montions sur cette cime.
Là nous trouverons un passage
vers des endroits moins sauvages. »

COMMENT SIBYLLE, APRÈS AVOIR MENÉ CHRISTINE AUTOUR DU MONDE, LA FIT ACCÉDER AU CIEL ÉTOILÉ

Nous grimpâmes alors sur des hauteurs,
et à l'arrivée nous fîmes une pause ;
je regardai Sibylle avec attention pour voir ce qu'elle
j'étais un peu inquiète. [allait faire ;
Elle se pencha légèrement
puis appela d'une voix retentissante ;
mais je ne sais quel nom elle prononça,

Y sont la gent *EGL* – **1559.** sont cil pour *D* – **1564.** un ange garde le pas *EFGL* – **1565.** nous couvient *EGL* – **1568.** aller au lieu *G* – **Rubrique :** Comment Sebille mena Christine ou ciel *C Les autres mss. ne comportent pas de rubrique à cet endroit*

1576 Car en langage grec clama.
Ouÿe fu, il y paru,
Car assez tost nous apparu,
Yssant du ciel, une figure
1580 Estrange, mais n'y ot laidure.
Si demanda qu'elle vouloit
Qui plus hault qu'elle ne souloit
Huchee l'ot. Si respondi
1584 Sebile : « Entens et puis me di,
Se nous pourrons lassus monter,
Car un pou y vouloit hanter
Ceste damoiselle, qui fille
1588 Est de nostre escole soubtille,
Et s'il te semble qu'elle y puist
Monter, selon qu'a lui aduist,
Lui fais eschele couvenable
1592 Pour y aler, si raisonnable
Com peus veoir qu'il appartient
Au volume que son corps tient. »
La figure vers moy se tourne
1596 Et me regarde et puis s'en tourne,
Disant que voulentiers feroit
Tele eschele qu'il afferoit.
¶ La n'omes mie esté gramment
1600 Que getter vi du firmament
D'une longue eschele le bout,
Dont toute tressailli debout,
Et je qui celle eschele avise
1604 M'esmerveillay de la devise,
Tant me sembla estre soubtive.
Legiere estoit et portative,
Si qu'on la peust entortiller
1608 Et porter sans se travailler
Par tout le monde, qui voulsist,

** **1577.** y apparut *G* – **1578.** assez tout *B* – **1595-8.** *Omission curieuse de la part de Püschel, qui n'inclut pas ces vers dans son texte. Ils figurent pourtant dans tous les mss.* – **1598.** Celle *B* – **1600.** Quant gitter *C* – **1604.** Me merveille *EGL* – **1607.** Si com *EFGL* – **1608.** sanz soy t. *ABEGL*

car elle s'exprimait en grec.
On l'entendit, à ce qu'il parut :
bientôt nous discernâmes,
sortant du ciel, une figure
étrange mais sans laideur[1].
Celle-ci demanda ce que voulait Sibylle,
qui l'avait appelée avec une force inaccoutumée.
Sibylle répondit :
« Écoute, et puis dis-moi
si nous pourrons monter là-haut ;
car cette demoiselle,
élève de notre fine école,
voudrait y demeurer un peu.
Et si tu ne vois pas d'inconvénient
à ce qu'elle monte pour son agrément,
fournis-lui une échelle
capable de l'y conduire,
d'une taille raisonnable,
proportionnée à son corps. »
La figure se tourne vers moi
Et me regarde, puis s'en retourne,
Disant qu'elle fera volontiers
Une échelle qui conviendra.
Nous n'avions guère attendu,
lorsque je vis jeter du firmament
le bout d'une longue échelle ;
une secousse, et elle fut là, debout.
Je l'examinai,
m'émerveillant de sa facture,
qui me sembla très ingénieuse.
Elle était légère et portative,
de sorte que n'importe qui
pouvait l'enrouler
et la porter partout sur soi,

---

1. Ce personnage, que Christine désigne sous le nom grammaticalement féminin de « figure », est pourtant représenté sous des traits masculins dans les illustrations des manuscrits. Voir le v. 1637 : « Cil qui vient a moy, quant il m'ot. »

Que ja n'empechast ne nuisist. *[188va]*
Non mie que de corde fust,
1612 Ne d'autre file ne de fust ;
Ne je n'en congnois la matiere,
Mais longue estoit, fort et legiere.
¶ Quant l'eschele os bien regardee,
1616 Je ne me fusse retardee
Pour riens que je ne demandasse,
Ains que plus avant procedasse,
De celle eschele le mistere ;
1620 Car n'oz pas appris a me taire,
Quant quelque doubte me venoit,
Devant celle qui me menoit.
Si lui priay qu'elle me dist
1624 Et tout entendre me feïst,
Que ce fu qu'elle avoit huché,
Qui puis s'yert ou ciel embuché,
Et de l'eschele longue et belle
1628 Dont vient et comment on l'appelle.
¶ Et celle me respont adont :
« Fille tres bien amee, et dont
Je ne me vueil pas excuser
1632 De ce que tu peus bien user
T'apprendre, et bien vueil que l'entendes,
Affin qu'a hault monter tu tendes :
¶ Saches que quant si hault parlay,
1636 En lengue grigoise appellay
Cil qui vient a moy, quant il m'ot ;
Et autant vault dire le mot,
Selon l'interpretacion,
1640 Comme est Ymaginacion.
C'est ce qui l'eschele tramise
A ça jus, puis la peine mise
Qu'avons a ça venir acquerre

** **1613.** congneuz *EFGL* – **1626.** s'est *EGL* embrunchié *CD* – **1628.** vint *EFGL* – **1635.** Sachiez *EFGL* – **1643.** Qu'avons eu a venir acquerre *F* Qu'avons eu a venir querre *EGL*

facilement, sans embarras.
Elle n'était pas faite de corde,
ni de quelque autre fil ;
je n'en connais pas la matière,
mais je vis qu'elle était longue, solide et légère.
Quand je l'eus bien regardée,
je n'ai pas pu me retenir
de demander sur-le-champ,
et avant d'avancer,
l'éclaircissement de ce mystère.
Car je n'avais pas appris à me taire
devant celle qui me conduisait,
lorsque j'éprouvais quelque inquiétude.
Je la priai donc de tout me dire,
et de m'expliquer
ce qu'elle avait crié,
et qui s'était caché au ciel,
et la provenance et le nom
de cette échelle longue et belle.
Celle-ci me répondit alors :
« Ma fille bien-aimée,
je n'ai pas envie de me soustraire
à t'apprendre ce qui peut t'être utile,
et je veux bien que tu entendes ces faits,
afin que tu t'appliques à t'élever :
sache que quand je parlai si fort,
j'appelai en grec
celui qui vient à moi lorsqu'il m'entend ;
et le mot que je prononçai
équivaut, si on le traduit,
à "Imagination".
Voilà ce qui envoya l'échelle ici-bas[1] ;
sans oublier la peine
que nous avions prise pour venir jusque-là

---

1. Voir Christian Heck, *L'Échelle céleste dans l'art du Moyen Âge. Une image de la quête du ciel*, Paris : Flammarion, 1997. Et du même auteur : « De la mystique à la raison : la spéculation et le chemin du ciel dans *Le Livre du chemin de long estude* », dans Eric Hicks, éd., *Au Champ des escriptures* (Actes du 3e Colloque international sur Christine de Pizan, Paris : Honoré Champion, 2000.)

1644 Ce qu'aler voulons lassus querre.
¶ La matiere de celle eschele
Que tu vois, qui le ciel eschele,
Speculacion est nommee,
1648 Qui de tous soubtilz est amee.
Mieulx en vauldras, se l'echelon; *[188vb]*
Si n'y a il nul eschelon
Depuis en hault jusques a terre
1652 Ou il n'y ait singulier mistere.
Mais tant vueil je bien que tu saches,
Affin qu'ignorence n'ensaches,
Que de celle matiere meisme,
1656 Selon que soubtilleté aime,
Sont faites des escheles maintes,
Par qui a moult haultes ataintes
On va. Mes tout d'une matiere
1660 Ne sont pas; l'une est plus legiere
Que l'autre et plus soubtilment faite,
L'autre est plus grosse et mains parfaite.
¶ Et aux gens soubtilz sont donnees
1664 Ces escheles, et ordenees
Pour ceulx qui veulent hault ataindre.
Et selon que leur force est graindre,
Eschele leur est envoyee.
1668 Mais tu es moult bien avoyee,
Dieux mercis, selon ta puissance,
Car tu as congié et licence
De monter jusqu'au lieu celestre.
1672 Par ceste eschele ou plus hault estre
N'iras que jusqu'au firmament;
Le chemin ou premierement
Entrames ne t'i menra mie,
1676 Mais par cestui yras, amie;

---

* **1652.** Qu'il (*corr. d'apr. ABEFGL*) – **1654.** n'en saches (*corr. d'apr. ABCDG*) – **1673.** N'iras jusques au (*illogique dans ce contexte; corr. d'apr. ABCDEFGL*)

** **1645.** d'icelle *B* – **1646.** que le *B* – **1651.** jusques terre *C* jusques en terre *F* le hault jusques a terre *EGL* – **1652.** Qu'il *CD* n'ait *BEFGL* – **1654.** n'en saches *C* n'en sachez *EFL* – **1658.** qui en

afin d'obtenir ce que nous cherchons là-haut.
La matière de cette échelle
que tu vois escalader le ciel
se nomme Spéculation ;
elle est aimée de tous les esprits subtils.
Tu gagneras en valeur morale
si tu la gravis ; il n'y a, en effet,
nul échelon, depuis le haut jusqu'en bas,
qui ne comporte un mystère singulier.
Mais afin que tu ne conserves pas ton ignorance,
je veux bien que tu saches ceci :
de cette matière même,
selon l'amour qu'on porte à la subtilité,
sont faites beaucoup d'échelles
que l'on gravit dans des desseins élevés.
Mais elles ne sont pas toutes pareilles :
l'une est plus légère,
plus finement ouvrée ;
l'autre plus grossière et moins parfaite.
Elles sont données aux esprits subtils,
confectionnées pour ceux
qui visent haut.
L'on se voit envoyer une échelle
proportionnée à sa force.
Grâce à Dieu, et en fonction de tes pouvoirs,
tu es sur un très bon chemin ;
car tu as l'autorisation
de monter jusqu'au séjour céleste.
Cette échelle ne te mènera pas plus haut
que le firmament[1] ;
La voie que nous empruntâmes d'abord
ne t'y conduirait point,
mais par celle-ci, mon amie, tu y arriveras.

---

moult *EFGL* – **1659.** On vient *EFGL* – **1672.** en plus *ABCDF* en ce hault *EGL* – **1673.** Yras *EGL* – **1674.** chemin que *EGL*

---

1. Le firmament est le « cinquième ciel » pour Christine, après l'air, l'éther, le feu, et l'Olympe (vv. 1765-1781). Bernard Ribémont propose comme source de la cosmologie de Christine le *Livre des propriétés des choses* de Barthélemi l'Anglais, dans sa traduction française de Jean Corbechon. Voir « Entre espace scientifique et espace imaginé », 255.

Monter ou firmament te fault,
Combien que autres montent plus hault ;
Mais tu n'as mie le corsage
1680 Abille a ce. Toutefoiz say ge
Que de toy ne vient le deffault,
Mais la force qui te deffaut
Est pour ce que tart a m'escole
1684 Es venue. Fille, or accolle
Celle eschele, et devant yray,
Et bien et bel te conduiray.
Or montes, tu as assez force
1688 Et de bien comprendre t'efforce *[189ra]*
Les belles choses que verras,
Car en nouvel paÿs yras. »
Adont pour monter ou celestre
1692 Lieu, me seignay de ma main destre
Car moult me sembla merveilleux
Le passage, et tres perilleux ;
¶ Mais du veoir j'estoie engres.
1696 Sebile avant et moy aprés,
D'echelon en autre eschelon
Ainsi le ciel lors eschelon,
Tant que ja si hault je me vi
1700 Qu'il me sembloit, je vous plevi,
Que quant contre val regardoie,
Que toute la terre veoye
Comme une petite pellote,
1704 Aussi ronde que une balote,
Qui m'estoit chose espouentable
Me veoir en lieu si doubtable ;
Et ja senti si grant chaleur
1708 Que doubtay mourir a doulour
Et que m'en portassent maufé,
Tant senti ja l'air eschaufé.
¶ Adont parlay com paoureuse,
1712 Et dis : « Dame beneüreuse,

---

* **1692.** de main (*-1 ; corr. d'apr. ABEFGL*) – **1709.** m'en portassent (*corr. d'apr. AG*)

Il te faut monter au firmament ;
d'autres vont encore plus loin,
mais tu n'as pas du tout la stature
qui convient à cela ; toutefois,
je sais que la faute n'est pas tienne ;
si la force nécessaire te fait défaut,
c'est parce que tu es venue tard à mon école.
Maintenant, ma fille, agrippe-toi bien
à l'échelle ; j'irai devant,
et te guiderai bel et bien.
Allez, monte ! Tu es assez forte –
et efforce-toi de bien comprendre
les belles choses que tu verras,
car tu vas visiter de nouveaux pays. »
Alors, avant de monter au séjour céleste,
je me signai de la main droite,
car le passage me semblait
hautement étrange et très périlleux ;
mais j'étais avide de voir.
Sibylle devant et moi à sa suite,
nous gagnâmes le ciel
échelon par échelon,
de sorte que bientôt, je me vis déjà si haut,
qu'il me semblait, je vous assure,
qu'en regardant en bas
je voyais toute la Terre
comme une petite pelote
aussi ronde qu'une boulette.
C'était terrible
de me voir en un lieu si effrayant ;
je sentais déjà une si grande chaleur
que je craignais de mourir de douleur
et d'être emportée par des diables
tellement je trouvais l'air échauffé.
Alors je dis d'une voix peureuse :
« Dame bienheureuse

** **1691.** pour entrer en celestre *EGL* – **1692.** de main *CD* – **1698.** Ainsi lors le ciel *AB* – **1704.** reonde come b. *F* – **1709.** m'en portassent *BCDEFR*

Qui jusques ci m'avez conduite,
Ja me sens de grant chaleur cuite;
Pour Dieu, regardez mon deffaut,
1716 Car auques tout le cuer me faut.
Dame qui pris m'avez en garde,
Je sçay bien que vous n'avez garde
De perir ycy, car passible
1720 Corps n'avez pas, mais impossible
Est a moy, qui l'ay trop pesant.
Pour Dieu, dessendons en present,
Et ne me soit tourné a honte
1724 De laisser ce qu'a peril monte.
Si considerés ma foiblece
Et la chaleur qui ja me blece,
Et ne vueillés que tant me dueille *[189rb]*
1728 Qu'a Ycarus soie pareille,
Qui pour trop hault monter chaÿ,
Dont durement lui mescheÿ,
Quant si hault monta que la cire
1732 Des eles que lui ot son sire
Atachee se fu fondue.
Si lui fu durement rendue
Sa presompcion, car en mer
1736 Le fist perir, en dueil amer. »
¶ Celle me respondi adont :
« Certes, bien voy comment et dont
Toute riens trait a sa nature :
1740 Femenin sexe par droiture
Craint et toudis est paoureux,
Car tant ne te sont savoureux
Mes dis ne chose que tu voyes,
1744 Que fors a grant peine me croyes.
Comme Ycarus ne cherras mie,
Car a cire qui tost s'esmie

---

* **1737.** *Dans R, nous trouvons* respont, *puis le rajout* di. *Nous avons donc corrigé en* respondi, *forme verbale qui maintient le mètre.*

** **1719.** paisible *EGL* – **1735.** La presompcion qui en *EFGL* – **1737.** Et celle me respont adont *ABCDEFGL* – **1739.** riens tent a *EGL* – **1743.** choses *EFGL*

qui m'avez conduite jusqu'ici,
je me sens cuire dans cette affreuse chaleur ;
pour l'amour de Dieu, ayez égard à ma condition,
car le cœur me manque.
Dame qui m'avez prise en charge,
je sais bien que vous ne craignez pas
de périr ici : votre corps
n'est pas mortel. Mais ce n'est plus tenable
pour moi qui ai un corps pesant.
Pour l'amour de Dieu, descendons à présent,
et qu'aucune honte ne me sois imputée
d'abandonner cette ascension qui me met en péril.
De grâce, tenez compte de ma faiblesse,
et de cette chaleur qui me blesse ;
ne permettez pas que je souffre
au point de ressembler à Icare,
qui fit une chute pour être trop monté.
Il subit de lourdes conséquences
du fait de s'être élevé si haut
que la cire des ailes,
que son père lui avait attachées, fondit.
Il paya très cher
sa présomption car elle le fit périr
en mer, dans des douleurs cruelles[1]. »
Sibylle me répondit alors :
« Certes, je vois bien comment et pourquoi
toute chose tend à sa nature :
il est normal que le sexe féminin
soit toujours craintif et peureux.
La preuve que tu ne goûtes pas pleinement
mon discours et les choses que tu vois :
tu me fais difficilement confiance.
Tu ne tomberas pas comme Icare.
Tu ne portes pas d'ailes

---

1. Dédale, le père d'Icare, a fabriqué des ailes de cire au moyen desquelles lui-même et Icare devaient s'échapper du labyrinthe dans lequel ils étaient emprisonnés. Aussi bien en sa qualité d'auteur qu'en celle d'apprentie de la Sibylle, Christine craint l'accusation de la présomption ; voir les vv. 25-28.

Tu n'as pas esles atachees;
1748 Si n'ayes doubte que tu chees.
Ne presomcion ne te meine
A ceste region haultaine,
Ainçois grant desir de veoir
1752 Choses belles te fait avoir
La voulenté de hault monter.
Viens seurement et ne doubter,
Car sauvement te conduiray
1756 Et au monde te ramenray. »
¶ Et ainsi fus je de Sebile
Asseuree plus de mile
Fois, et ailleurs et celle part.
1760 Si en os le corps plus appert
Et plus abille a monter hault,
Tout non obstant l'orrible chault.
Et ainsi toudis en montant
1764 Nous alames sans cesser, tant
Que le premier ciel trespassames,
Qui est d'air; a cil arrivames *[189va]*
Qui est au ciel de feu conjoint.
1768 Sa clarté en prent, car il joint
A lui, et moult fort resplandist
La grant clarté qui de lui ist;
Ether est cellui appellez.
1772 Le ciel de feu est la delez
Plus hault, et cil est le ciel tiers.
Aprés, en tenant cilz sentiers,
Au .iiij.ᵉ ciel nous montasmes
1776 Qui moult est bel, bien le notasmes;
Olimpe est cellui appellez.
Et ainsi sommes tant alez
Qu'arrivasmes au ciel .v.ᵐᵉ,
1780 Qui est bel, cler, luisant, haultiesme,
Et cellui est le firmament;
Et la terminoit droitement
Nostre eschele, qui n'yert de corde,
1784 Ne de chose qui se destorde.

** **1752.** Belles choses *AB* – **1754.** ne te doubter *E* – **1757.** Se ainssi fus je Sebille *B* – **1774.** ces *EGL* – **1783.** qui n'est *EFGL* – **1784.** se descorde *BCD le vers manque dans EFGL*

d'une cire friable ;
n'aie crainte d'une chute.
Ce n'est pas la présomption qui te pousse
dans cette haute région,
mais plutôt un grand désir de voir
de belles choses ; il te donne
la volonté de monter toujours plus.
Viens en toute sécurité, ne sois pas anxieuse,
je te conduirai saine et sauve,
et te ramènerai sur terre. »
Ainsi Sibylle
me rassura plus de mille fois,
cette fois comme les autres.
De ce fait, je me sentais le corps plus apte,
et plus habile à monter,
malgré l'atroce chaleur.
Et ainsi, sans répit,
nous montâmes toujours,
si bien que nous traversâmes le premier ciel,
fait d'air ; ensuite nous arrivâmes
à celui qui jouxte le ciel de feu.
Il en tire sa clarté en raison de la proximité
et parce que la lumière qui émane de lui
rayonne et resplendit,
ce ciel s'appelle éther.
Celui de feu, juste au-delà
et plus haut, est le troisième.
Après, tenant le même cap,
nous grimpâmes jusqu'au quatrième,
dont nous remarquâmes la grande beauté,
et qui a pour nom Olympe.
Poursuivant notre route,
nous arrivâmes au cinquième ciel,
beau, clair, lumineux et suprême ;
c'était le firmament.
Et là se terminait abruptement
notre échelle, faite ni de corde,
ni d'aucune matière qui subît la torsion.

❁ LES BELLES CHOSES QUE CRISTINE VEIOIT OU CIEL

Quant je me vy en ce hault lieu,
En mercyant de bon cuer Dieu
J'eus moult grant joye en lëauté, *[189vb]*
1788 Car onq ne vi tele beauté.
Mais mon corps, mes membres, mes yeulx
Ja ne souffrissent de cil lieux
La tres grant clarté reluisant,
1792 Qui trop me fust aux yeulx nuisant ;
Et du tout avuglast ma veue
La tres grant lueur qu'ay veüe,
Se de mon conduit ne venist
1796 Vigour qui mon corps soustenist.
Mais par ce os puissance et force
Et du veoir fus si amorse
Qu'en corps ne me grevoit n'a l'ueil
1800 Trop chault ne lueur de souleil.
¶ Quant je me vi en ce beau monde
Celestiel, tant cler et monde,
Ou toutes beautez furent traictes
1804 Et tant de merveilles pourtraites,
Plus n'oz cause de soussïer ;
Mais je dos bien remercïer
Celle qui m'avoit la conduite,
1808 Et si fis je, car j'en fus duite.
Mais tant os desir de savoir
Et congnoistre et appercevoir
Toutes les choses de cel estre,
1812 Que bien voulsisse, s'il peut estre,
Que tous mes membres fussent yeulx
Devenus, pour regarder mieulx
Les belles choses que veoir
1816 Povoye, que Dieux asseoir
Y voult par maint divers degrez.

** **Rubrique :** Les belles choses que Cristine vid ou firmament par le conduit de Sebille *C Il n'y a pas de rubrique dans les autres mss.* – **1785.** Quant la me vy bien m'en recorde *EFGL* – **1786.** *manque*

LES BELLES CHOSES QUE CHRISTINE VIT AU CIEL

Lorsque je me trouvai dans ce lieu suprême,
remerciant Dieu de tout cœur,
j'éprouvai une joie intense et sincère,
car je n'avais jamais vu une telle beauté.
Mon corps, mes membres et mes yeux
n'auraient pu tolérer
la clarté brillante qui m'entourait;
cette lumière qui me frappait la vue
m'eut fait trop mal,
m'aveuglant complètement
si ma guide ne m'avait pas infusé
assez de vigueur pour me soutenir.
Mais Sibylle me donna la force requise,
et j'étais tellement appâtée par l'envie de voir,
que la chaleur excessive et la lumière du soleil
ne me nuisaient en rien.
Lorsque je me rendis compte
de ce monde céleste, limpide et pur,
où toutes beautés étaient manifestes,
et tant de merveilles représentées,
mes inquiétudes se dispersèrent;
je devais bien en remercier
celle qui m'avait conduite jusque-là;
je le fis, car elle m'avait instruite pour mon profit.
Je fus envahie par un tel désir de savoir,
de connaître et de contempler
tout ce qu'il y avait dans ce lieu,
que j'aurais voulu, si c'eût été possible,
que tous mes membres devinssent des yeux,
afin de mieux regarder
les belles choses que j'apercevais,
que Dieu avait disposées là
selon une certaine hiérarchie.

---

dans EFGL – **1787.** J'eus grant *C* – **1796.** mon cueur *G* – **1800.** du souleil *EGL* – **1803.** Ou tant de beautés *EGL* – **1812.** peust *BEFGL* – **1817.** Y uot *B*

Et moult me plot et vint a grez
D'aviser les belles maisons
1820 Des planettes – oncques mais homs
Ne vid si tres plaisans parties –
Comme en .vii. lieux sont departies.
Regarday et vi proprement
1824 Les estoiles ou firmament;
Vi comment furent ordenees *[190ra]*
Et par le tour du ciel menees.
Et celle qui me conduisoit
1828 Tout me monstroit, et devisoit
Des planettes les noms, la force,
Et de moy enseigner s'efforce
Le cours des estoiles mouvables
1832 Et des estans et des errables.
Si m'en dist les proprietez,
L'effect, les contrarietez,
Leurs forces et leurs influences
1836 Et leurs diverses ordenances.
Et les natures de chacune
M'apprist, et de souleil et lune
Les mouvemens et les eclipses,
1840 Et comment par sus les esclipses
Des cercles le souleil s'en monte,
Et va tout par mi l'orizonte
Des .xii. signes tournoyant,
1844 Et fait son tour tout en royant
Environ le ciel, en un jour
Et en une nuit, sans sejour.
¶ Tout m'apprist, de tout m'avisa,
1848 Mais de quanque elle devisa
Je ne pense pas a parler,
Car ne m'appartient a mesler
Des jugemens de tel clergie,
1852 Car scïence d'astrologie
N'ay je pas a l'escole apprise;

** **1822.** Comment en .vii. *EFGL* parties *ABEFGL* – **1831.** Les *AB* de estoilles *D* – **1836.** descordances *C* – **1847.** de tant *EGL* – **1848.** de tout *C* Mais quanqu'elle *G*

Une envie me prit : quel plaisir
d'examiner les belles maisons
des planètes, de voir comment
elles sont réparties en sept lieux différents ;
l'on n'a jamais vu d'arrangements aussi agréables.
Je regardai, et vis, en effet,
les étoiles au firmament.
Je vis leur ordre, et la manière
dont elles couraient sur leurs orbites autour du ciel.
Celle qui me conduisait
me montra tout, discourant
des noms et des forces des planètes,
s'efforçant de m'enseigner
le cours des étoiles errantes,
et la position des fixes.
Elle me dit leurs propriétés,
leur effet sur le monde, leurs oppositions,
les pouvoirs et les influences qu'elles exerçaient,
et leurs différents agencements.
De chacune, elle m'apprit la nature,
m'expliquant les mouvements et les éclipses
du soleil et de la lune,
et la façon dont le soleil s'élève
par-dessus les intervalles des cercles,
et accomplit le tour
d'horizon des douze signes ;
tout en brillant, il fait le tour du ciel
en un jour et une nuit,
sans s'arrêter.
Sibylle m'instruisit de tout,
mais je ne songe pas
à parler de tout ce qu'elle raconta,
car il ne m'appartient pas de débattre
des conclusions des savants.
Je n'ai pas appris la science
de l'astrologie à l'école ;

Si en pourroie estre reprise;
Mais de ce qu'en general vis
1856 Puis compter qu'il m'en fu avis.
Des estoiles puis je bien dire,
Comment je les vi, tire a tire,
En leurs cercles toutes assises
1860 Ou firmament, ou furent mises
L'une plus bas, l'autre plus haulte,
Par proporcions ou n'a faulte.
La vy comment le souverain Pere
1864 A ordené du ciel l'espere, *[190rb]*
Qui obliquement adés tourne
Autour de son aixeau aourne,
Entre les .ii. poles assise,
1868 Et comment et par quel devise
De son mouvement gravissant
Vait les estoiles ravissant,
Qui toutes sont en lui fichees
1872 Et par ces voyes despechees.
D'oriant jusque en occidant
Les tourne, non pas d'accidant
Mais par nature, et puis arriere
1876 Les retourne d'autre maniere,
D'occidant en oriant,
Sans riens trouver contrariant,
En .xxiiii. heures d'espace,
1880 Et tout au tour du ciel s'en passe.
¶ Si y vi comment le bel ordre
Des planettes, qui ne peut tordre
De son cours, attrempeement
1884 En leurs cercles si bellement
Se meut qu'il empeche la course
Du firmament du ciel; et pour ce
Le fist Dieux que trop tost mouvroit
1888 Le ciel, qui ne l'en desmouvroit.
¶ La vi je les .ii. emisperes

** **1856.** me fu *EFGL* – **1859.** cercles si bien assises *AB* Ou firmament toutes assises *EFGL* – **1860.** En leurs cercles ou furent mises *EFGL* – **1862.** proporcion *EGL* – **1871.** sont toutes *AB* – **1873.** jus-

on pourrait donc me faire des reproches ;
mais je me permets de faire part
de mes impressions générales.
Au sujet des étoiles, je peux bien dire
comment je les repérai au firmament,
l'une après l'autre,
toutes à leur place dans leur cercle,
l'une plus bas, l'autre plus haut,
selon un arrangement parfait.
Je vis comment le Père souverain
a ordonné la sphère du ciel ;
elle tourne régulièrement
autour de son axe oblique,
maintenue par ses deux pôles.
Je vis l'ordre selon lequel le ciel,
dans son mouvement montant,
emporte les étoiles
qui y sont toutes fixées ;
c'est ainsi qu'elles suivent leurs cours.
Elles voyagent d'orient en occident,
non pas par hasard,
mais par nature ;
puis elles s'en retournent en sens inverse,
d'occident en orient,
sans que rien les en empêche.
Elles font le tour du ciel
en l'espace de vingt-quatre heures.
Je vis comment le bel ordre
des planètes, qui ne peut faillir,
se manifeste dans leurs cercles
d'une manière réglée, et si parfaite
qu'il ralentit la course
du firmament céleste ; et Dieu le fit ainsi,
car le ciel tournerait trop vite,
si son mouvement n'était freiné.
Encore vis-je les deux hémisphères

---

qu'au o. *BD* – **1878.** riens tourner *EFGL* – **1880.** Tout *B* tout entour *EFGL* – **1881.** comme *E* – **1886.** Du mouvement *EFGL* – **1887.** Les *AB*

Du ciel, ja soit ce que .ii. paires
On n'en voit pas ça jus sus terre.
1892 Leur zodiaque vi, et l'erre
De leur fin et terminement,
Et si y vy le mouvement
Des .v. cercles qui sont distans,
1896 Esgaument l'un de l'autre estans.
Et vi comment l'un se commence
Et se part par esgal distance
Du pole de septentrion,
1900 Et tourne comme nous dirion
Une roe qui toudis tourne;
Ainsi cellui arriere tourne,
Quant il a fait son mouvement, *[190va]*
1904 A son premier commencement.
La vi en ce biau lieu real
Le cercle qu'on dit ostreal,
Qui orizonte est appellé.
1908 Je vi le cercle grant et lé
De midi, qui celle partie
Du zodiaque repartie
En la quelle le souleil est,
1912 En egal distance et arrest
Entre oriant et occidant.
La n'aloye mon temps perdant,
Car le cercle de grant beauté
1916 Vi qui porte la rëauté
Sur tous, de blancheur reluisant,
Dont les poetes devisant
Leur diz distrent que ce ert li lieux
1920 Ou jadis passerent les dieux.
Galace est cellui appellez,
Qui moult est grant et beaulx et lez.
Cercle de lait mains l'appellerent,

---

* **1903.** mouvent (*corr. d'apr. BCDEFGL*)

** **1891.** pas ja *B* jus de terre *ABCDEFGL* – **1894.** leur mouvement *EGL* – **1900.** diron *EGL* – **1903.** mouvent *A* – **1905.** vy je en *G* – **1906.** dist *EL* – **1908.** li cercles grans et les *BF* le cercle grans et les *EL* le cercle grant et les *G* – **1919.** ce est li *FG*

du ciel, que l'on ne peut voir
simultanément d'en bas, depuis la Terre.
Je vis leur zodiaque,
le tracé de leur route, son terme,
et le mouvement
des cinq cercles,
équidistants l'un de l'autre.
Distribués de façon égale
de part et d'autre
du pôle du septentrion,
chacun tourne constamment,
telle une roue,
et puis retourne en arrière
à son point de départ
lorsqu'il a achevé son mouvement.
En ce lieu superbe
je vis le cercle dit austral
qui s'appelle l'horizon.
Je vis le vaste cercle
du midi, qui coupe
la partie du zodiaque
contenant le soleil,
à mi-distance
entre l'orient et l'occident.
Je n'y perdis pas mon temps,
car j'apercevais le cercle de toute beauté,
reluisant de blancheur,
qui l'emporte sur tous les autres ;
les poètes dirent dans leurs œuvres
que c'était le lieu
où les dieux passèrent jadis[1].
On le nomme la Voie lactée :
elle est grande et belle et large.
Beaucoup l'ont appelée le cercle de lait

---

1. Au vers 1920, on attendrait *paisserent* (« où jadis se sont nourris les dieux ») plutôt que *passerent*, leçon pourtant commune à tous les mss.

1924 Pour sa blancheur ; de terre apperent
Ses traces, quant il fait sans nue
Temps seri et nuit est venue.
Vi comment cellui se depart
1928 D'oriant, traversant a part
Au lonc du ciel par aucuns signes.
En septentrion ses confines
Prent, a son point retourne arriere,
1932 Et ainsi s'estend sa lumiere.
¶ Les .xii. signes vi estans
En leurs cercles ou ciel distans,
Es .iiii. parties assis
1936 Du ciel, en .ii. pars .vi. a .vi..
Vi comment yceulx signes sont
Les maisons que planetes ont,
Des quelles planettes li cercle,
1940 Qui de rondeur sont li couvercle,
Assis sont l'un plus hault que l'autre
Par ordre qui ne peut tressauldre. *[190vb]*
La me monstra par grant entente
1944 Celle qui m'apprist celle sente
Des planettes tout le mistere,
Et m'apprist en quel maison ce ert
Qu'elles ont exaltacion
1948 Plus grant selon leur mocion.
Ce mis je grant peine a comprendre,
Car moult le desiroie apprendre,
Mais de quanque lors en appris
1952 A deviser n'ay entrepris ;
Car ce n'affiert mie au propos
De dire ce qu'ay en propos.
La vi je le souleil mouvoir,
1956 Et son bel ordre remouvoir,
Tout son tour faire sans finer

---

* **1940.** reondeur (*+1; corr. d'apr. AEFGL*) – **1953.** a propos (*corr. d'apr. ABCDEFGL*)

** **1931.** Prent puis a son point tourne *ABCDEFGL* – **1932.** la lumiere *E* – **1938.** maisons qui *B* – **1940.** roendeur *B* reondeur *CD*

à cause de sa blancheur. La nuit,
on distingue ses traces depuis la terre
lorsqu'il fait beau et que le ciel est sans nuages.
Je vis comment elle part de l'orient,
suivant sa propre route et à travers quelques signes
pour parcourir le ciel.
Au septentrion, elle touche à ses confins,
puis revient vers son point de départ,
répandant ainsi sa lumière.
Au ciel lointain, je vis
les douze signes dans leurs cercles ;
répartis en deux groupes de six,
ils occupaient les quatre parties du dôme céleste.
Je vis que les signes
sont les maisons des planètes,
et les cercles de celles-ci,
dont les ronds se recouvrent,
sont placés l'un au-dessus de l'autre
selon un ordre immuable.
Là, avec beaucoup d'application,
celle qui m'enseignait cette route
me découvrit tout le mystère des planètes[1],
et m'apprit en quelle maison
chacune avait son exaltation
la plus grande selon son mouvement.
Je m'efforçai de comprendre ses explications,
car je désirais ardemment m'y connaître ;
mais je n'ai pas entrepris de raconter ici
tout ce que j'ai appris à ce sujet,
car cela ne convient guère à mon projet
d'exposer toutes mes pensées.
Je suivis du regard le soleil,
qui renouvelait son bel ordre,
faisant tout son tour sans s'arrêter

– **1944.** me monstra celle *EGL* – **1946.** es queulz maisons *EFGL* – **1951.** qu'alors *EGL* – **1957.** pour finer *EGL*

---

1. Voir Edgar Laird, « Christine de Pizan and Controversy Concerning Star-Study in the Court of Charles V », dans *Allegorica* 18, 1997, 21-30.

Pour ciel et terre enluminer.
Vi son charroy, vi sa lumiere,
1960 Qui souverainement belle m'iere.
Environ lui tous mouvemens
Vi, et par beaulx ordenemens,
Temps et ans et mois et sepmaines,
1964 Jours et heures et lunes plaines –
Car le cercle ou la lune passe
Vi plus bas, et en tel espace,
Que clarté n'a fors du souleil
1968 Lors qu'il l'alume de son oeil.
Devant le souleil vi les .iiii.
Mouvemens, les quieulx, pour esbatre,
Les poetes ont surnommez
1972 Les .iiii. chevaulx bien amez,
Qui du souleil mainent le char
Et de feu ont et corps et char.
L'un ont appellé Pirous,
1976 Qui est de feu ; l'autre, Eous,
Blanc comme argent resplandissant ;
Ethon, comme fin or luisant ;
Pheton, vermeil et embrasé.
1980 Le char est tout d'or orfrasé,
Sicomme Ovide le descript, *[191ra]*
Qui bien et bel en a escript.
¶ Ainsi ces choses regardoie
1984 Et toute de desir ardoie
De comprendre, s'il peus estre,
Tout quanque veoie en cel estre,
Et ce bel et noble artifice
1988 Qui tant bien fait son droit office,
Meu par une ordenance isnelle
D'une composicion belle,
Qui toute en un pourpris se loye,

---

* **1991.** Qui toute en vi pour (*corr. d'apr. ABCDEFGL*)

** **1960.** souverainentent *D* – **1968.** qui l'alume *B* – **1975.** L'un on appelle *EFGL* – **1979.** Pheton l'autre est tout embrasé *EFGL* – **1980.** Et le char est tout orfrasé *D* Le char tout est d'or orfrasé *EFGL* – **1982.** bel et bien *ABCD* – **1987.** noble et bel *EL* ce noble et noble *G*

pour illuminer le ciel et la terre.
Je vis son char et je vis sa lumière,
qui me parut souverainement belle.
J'assistai à tous les mouvements autour de lui,
qui ordonnaient le temps
en années, mois, semaines,
jours, heures et cycles lunaires ;
car le cercle de la lune est sis plus bas,
dans une situation telle,
que sa seule lumière vient du soleil,
lorsque celui-ci l'éclaire de son œil.
Devant le soleil, je vis
les quatre forces qui mènent son char,
et que, pour s'amuser,
les poètes surnommèrent
les quatre chevaux bien-aimés,
au corps et à la chair de feu.
L'un fut appelé Piroïs,
pour sa couleur de feu ; le second, Éous,
qui est blanc comme de l'argent resplendissant ;
puis Éthon, d'une brillance d'or fin ;
et enfin Phlégon, vermeil et embrasé.
Le char est garni d'une étoffe brochée d'or,
ainsi qu'Ovide l'écrit
dans sa très belle description[1].

Je regardais donc toutes ces merveilles
et brûlais du désir de comprendre,
si je le pouvais,
tout ce qui se présentait à mes yeux.
Je m'abandonnai tout entière à la contemplation
de cette belle et noble œuvre d'art
qui remplit si exactement son office,
dans son mouvement rapide, réglé
selon une composition splendide,

---

1. Ovide, *Métamorphoses* II, surtout vv. 155-56 ; *Ovide moralisé* II, surtout vv. 292-296. Le quatrième coursier du soleil, que Christine nomme « Phéton », prête à confusion : Phaéton fut le fils du soleil, tandis que le cheval Phlégon faisait partie de son attelage.

1992 Tant que toute m'y oublioye.
¶ Mais tout avec le grant delit
Qui au veoir tant m'abelit,
Il n'est homs qui peüst penser
1996 Ne dire, et deïst sans cesser,
La melodie et le doulx son,
L'armonie et belle chançon
Que la font ces beaulx mouvemens
2000 Celestiaulx aux tournemens
De ces clers cercles mesurez,
Qui sont si tres amesurez
Et par proporcions assis
2004 Qu'il en ist un doulx son rassis,
Amesuré et parfait, si que
La est la souveraine musique,
Ou sont tous les parfais accors.
2008¶ Ainsi remiray ces beaulx corps
Celestiaulx ou j'alouoye
Toute mon entente, et louoie
Le createur qui les ot fait
2012 De grant beauté si tres parfais
Et de bonté et de lumiere.
Mais la grant quantité plainiere
Qui y est sans estre encombree
2016 La place, ne pourroit nombree
Estre, ne nul n'en scet le compte,
Fors cellui qui tout scet par compte.
Et trestoutes quanqu'elles sont *[191rb]*
2020 Proprietez tres grandes ont.
¶ Et ainsi com je contemploye
Yceulx choses ou j'employoye
Toute mon entente a apprendre,
2024 Mais trop pou povoye comprendre
Leur grandeur pour tout mon estude,
Pour mon entendement trop rude,
¶ Adont vint la sage Sebile
2028 Vers moy et dist : « Fille, se mille

** **1999.** les beaulx *C* – **2010.** *manque dans G* – **2019.** trestoutes tant qu'elles *EGL* – **2028.** moy fille se *G*

toute logée à l'intérieur d'une enceinte.
En plus du grand plaisir
que ce spectacle me procurait,
il n'est personne qui pût concevoir ni dire,
dût-il parler sans arrêt,
la mélodie et la douce sonorité,
l'harmonie et l'exquise chanson
que produisent les beaux mouvements
célestes de ces cercles
tournoyants, clairs et mesurés,
admirablement proportionnés
et placés par ordre de grandeur.
Il en sort un son doux et serein,
tempéré et parfait :
c'est la souveraine musique
qui déploie ses sublimes accords.
Ainsi, je regardais ces beaux corps
célestes, leur consacrant
toute mon attention ; et je louais
le Créateur qui les avait faits
si sublimes en matière de beauté,
de qualités et de lumière.
Il y en a une telle quantité –
sans toutefois que l'espace
soit encombré – que l'on ne pourrait les dénombrer ;
nul n'en sait le compte,
excepté Celui qui sait tout.
Toutes, autant qu'elles sont,
possèdent des propriétés admirables.
Alors que je contemplais
ces choses, employant
toutes mes facultés à étudier,
mais, malgré mon application,
ne comprenant pas toute leur portée
à cause de mon intelligence trop fruste,
la sage Sibylle vint vers moi et dit :
« Ma fille, fusses-tu mille ans ici,

Ans fusses cy, je croy, amie,
Qu'il ne t'i ennuyeroit mie.
Mais de ci nous couvient dessendre,
2032 Car je te vouldray faire entendre
Autre chose que tu ne vois.
Viens aprés moy, vien, je m'en vois,
Car ci dessus n'iras tu pas ;
2036 Il ne te loit passer un pas
Oultre ce ciel ; tant que tu portes
Ce corps, closes te sont les portes.
Le ciel cristalin est ci sus,
2040 Et ancore tout par dessus
Le hault ciel est, ou sont les sains
Et les anges qui sont ençains
De gloire, amis de Dieu pressis,
2044 Et en .ix. ordres sont assis.
Tout dessus est la magesté
De Dieu, souveraine poesté,
Avironné de ceraphins
2048 Et cherubins parfais et fins. »
Ainsi de la m'estuet partir,
Dont il me desplut, sans mentir,
Mais obeïr il me couvint
2052 A celle qui la o moy vint,
Qui me dist : « Ja verras merveilles,
Celles, te pry, qu'entendre vueilles,
Car toutes de ce ciel deppandent
2056 Et procedent et en descendent.
Si consideres et regarde, *[191va]*
Moult apprendras, se y prens garde. »
¶ Adont par une estrange voye
2060 A un plus bas ciel me convoye,
Qui le ciel « d'air » est appellez,
Ether si est assis delez.
Beau lieu ot ci et reluisant,

---

* **2052.** la o moy la vint (*corr. d'apr. CDEFGL*)

** **2029.** m'amie *EFGL* – **2033.** Autres choses *ABC* Aultre choses *D* – **2036.** t'y *EGL* – **2044.** sont precis *C* – **2049.** *est précédé dans C par*

je crois, mon amie,
que tu ne t'ennuierais pas.
Mais il convient maintenant que nous descendions,
car je voudrais t'exposer
d'autres choses encore.
Viens après moi – viens, je m'en vais.
Tu n'iras pas plus haut ;
il ne t'est pas permis de faire un pas
au-delà de ce ciel ; tant que tu habiteras
ce corps, les portes t'en sont closes.
Le ciel cristallin surplombe celui-ci ;
puis, plus haut,
il y a le ciel des saints
et des anges entourés de gloire :
les intimes de Dieu
rangés en neuf ordres.
Tout au sommet trône la majesté
de Dieu, la Puissance suprême,
environnée de séraphins
et de chérubins parfaits et purs. »
Je devais donc quitter cet endroit ;
franchement, cela me déplaisait,
mais il convenait d'obéir
à celle qui m'avait accompagnée.
Elle me dit : « Maintenant, tu vas voir des merveilles
fais, je te prie, l'effort de les comprendre,
car elles dépendent, et procèdent,
et descendent toutes de ce ciel.
Attention alors ! Regarde bien !
Tu apprendras beaucoup si tu y emploies ton soin. »
À présent elle me conduit par une voie étrange
à un ciel inférieur
qui s'appelle le ciel d'air ;
l'éther se trouve à côté.
C'est un beau lieu, noble et lumineux,

---

une rubrique: Les merveilles que Cristine vid ou ciel. *Les autres mss. ne comportent pas de rubrique à cet endroit.* – **2052.** o moy la *AB* – **2053.** Tu verras *EGL* – **2055.** ciel descendent *D* – **2056.** Et en *AB* – **2058.** Moult congnoistras *EFGL* – **2059.** estroitte voye *C*

2064 Non si noble ne si luisant
Comme est l'autre – trop s'en faloit.
¶ Et moy, com celle qui vouloit
Tout enquerir, lors sans tarder
2068 Pris environ moy regarder.
Si n'y vy pas la place vuide ;
Bien y ot a muser, je cuide.
Mais ce que y vy nous vous diron :
2072¶ Sieges avoit a l'environ
De plusieurs façons et divers,
Et tous tres noblement couvers
Et moult richement aournez ;
2076 Mais ilz estoient ordenez
Par degrez plus hauls et plus bas,
En signe qu'ilz n'estoient pas
Tous d'une digneté pareille.
2080 Dessus ces sieges a merveille
Nobles gens assis y avoit,
Tieulx que juger peut qui les voit
Que tous sont princes et princesses,
2084 Reverens et de grans nobleces.
Mais il ot moult grant difference
En leurs façons et contenance,
Car l'un l'autre ne ressembloient
2088 En façons, mais tuit bien sembloient
Gent de moult grant auctorité.
Moult voulentiers la verité
Je sceüsse de celle gent,
2092 Et celle qui fu diligent
Toudis de m'apprendre et monstrer
Toutes choses et demonstrer,
Me dit adonc que ycelle gent *[191vb]*
2096 Estoient comme li sergent
Et serviteurs et servarresses,
Tres diligens et sans pareces,
Des intelligences haultaines
2100 Que lassus en places certaines

** **2071.** vy vous diron *EGL* – **2082.** que on peut jugier *EFGL* – **2085.** il y ot *EGL* – **2094.** Et toutes choses d. *F* Et toute chose d. *EGL* – **2095.** qui celle gent *EL* que celle gent *G*

mais pas autant
que l'autre – tant s'en faut.
 Et moi, qui voulais
m'informer de tout, je me mis tout de suite
à regarder autour de moi.
Je ne perçus aucun espace vide ;
il y avait bien matière à contemplation, je crois.
 Je vous dirai ce que je vis :
alentour, des sièges,
différents et de formes variées,
tous très noblement couverts
et richement décorés,
mais rangés par degrés,
certains placés plus haut que d'autres,
pour indiquer qu'ils n'étaient pas tous
d'une pareille dignité.
Assis sur ces sièges, je vis
des gens merveilleusement nobles d'aspect,
de sorte que l'on eût jugé, rien qu'à les voir,
qu'ils étaient tous princes et princesses,
illustres et hautement distingués.
Il y avait pourtant de grandes différences
en leurs visages et leurs allures ;
ils ne se ressemblaient pas
physiquement, mais chacun montrait
une forte autorité naturelle.
J'avais très envie
de savoir la vérité sur ces gens ;
alors celle qui s'empressait toujours
de me montrer, de m'expliquer
et de m'apprendre toute chose
me dit que ces personnes
formaient comme un corps
de serviteurs,
très diligents et actifs,
pour les esprits élevés
que parfois j'avais vus dans le firmament.

Avoie veu ; « et ceulx reçoivent
Leurs commandemens comme ilz doivent,
Obeïssans sans derouter.
2104 N'estoile ou ciel n'a, sans doubter,
Planette ne souleil ne lune,
Në intelligence nesune,
Qui celle part n'ait sa mesgnee,
2108 Qui pour elle est embesongnee.
Et scez tu, comment sont nommees
Ces gens cy ? Elles sont clamees
"Influences" et "Destinees",
2112 Qui a ce sont predestinees,
Quë aussi tost que l'omme naist
Ou la femme, ja si grant n'est,
Ceulx ycy de sa vie ordennent
2116 Et sa droite fin lui assenent,
Bonne ou male, selon les cours
Ou les planettes ont leurs cours
A l'eure que l'enfant est né.
2120 Mais toutefois Dieu, qui donné
Leur a ce povoir, dessus est,
Qui bien garde ce qui lui plaist.
¶ Cestes ycy le monde ordonnent ;
2124 Mal et bien, joye et dueil y donnent,
Selon qu'il leur est commandé
Du hault cours du ciel et mandé,
Dont elz reçoivent, je n'en mens,
2128 Les singuliers commandemens,
Puis au monde jus les envoyent.
Si le triboulent et desvoyent
Selon les planettes qui sont
2132 Es maisons ou plus poissance ont, *[192ra]*
Qui sont de descordant nature ;
Aussi donnent bonne aventure
Quant planettes de bonnes erres
2136 Sont en leurs maisons debonnaires.

** **2103.** Obeissent *EFGL* – **2110.** cy ilz *EGL* – **2115.** Ceulx ja de *G* – **2118.** leur cours *EGL* – **2122.** ce qu'il *BC* – **2124.** Mal bien *F* Bien et mal *EGL* – **2127.** Dont ilz *ABEGL* – **2130.** taboulent *G*

Elle poursuivit : « Ce groupe reçoit[1]
docilement les ordres des supérieurs,
obéissant sans le moindre écart.
Il n'y a dans le ciel, sans aucun doute, ni étoile
ni planète ni soleil ni lune,
ni intelligence quelconque,
qui n'ait ici une suite
dévouée à sa cause.
Et sais-tu comment ces gens
se nomment ? On les appelle
les Influences et les Destins.
Leur fonction est la suivante :
aussitôt que naît un homme ou une femme,
quel que soit son rang social,
ceux d'ici disposent de sa vie
et lui assignent sa juste fin,
bonne ou mauvaise, selon la position
des planètes dans leurs cours
à l'heure où l'enfant est né.
Toutefois Dieu, qui leur a donné
ce pouvoir, règne au-dessus d'eux
et fait ce qu'il Lui plaît.

Les gens que tu vois règlent le monde,
distribuant le mal et le bien, la joie et le deuil,
en fonction de ce qu'il leur est ordonné
depuis les hautes sphères du ciel
dont ils reçoivent – je n'invente rien –
les ordres exprès
qu'ils transmettent par la suite là-bas, au monde.
Ainsi advient-il qu'ils tourmentent et chamboulent
la terre, si les planètes,
en exaltation dans leurs maisons,
sont opposées de nature.
Ils accordent aussi des destins heureux
quand des planètes aux effets harmonieux
se trouvent dans leurs maisons favorables.

---

1. Entre les vers 2101 et 2109, l'auteur passe imperceptiblement du style indirect au style direct : au vers 2109, la Sibylle a pris la parole. Nous avons traduit et ponctué de la façon qui nous paraît la plus logique.

Si ne sont pou embesongnez
Ces gens ycy, tous enseignez
De leurs offices, ne ne cessent
2140 D'ordener, ne point ne delaissent
Ce qui au monde est avenir. »
¶ La vi, bien m'en doit souvenir,
Les ordenemens qu'ilz faisoient,
2144 Dont les aucuns me desplaisoient
Jusqu'au plourer ; et se peüsse,
Voulentiers leurs cours desmeüsse
D'aucun cas et de certain lieu,
2148 Mais qu'il n'en deust desplaire a Dieu ;
Mais destourber ne poz leurs erres.
La vis je ordener de grans guerres,
Famines et mortalitez
2152 Et changemens de voulentez,
Rebellions de divers peuples,
Pertes de terres et de meubles
Et changemens de seignouries,
2156 Villes destruites et peries,
Troublement de terre et grans vens,
Gouvernement de non savans,
Traÿsons laides et couvertes
2160 De princes, ruïnes appertes,
Fouldres, tempestes domageables,
Pestillences inoppinables,
Croiscemens d'eaues a grant onde.
2164 De toutes parties du monde
Je vi ce qu'avenir devoit,
Et celle qui tout ce savoit
M'exposoit quanque je veoye ;
2168 Ne l'eusse sceu par autre voye.
Vi en quel temps tout avendroit
Ce que je cognu la endroit :
A qui, comment et en quel place ; *[192rb]*
2172 Mais du dire ja Dieu ne place,

** **2139.** offices si ne cessent *FGL* – **2141.** a monde *B* – **2142.** bien me doit *D* – **2144.** Dont aucuns *F* – **2149.** destourner *EGL* – **2150.** vy ordener *G* – **2157.** Croslemens *ABCDEFGL* – **2163.** Croissement

Tu vois que cette compagnie,
où tous sont bien instruits de leurs fonctions,
ne manque pas de besogne : ils n'ont de cesse
d'ordonner, et ne délaissent jamais
la charge de l'avenir du monde. »
J'y vis – le souvenir s'impose à mon esprit –
tous les événements qu'ils organisaient.
Il y en avait qui me désolaient
jusqu'aux larmes, et si j'avais pu,
je les aurais volontiers détournés de leur cours
en certains endroits, dans certains cas, et
à condition de ne pas contrarier Dieu ;
mais j'étais incapable de leur barrer la route.
J'y vis préparer de grandes guerres,
des famines et des massacres,
des volontés lunatiques,
des rebellions de peuples perfides,
des pertes de terres et de biens meubles,
des changements de pouvoir,
des villes détruites et perdues,
des tremblements de terre et des tourbillons de vent,
le gouvernement de fous,
de basses trahisons de princes, dissimulées,
des ruines béantes,
des foudres, des tempêtes dévastatrices,
des pestilences incroyables,
des eaux en crue et de hautes vagues.
Je vis ce qui devait arriver
partout dans le monde,
et celle qui savait tout cela
m'en donnait l'explication complète ;
je ne l'aurais su d'aucune autre façon.
Je vis en quel temps,
à qui, comment, et où, adviendrait
tout ce que je contemplais là ;
mais le dire offenserait Dieu à coup sûr,

---

d'aiue a moult grant *EFGL* – **2167.** M'exposait tout quanque veoie *AB* – **2168.** Ne le sceusse *EFGL*

Car sillence tres commandee
Me fu. Si sera bien gardee,
Car n'appartient a reveller
2176 Le secrés de Dieu, n'a parler
De ce fors a ceulx qui commis
Y a Dieux comme ses amis.
¶ Si sos la cause appertement
2180 De quoy vint, pour quoy et comment
La comette reflamboyant
Qui apparu, chacun voyant
Appertement et en commun,
2184 L'an mille .cccc. et un,
Qui sanz grant cause pas n'avint.
Des ans passera plus de .xx.
En portant sa signiffiance;
2188 Mais en Dieu soit nostre fiance.
¶ D'autres commettes a venir
Vi, en quel temps doivent venir,
Pour qui et pour quoy apperront,
2192 Et combien elles demourront;
Eclipses de souleil et lune
Je vi merveilleuses, dont l'une
Pronostiquera maint meschief
2196 Qui ne sera pas tost a chef.
Des .x. Sebiles qui tant seurent,
De Merlin et de ceulx qui furent
Le temps futur prophetisans,
2200 Le effaict, ou, comment et les ans
Me fu la du tout exposé,
Tout ne fust leur texte glosé.
¶ Or fus plus qu'onques ententive
2204 A regarder, car moult soubtive
Fu l'ordonnance et les muances
De ces estranges influences.
Si n'oz pas la esté gramment,

** **2176.** Les *ABDEFGL* – **2178.** comme a ses *EGL* – **2180.** vient *ABCDF* – **2185.** pas ne vint *EFGL* – **2191.** apparent *B* – **2192.** demontrent *B* – **2197.** De dix *EG* – **2207.** esté la *EFGL*

car le silence me fut fortement recommandé.
Je saurai certes le garder ;
il ne faut pas révéler
les secrets de Dieu, ni en parler,
sauf pour ceux que Dieu en a chargés
en gage de Sa faveur.
Je sus alors clairement la cause,
l'origine, la raison et les circonstances
de la comète flamboyante
qui apparut distinctement
et aux yeux de tous
en mille quatre cent et un[1] ;
sa venue ne fut nullement arbitraire.
Elle passera pendant plus de vingt ans,
portant en elle sa signification ;
mais ayons foi en Dieu.
Je vis aussi d'autres comètes à venir,
et sus quand, pour qui et pourquoi
elles apparaîtront,
et combien de temps elles demeureront.
Des éclipses étonnantes du soleil et de la lune
sont également prévues ;
l'une d'elles sera le signe d'un profond malheur
qui ne s'achèvera pas de sitôt.
Sur tout ce qui touchait aux dix sibylles tellement [savantes,
à Merlin, et à ceux
qui prophétisent l'avenir[2] :
je reçus des explications : j'appris l'effet
le lieu, la manière et le temps de leurs paroles –
bien que sans commentaires sur leurs textes.
Alors je regardai plus attentivement que jamais,
car les superpositions et les modifications
de ces Influences surprenantes
étaient d'une subtilité extrême.
En effet, j'étais là depuis peu

---

1. L'on vit la comète en février ; pour un résumé des interprétation politiques qu'elle suscita, voir Maxime Préaud, *Les Astrologues à la fin du Moyen Âge* (Paris, 1984), 112, 118-20. – **2.** Merlin : magicien et conseiller de la cour du roi Arthur.

2208 Quant j'apperceu visiblement
La roÿne de tout meseur, *[192va]*
De qui le mouvement non seur
Met tout le monde en grief rancune.
2212 C'est la descordable Fortune,
Et celle ay je tost congneue,
Car autre part je l'oz veüe.
La faulse a double regardeure,
2216 La d'influence mal seüre,
S'affubloit et moult ordenoit
Du meschief qu'au monde donnoit,
Et des biens non seurs autresi ;
2220 Et non obstant que fust ycy
Pour ses influences y prendre,
Ne peut elle mordre ne prendre,
Donner, tolir ne faire acquerre
2224 Nulle part, se ce n'est sus terre :
La est sa principal demeure,
Combien que en l'air fust a celle heure.
¶ Ci vi figures redoubtables,
2228 Hideuses et espouentables,
Et de telles qu'au regarder
Trembler me firent sans tarder.
La mort y vy, si tres hideuse ;
2232 N'oncques puis la tres tenebreuse
Figure ne me departi
Du cuer, dont suis en tel party
Souvent, quant a droit m'en remembre,
2236 Que cuer et corps et tuit li membre
Me vont tremblant de grant hideur
De si tres orrible laideur.
Famine y vy et Povreté
2240 Et Meseur et Maleürté.
¶ Aussi y vy je moult de bien,
Bon Eur et Paix, qui me plut bien,
Planté, Cherté, Naissance et Vie,
2244 Commencement, Fin Assouvie,

** **2211.** en grant r. *ABEGL* – **2213.** tost aperceue *D* – **2217.** s'ordonnoit *EGL* – **2232.** Que oncques *ABCDEFGL* – **2235.** la

lorsque j'aperçus clairement
la reine de tout malheur,
dont les gestes imprévisibles
causent du chagrin à tous.
C'était Fortune l'inconstante,
que j'ai tout de suite reconnue
pour l'avoir déjà rencontrée ailleurs.
Cette perfide à double visage,
d'une influence dangereuse,
se fournissait en malheurs
et donnait ses ordres pour en expédier au monde,
assortis de bonheurs éphémères.
Bien qu'elle fût venue au ciel
pour se servir de ses influences,
normalement, elle ne peut exercer son pouvoir,
accorder, enlever, ni faire acquérir des biens
ailleurs que sur terre ;
c'est là sa demeure principale,
même si pour l'heure elle se trouvait au ciel.
  Ainsi vis-je des personnages effrayants,
hideux et épouvantables,
si affreux, que lorsque mon regard tomba sur eux
je me mis sur-le-champ à trembler.
L'horrible Mort surgit devant moi,
et depuis ce jour mon cœur
ne s'est jamais défait de son image sinistre.
Cela me met dans un tel état
que souvent, quand je me souviens d'elle,
mon cœur, mon corps, et tous mes membres
sont parcourus de frissons d'horreur
à l'idée de cette laideur effroyable.
  Je vis Famine et Pauvreté,
Malchance et Malheur ;
mais aussi beaucoup de bien :
Bonne Fortune et Paix, qui me remplirent d'aise.
Suivirent Richesse et Affection, Naissance et Vie,
Commencement et Accomplissement,

---

remembre *EFGL* – **2238.** De sa tres *ABCDEFGL* – **2243.** naissance vie *A*

Discorde, Accord, Guerre, Abondance,
Puissance, Amertume, Plaisance,
Haynë, Amour, Honneur Qui Monte, *[192vb]*
2248 Servitude, Franchise et Honte,
Cupido, Jocus, dieux d'amours,
Les filz Venus de franches mours,
Et d'autres tieulx gens a millers,
2252 De bien et de mal bouteillers.
Mais de leurs façons plus descripre
Me passeray, car ailleurs tire,
Et de dire en piece assouvi
2256 N'aray les merveilles que y vy.

❁ CY DIT DE .V. CHAYERES ET DES CINQ DAMES QUE CRISTINE VID OU CIEL

Autres merveilles vous diray
Qu'en cellui ciel je remiray :
En .iiii. parties assises
2260 Y y .iiii. chayeres mises,
De moult grant excellence faites
Et de beauté toutes parfaites.
Ou milieu des .iiii. en ot une
2264 Plus excellant qu'autre nesune :
Or vous vueil leurs façons compter
Ainsi com je le sos notter.
Mais loings a loings elles seoient,
2268 Ces chäyeres qui bien seoient.
Devers oriant en fu l'une, *[193ra]*
Plus resplandissant que la lune,
Qui d'onneur et grant reverence,
2272 De grant sens et d'amoderance,
Certes bien sembla estre siege.

---

* **2249.** dieu (*corr. d'apr. ABCD*)

** **2247.** humeur *EFGL* – **2249-50.** manquent dans *EFGL* – **2256.** que

Discorde, Concorde, Guerre, Abondance,
Puissance, Amertume, Agrément,
Haine, Amour, Honneur accru,
Servitude, Liberté et Honte.
Je vis aussi Cupidon et Jocus, dieux d'amour
et fils de Vénus aux mœurs libres ;
et des milliers d'autres personnages du même genre,
dispensateurs du bien et du mal.
Mais je me passerai de décrire plus avant
leur physionomie, car j'ai un autre dessein,
et je suis loin d'avoir fini
de parler des merveilles que je vis au ciel.

OÙ L'ON PARLE DES CINQ TRÔNES ET DES CINQ DAMES QUE CHRISTINE VIT AU CIEL

Or, je vous raconterai d'autres merveilles
que je pus admirer au ciel :
disposés aux quatre coins
se dressaient quatre trônes,
tous d'une exquise facture
et d'une beauté idéale.
Au milieu des quatre, un autre,
qui les surpassait tous.
Maintenant je veux vous les dépeindre
selon l'étude que j'en fis.
Une grande distance les séparait,
ces trônes si élégants.
Le premier était à l'orient,
plus resplendissant que la lune ;
il me semblait bien être le siège
de l'honneur et de la dignité,
de la sagesse et de la mesure.

---

vy *EGL* – **Rubrique :** Des quatre roynes qui gouvernent le monde *C*
Les autres mss. ne comportent pas de rubrique à cet endroit – **2262.**
biautez *ABF* – **2266.** les *ADEGL* – **2272.** de moderance *AB*

Mais la matiere pas de liege
Ne fu de quoy elle estoit faite,
2276 Ains de blanc yvoire, parfaite-
Ment belle fu, toute entaillee;
Si n'y ot ne bois ne fueillee
En sculpure, ains y ot pourtraites
2280 Toutes les scïences qui traictes
Des livres sont, si proprement,
Que la peussiés vous droitement
Apprendre, estudïer et lire
2284 Telle scïence comme eslire
Vous pleut; ce vous fait assavoir
Tout quanque vous vouldriés savoir.
Dessus celle chaire seoit
2288 Une dame, a qui bien seoit
Sa maniere pesant et sage.
Un ray yssoit de son visaige,
Luisant et cler plus que souleil,
2292 Et moult tardis furent si oeil,
Amoderez, fermes, seürs,
Et tous ses maintiens ot seürs.
Si n'estoit elle pas crespie,
2296 Laide, enviellie, n'acropie,
Ainçois estoit freche et nouvelle,
Blanche com lis, plaisant et belle.
Une couronne ot en son chief
2300 Sus ses crins blons sans cueuvrechef,
Ou ot plusieurs resplandissans
Pierres precieuses plaisans.
Si fu vestue richement
2304 D'un large et flotant garnement
Dont il me souvient ou que soie,
Car il estoit d'or et de soye,
De plusieurs couleurs dyapré,
2308 Et plus fres que l'erbe du pré. *[193rb]*
Et se je bien aviser sçoy,
Celle dame avoit devant soy

** **2275.** Ne fu dont elle *EGL* – **2277.** Mont belle *B* Moult belle *DG* – **2278.** Et n'y *G* – **2285.** vous faist *CD* fist *EGL* – **2293.** fermes

La matière dont il était fait
n'était certes pas du liège ;
non, plutôt de l'ivoire pur,
parfaitement beau et tout sculpté.
Ses motifs n'étaient ni de ramures
ni de feuillages, ce qu'on y avait représenté,
c'était toute la science livresque,
avec une exécution si soignée
que vous auriez pu y déchiffrer
et apprendre directement
la matière de votre choix ;
ces sculptures auraient pleinement satisfait
votre curiosité.
Assise sur ce trône, une dame,
à qui son air grave et réfléchi
seyait à merveille.
Son visage rayonnait d'un éclat
plus brillant et clair que le soleil ;
son regard se posait lentement,
modéré, ferme et sûr ;
elle avait un maintien plein d'assurance.
Elle n'était nullement ridée,
laide, vieille ni voûtée,
mais fraîche et jeune,
blanche comme lis, belle et souriante.
Elle ne portait pas de voile
sur ses cheveux blonds, mais une couronne
sertie de nombreuses pierres précieuses,
resplendissantes.
Elle était richement vêtue
d'une robe ample aux lignes gracieuses ;
le souvenir m'en revient constamment,
car elle était tissée d'or et de soie,
diaprée de plusieurs couleurs,
et plus fraîche que l'herbe du pré.
Et si j'ai bien observé,
cette dame avait devant elle

---

seurs *BCDF* fermes meurs *EGL* – **2304.** large flotant *EGL* – **2309.** sçay *G*

.ii. livres, dont l'un fu ouvert
2312 Et l'autre estoit clos et couvert.
Celle dame plaisant et belle
Avoit soubs ses piez pour scabelle
Plusieurs figures de geometre,
2316 Et dessus lui vi ses piez mettre.
¶ De l'autre costé vi arriere
Assise une autre grant chayere.
Devers septentrion seoit;
2320 Moult la prisoit qui la veoit,
Car haulte estoit et eslevee
Et dessus les autres levee.
Ceste fu de grant parement,
2324 Et moult ert faite excellemment:
Toute de pierres precieuses
Estoit, nobles et gracieuses,
Et comme il a cheus les rëaulx,
2328 Tout a l'environ ot quarriaulx,
Qu'a acouter on ne se blece.
Et en signe de grant noblece
Fu de tapis environnee
2332 Et tout autour encourtinee
De draps a armoiries riches
Ou ot pourtrait cerfs, dains et biches.
Dessus ceste chayre ordenee
2336 Ot une dame couronnee
De haulte et noble contenance.
De sa couronne ay souvenance,
Que moult estoit resplandissant,
2340 Moult haulte et moult magnificent.
Son vestement de pourpre estoit
A or ouvré qui moult coustoit,
Et tout environ soy trainoit
2344 La grant queue que elle menoit.
Celle tint un septre en sa main,
Et dessoubz ses piez soir et main
Un hault roy couronné tenoit *[193va]*

** **2312.** l'autre fu *EGL* – **2313.** dame qui fu si belle *EFGL* – **2314.** soubz pies *B* – **2316.** li un ses *A* – **2329.** Qu'a acouder *EFGL* –

deux livres : l'un ouvert,
et l'autre fermé et recouvert.
Cette dame belle et gracieuse
avait à ses pieds un tabouret
composé de figures de géométrie ;
je la vis s'en servir de repose-pieds.
Me tournant d'un autre côté,
je vis en retrait un deuxième trône
disposé pour marquer le septentrion ;
qui le voyait, l'admirait,
car il se dressait haut,
élevé par rapport aux autres.
Richement décoré,
il était merveilleusement ouvré,
tout en pierres précieuses
élégantes et nobles.
À l'instar des maisons royales,
l'on avait disposé des coussins autour du trône,
pour que l'on ne se blesse pas en s'accoudant.
Autre signe de grande noblesse :
le trône était entouré de tapis
et tendu de draperies
brochées de riches armoiries
qui dépeignaient des cerfs, des daims et des biches.
Sur cette belle chaire
se tenait une dame couronnée,
au maintien noble et distingué.
Je me souviens de sa couronne,
brillant avec éclat,
imposante et magnifique.
Son manteau de pourpre
était brodé d'or précieux,
et sa longue traîne
tombait tout autour d'elle.
La dame tenait un sceptre à la main ;
à ses pieds, elle avait placé un grand roi,
qui se prosternait matin et soir

2333. draps armoriés *ABCD* – **2334.** Ou il avoit dains cerfs *EFGL* – **2340.** magnifiant *AB* – **2347.** Un grant roy *EFGL*

2348 Tout adens qui la soustenoit.
De l'autre part devers midi
Une autre chaire ot, je vous di,
Qui tant fu d'estrange devise
2352 Que m'en merveil, quant m'en avise.
Toute fu de fer et d'acier
Si fort que on ne le peust percier,
Si estoit luisant comme argent.
2356 La ot entaillé bel et gent
Harnois dont se seulent armer
Chevaliers par terre et par mer;
Avec ce, toutes les histoires
2360 Qui oncques furent plus nottoires:
Grans batailles et grieves guerres,
Assaulx, voyages, tous les erres
Qu'onques firent les preux passez.
2364 La veissiés tous leurs fais tracez
Proprement, ne un seul n'en remaint;
Si pensez qu'il en y ot maint.
La dessus seoit une dame,
2368 Mais si estrange onc ne vid ame;
Je ne sçay comment ert clamee,
Mais sa teste estoit hëaumee;
Hëaume ot en lieu de couronne.
2372 Une grant targe belle et bonne
Ot a son col de belle taille,
Ou fu Mars, le dieu de bataille,
Pourtrait par moult grant excellence.
2376 En sa main dextre ot une lance
Qu'elle tint de fiere maniere
Droite, ou il ot une baniere.
Soubz ses piez un chastel avoit,
2380 Je ne sçay se garder devoit
Ou lui ou autre appartenance,
Mais tant ot fiere contenance
Que riens ne fu plus redoubtable

* **2350.** ot *est un rajout R*

** **2350.** ot vous dy *F* Ot une chayere autre vous dy *EL* En une

pour lui servir d'appui.
Du côté opposé du ciel, vers le midi,
une autre chaire se dressait,
d'une facture si curieuse
que j'en demeure étonnée quand j'y songe.
Elle était toute de fer et d'acier,
si solide qu'on n'aurait pu la briser,
et rutilante comme de l'argent.
Y étaient sculptées avec art de ces armures
que les chevaliers ont coutume de revêtir
lorsqu'ils s'en vont par terre et par mer,
sa surface représentait aussi
toutes les histoires les plus célèbres
de grandes batailles et de guerres terribles,
d'assauts, de voyages et d'odyssées
que les preux du passé accomplirent.
Tous leurs exploits y figuraient, tracés avec soin ;
pas un seul n'avait été négligé,
alors, vous pensez bien que les images étaient nombreuses.
Sur ce trône était assise une dame,
mais personne n'en vit jamais une si étrange.
J'ignore quel était son nom,
mais sa tête était casquée :
elle portait un heaume au lieu d'une couronne.
Un bouclier de belle taille, beau et solide,
était attaché à son cou ;
l'on y voyait le portrait admirablement exécuté
de Mars, le dieu de la guerre.
Dans sa main droite, la dame tenait
bien verticalement et avec fierté
une lance qui arborait une bannière.
Sous ses pieds il y avait un château ;
je ne sais pas si elle en montait la garde
ou si elle défendait autre chose,
mais elle avait un air si féroce
que rien ne pouvait être plus redoutable,

---

chairë autre vous dy *G* – **2354.** forte *G* ne la *AFGL* – **2360.** feussent *EFGL* – **2380.** Mais ne scay *EFGL*

2384 Ne plus fier ne plus deffensable.
¶ Devers occident ot assise
Une chayere d'autre guise.
Riche estoit oultrageusement *[193vb]*
2388 Et luisoit merveilleusement ;
De fin or estoit toute entiere,
N'il n'y avoit autre matiere
Fors escharboucles qui estoient
2392 En l'or enchaciez, et rendoyent
Une clarté trop gracieuse.
N'i ot pierre autre precieuse,
Si avoit la moult grant richece.
2396 Ne sçay se roÿne ou duchece
Fu celle qui dedens seoit,
Mais le plus riche atour avoit
Que nulle qui fust en la place ;
2400 Aux aultres de riens n'en desplace.
Couronne avoit ou chef si fine
Que ne croy que pareille fine
Ne roÿne në emperiere :
2404 Trestoute d'escharboucles yere,
N'autre pierrerie commune
N'y ot, quel qu'elle fust, nesune.
Sa vesture toute doree
2408 Fu, reluisant et esmeree,
Toute semee estoit d'affiches
Moult precieuses et moult riches.
Si les avoit tout a esture
2412 Atachees sus sa vesture,
Et les mettoit et retoloit
Et donnoit ou elle vouloit ;
Et si valoit bien d'or tout quitte
2416 Un royaume la plus petite.
A son col avoit une boucle
Ou il ot un gros escharboucle
Qui moult grant resplandeur rendoit.

** **2388.** luisant *EFGL* – **2392.** enchaciez qui rendoyent *C* leur enchaciez qui *EGL* – **2396.** Se sçoz se *BC* Ne soz se *D* – **2408.** Estoit luisant et *AB* – **2412.** sus la *E*

plus imposant ou plus brave.
À l'occident se trouvait
une chaire d'une autre espèce.
Riche à outrance
et d'un brillant extraordinaire,
elle était entièrement faite d'or pur;
aucune autre matière n'y était alliée,
sauf des escarboucles
enchâssées dans le métal précieux
et resplendissantes de lumière.
Aucune autre pierre fine n'y était employée,
quelle richesse fabuleuse!
Je ne savais pas si la dame assise
était une reine ou peut-être une duchesse,
mais elle portait la toilette la plus somptueuse
de toutes les personnes présentes –
que les autres n'en prennent pas ombrage.
Une couronne parait son front, si fine,
que je crois que ni reine ni impératrice
n'en trouvera de semblable:
entièrement montée d'escarboucles,
elle excluait
tout autre type de pierreries.
Le vêtement de la dame était tout doré,
luisant et distingué,
et parsemé d'agrafes
de grand prix et de grand luxe.
Elle les avait attachées
pêle-mêle à son vêtement,
et s'occupait à les fixer et à les enlever de nouveau,
selon sa fantaisie.
La plus petite de ces parures
valait bien, rien que pour l'or, un royaume.
À son cou elle arborait un bijou
où était sertie une grosse escarboucle
qui luisait magnifiquement.

2420 Une çainture qui pendoit
Avoit çainte, dont les mordans
Sembloient .ii. charbons ardans,
Tant estoit grant leur resplandeur.
2424 Ceste dame d'une grandeur
Moult haultaine se contenoit,
Et en sa dextre main tenoit
Un martel ; si avoit ses piez *[194ra]*
2428 Sus plusieurs oultis appuyez
De quoy on fait divers ouvrages.
Si sembla bien plaine d'oultrages,
Orgueilleuse et moult boubanciere ;
2432 La en tel maintien assise yere.
¶ Or vous ay des .iiii. compté,
Mais de celle ou plus a bonté
Il est or temps que je vous compte ;
2436 Car aux autres petit aconte
Envers celle qui ou milieu
Estoit assise en moult beau lieu.
Une chayere a plusieurs dois
2440 Vi, qui ne fu d'or ne de bois
Ne d'autre quelconques matiere,
Fors d'une resplandent lumiere,
Parfaite, clere, pure et deue,
2444 Qui du ciel estoit dessendue,
Voire, du ciel ou Dieu se siet.
Car le souleil qui si bien siet
N'est pas si cler ne si luisant
2448 Com celle estoit tres reluisant ;
Si la vi en l'air hault levee.
Tout entour la place pavee
Fu de quarriaulx luisans com glace,
2452 Et environ de celle place
Il avoit sans empeschement
Sieges aournez richement.
De moult bel maintien furent cilz,
2456 Et par divers degrez assis
Tout environ de la chayere

** **2429.** fait pluseurs *EFL* – **2448.** tres luisant *B* – **2449.** vy hault en l'air *EGL* – **2457.** Tout a l'environ *GL*

Elle portait sa ceinture
bas sur les hanches, et les plaques
semblaient deux charbons ardents,
tellement elles étincelaient.
Cette dame avait
un port altier
sa main droite serrait
un marteau et ses pieds
reposaient sur plusieurs outils
qu'on emploie dans divers travaux.
En effet, elle semblait pleine de prétention,
assise sur sa chaire,
orgueilleuse et hautaine.

Maintenant je vous ai parlé des quatre dames ;
c'est le moment de vous décrire
celle qui les surpasse toutes.
Car je fais peu de cas des quatre
en comparaison de celle qui était assise
au milieu d'elles, dans un très beau cadre.
Je vis un trône à plusieurs degrés ;
il n'était fait ni d'or ni de bois
ni d'une autre matière,
mais uniquement d'une splendide lumière,
parfaite, claire, pure et juste,
provenant des cieux,
de la sphère même où Dieu réside.
Car le soleil, qui a déjà une si belle position,
ne brille pas avec autant d'éclat
que la chaire lumineuse
que je vis si haut placée.
Tout autour, un pavement
de carreaux luisait comme de la glace ;
et sur la circonférence
étaient placés çà et là
des sièges richement ornés.
Ceux-ci avaient fière allure,
disposés à plusieurs niveaux
autour de la chaire

De si resplandissant lumiere,
Tant qu'il me sembla, brief et court,
2460 Que ce devoit estre une court
Ou un lieu ou a parlement
S'assembloient gent seulement,
Ou les anges de paradis.
2464 Si estoit ce, car je vous dis
Q'une princesce y repairoit,
Dont son excellence apparoit. *[194rb]*
Ne celle n'estoit mie serve
2468 Fors a Dieu seul, qui la conserve;
Si est sa legitime fille,
Et celle destruit et exille
Tout vice du lieu ou repaire.
2472 Aux piez de Dieu a son repaire,
Mais en celle chaire dessent
A parlement quant elle sent
Qu'il appartient d'aucun affaire
2476 Ou parler ou jugement faire;
Car en ceste ci n'a ruïne,
Ains des autres est la roÿne,
Plaine de sçans et de droiture
2480 Et de toute bonne aventure.
Et ceste ci est l'influence
De Dieu le Pere et l'afluence
Du Saint Esperit, et si rapporte
2484 Jus du ciel quanque il lui ennorte.
¶ Ces choses de moy ne sos mie,
Mais Sebile, a qui fus amie,
Ainsi les m'avoit ennortees
2488 Com je les vous ay rapportees.
Car je lui enquis tout le voir
Des .v. chayeres, dont savoir
La verité moult desiroie,
2492 Mais celle me dit qu'el saroie
Par ce que verroie avenir,
Se un pou m'i vouloie tenir.

---

* **2494.** S'en un (corr. d'apr. *ACEFL*)

** **2459.** sembloit *EFGL* – **2482.** Pere la fluence *EGL* – **2483.** Espe-

faite de lumière rayonnante.
Bref, il me sembla
que ce site devait être une cour
ou un parlement
où seuls se rassemblaient des nobles,
ou alors les anges du paradis.
Mon impression était juste, car, comme je vous le dis,
une princesse y demeurait ;
dont le prestige transparaissait dans ce lieu.
La dame ne se soumettait à personne,
sauf à Dieu, son protecteur.
elle est Sa fille légitime,
détruisant et chassant
tout vice par sa seule présence.
Sa place naturelle est aux pieds de Dieu,
mais elle descend dans sa chaire
afin de présider, lorsqu'elle estime
qu'il convient de discuter ou de juger
une affaire quelconque.
Parce qu'elle est exempte de toute corruption,
elle règne sur les autres,
sage, droite,
et bienfaitrice.
Messagère de Dieu le Père,
témoin de la présence du Saint-Esprit,
elle rapporte du ciel
tout ce qu'Il lui suggère.

Mais je n'ai pas su ces choses toute seule ;
c'est mon amie Sibylle
qui me les a enseignées
telles que je vous les ai racontées.
Je me suis enquise auprès d'elle
de l'histoire des cinq chaires,
car j'avais grande envie de savoir la vérité ;
mais Sibylle me répondit
que je verrais tout par la suite
si je voulais bien patienter un peu.

---

rit si rapporte *EFGL* – **2484.** ciel et si raporte *C* rapporte *GL* – **2486.** Mais de Sebile *EGL* qui suis amie *AB* – **2494.** S'en pou *B*

COMMENT CRISTINE VID RAISON OU CIEL DESCENDRE EN SA CHAYERE

Ainsi com la chaire avisoie
2496 Et a Sebile devisoie,
Adont un si doulx chant ouÿ
Que tout mon cuer fu resjouÿ.
Si vi dessendre tel lumiere
2500 Qu'ou firmament pareille n'iert,
Në en souleil, në en estoiles,
Ne que sont petites chandoiles
Envers la clarté du souleil. *[194va]*
2504 Or fus je en trop plus grant esveil
De veoir qu'onques n'oz esté,
Car la vis je grant pöesté
Et court souvraine. Si chantoient
2508 Les anges qui devant venoient
Si tres melodieusement
Que cuiday glorieusement
Estre ou ciel, la dont on ne part;
2512 Bien en cuiday avoir ma part.
Si me trouvay plus resjouÿe
Que de chose qu'onq os ouÿe.
¶ Ainsi celle princesse vint
2516 En sa chayere, et plus de .xx.
Nobles dames environ soy;
De toutes aprés les noms soy,
Mais en general de trestoutes
2520 Diray le nom: ce furent toutes
Les Vertus, et de tel mesgnee
Est celle dame acompaignee.
Sus les sieges toutes se sirent
2524 Et environ la dame mirent.
Mais la beauté d'elles descripre
Je ne suis souffisant, n'escripre

** **Rubrique:** *La rubrique ne se trouve que dans R* – **2501.** Në ou soleil *D* – **2512.** Bien cuiday *C* – **2525.** de elle *EFL* – **2526.** ne dire *EGL*

COMMENT CHRISTINE VIT RAISON DESCENDRE DU CIEL ET GAGNER SON TRÔNE

Alors que je contemplais le trône
et m'entretenais avec Sibylle,
j'entendis un chant si doux
que mon cœur s'emplit de joie.
Puis une lumière descendit du ciel,
plus forte qu'aucune autre au firmament,
y compris celle du soleil et des étoiles
qui, par rapport à elle, font figure de petites chandelles
à côté de la clarté du soleil.
Je me sentis alors
plus que jamais désireuse de comprendre,
car j'étais entourée de beaucoup de puissance
dans une cour souveraine.
Les anges arrivaient en tête,
chantant si mélodieusement
que je crus être au ciel
dans la gloire sans fin,
vraiment je crus avoir gagné ma part de paradis.
Cette mélodie me réjouit
au-delà de toute expérience.
La princesse s'installa
dans sa chaire, entourée
de plus de vingt dames nobles.
Plus tard, je sus le nom de chacune,
mais je dirai à présent
l'identité commune à toutes :
c'étaient les Vertus,
qui forment la suite de la reine.
Elles prirent place sur les sièges,
se mettant autour de la plus grande dame.
La beauté de celle-ci, si je voulais la décrire,
dépasserait mes capacités ;

En cent mille ans ne la pourroie,
2528 Car de son cler visage roye
Une resplandeur qui esclere
Toute chose, soit trouble ou clere.
A brief parler, toutes sont brunes
2532 Autres beautez et trop communes
Envers la sienne especiale ;
Toute autre vers la sienne est pale.
Mais de son atour un pou vueil
2536 Parler, car je le vi a l'ueil :
En lieu de couronne ot ou chef,
Sans autre atour de cueuvrechef,
Un dyademe resplandant,
2540 Entour sa teste dessendant ;
Estoiles ot a l'environ,
Ce croy je, .xii. ou environ, *[194vb]*
Dont les rais tout enluminoient
2544 Les choses qui ou lieu venoient.
Et sa vesture fu plus blanche
Qu'onques ne fu la noif sus branche,
Mais reluisant fu comme argent,
2548 Tres belle au dit de toute gent.
D'olive une branche en sa destre
Main tenoit, et en la senestre
Une trenchant espee nue.
2552 D'icelle dame la venue
Les anges tout a l'environ
Soustenoient piez et giron.
Dieux, mais quel contenance ot elle ?
2556 Certes tres souvrainement belle,
Tele que bien sembloit elite
De Dieu en qui il se delite.
Ainsi com je la remiroie
2560 Et en sa beauté me miroie,
Regardant ses beaulx maintiens sages,

---

* **2549.** en sa teste (corr. d'apr. *ABCDEFGL*) – **2550.** Maintenoit (corr. d'apr. *CDEFGL*)

** **2529.** qui est clere *EGL* – **2536.** je vy *EGL* – **2541.** en l'aviron *AB*

cent mille ans ne me suffiraient pas à la mettre par écrit,
car son clair visage rayonne
d'une splendeur qui illumine tout,
que la chose soit obscure ou limpide.
Bref, toutes les autres beautés
son ternes et communes
comparées à la sienne ;
elles pâlissent devant son éclat.
Je voudrais pourtant parler un peu de sa parure,
que je vis de mes propres yeux :
sur la tête, au lieu d'une couronne
et sans autre coiffure,
elle portait un diadème brillant
qui ceignait son front.
Il était décoré d'étoiles –
environ une douzaine, je crois –
illuminant de leurs rais
tout ce qui était à proximité.
Son vêtement était plus blanc
que jamais neige sur la branche,
mais il reluisait comme de l'argent,
et faisait l'admiration de tous.
Dans sa main droite, la dame tenait
une ramure d'olivier, et dans la gauche,
une épée nue tranchante.
Les anges à l'entour se rangeaient
aux pieds et aux côtés de la reine en chaire
pour lui servir d'appuis.
Seigneur, comment était-elle ?
Certes, d'une beauté souveraine
telle qu'elle semblait bien l'élue de Dieu,
qui prend grand plaisir à sa compagnie.
  Ainsi, pendant que je la contemplais,
me recueillant devant sa beauté
et appréciant son allure belle et sage,

– **2542.** *manque dans E* – **2543.** tous ABD – **2550.** Maintenoit *AB* – **2552.** De celle *EGL* – **2553.** en l'environ *AB* – **2555.** Et Dieux quel c. *F* mais que *EGL* – **2556.** Certes souverainement *EGL* – **2557.** Telle qui *EGL*

¶ A la court vi venir messages
Ou ambassadeurs diligens.
2564 Si vi a l'atour de ces gens
Qui d'aler a court se hastoient,
Que du bas monde ilz apportoient
Nouvelles, et cil qui menoit
2568 Les autres je vi qu'il tenoit
En sa main dextre une requeste,
Et aloit faisant grant enqueste
S'en son siege estoit la maistrece
2572 Qui garist de toute destrece;
Et l'en lui dist que elle y estoit.
Quant l'apperceu, moult tart m'estoit
Que sceüsse qu'il vouloit dire.
2576¶ Et cellui vers la court se tire,
Si s'agenouilla humblement,
Comme il dot, et sensiblement
Devers la roÿne alua
2580 Son parler et la salua
De par la Mere Souverainne *[195ra]*
De toute terrestre et mondaine
Creature. Si lui presente
2584 La requeste; je fus presente,
Si vi comment elle la prist
Doulcement. Grant talent me prist
Lors de savoir qu'il avoit ens,
2588 Mais on le sara bien par temps.
Loquence adont fu appellee,
Qui n'estoit pas moult loings alee,
Et la roÿne lui commande
2592 Quë elle lise la demande
De la grant mere terrestrë
Qui toutes choses fait naistrë.
Et celle plus tost que de lire

---

* **2575.** vouloient (corr. d'apr. *CD*) – **2593-4.** *Dans une série de trois couplets de rime féminine, celui-ci est, au départ, hypométrique. Nous en avons fait des octosyllabes en insérant à chaque fois un tréma sur l'*e *final, mais c'est une syllabification peu commune; il est plausible que Christine ait voulu insister sur ces vers en leur donnant un rythme différent.*

je vis venir avec célérité
un groupe de messagers ou d'ambassadeurs.
Je compris à l'apparence de ces gens
se hâtant vers la cour
qu'ils apportaient des nouvelles du monde d'en bas,
et je vis que le chef des envoyés
tenait une requête
à la main droite;
il allait s'enquérant
si la maîtresse qui guérit de toute détresse
siégeait actuellement.
On lui dit que oui.
Dès que j'aperçus cet homme,
il me tarda de savoir ce qu'il voulait.
Il s'approcha de la cour
et s'agenouilla humblement,
comme il convenait;
puis, d'un ton respectueux,
il s'adressa à la reine,
la saluant au nom de la Mère suprême
de toute créature terrestre.
Il lui tend sa requête;
moi, qui fus présente,
je vis comment elle la prit doucement.
Alors me saisit une grande envie
de savoir ce qu'elle contenait;
mais on l'apprendra en temps utile.
On appela Éloquence,
qui n'était pas loin,
et la reine lui commande
de lire la demande
de la grande Mère terrestre
qui engendre tout au monde.
Éloquence s'exécute promptement,

** **2566.** ilz raportoient *D* – **2582.** terrestre mondaine *C* – **2573.** Et on lui *GL* – **2575.** quilz vouloient *ABF* que vouloient *EGL* – **2584.** g'y fus *EGL*

2596 On ne jeue, commence a lire
Ce qu'elle trouva en l'escript,
Et ainsi ot ou seur escript:

LA REQUESTE QUE LA TERRE ENVOYA OU CIEL
À LA ROYNE RAISON
ET LA PLAIDOIERIE QUI FU DEVANT ELLE

« A tres haulte excellant roÿne,
2600 La droituriere amee fille
De Dieu, ma dame tres benigne
Raison, qui tout pechié exille,
Supplie humblement Rea,
2604 Cerés, Ysis qui tout enserre
Et toute riens de soy rea,
Autrement nommee la Terre.
Comme la douleur excessive
2608 De mon intollerable dueil
Me contraigne, par la lessive
Du tres amer plour de mi oeil,
A mes doulours speciffier
2612 A toy, la mere d'equité,
Dont pour les te signiffier,
Mon cuer en sera acquité.
Contrainte par trop extreme yre
2616 Et desir du secours durable,
A celle fin les te vueil dire *[195rb]*
Que tu me soies secourable.
Comme il soit voir que fu formee
2620 Du tres hault souverain Createur
Mere establie tres amee

---

* **2599-2706.** *La rime devient croisée dans ces vers* – **2603.** Suppli (-1 ; *corr. d'apr. C*)

** **2597.** en escript *EGL* – **2598.** ot au *B* – **Rubrique** : La requeste que la terre envoya ou ciel a la royne Raison (*sans la suite que l'on*

se mettant à lire
le texte de l'écrit.
Voici l'inscription du titre :

LA REQUÊTE QUE LA TERRE ENVOYA AU CIEL,
À LA REINE RAISON,
ET LE PLAIDOYER QUE L'ON FIT DEVANT ELLE

« Haute Reine excellente et juste,
fille aimée de Dieu,
ma douce dame Raison
dont la présence chasse tout péché,
recevez l'humble supplique
de Rhéa, autrement connue sous les noms de
Cérès, Isis et Terre :
celle qui englobe tout et dont tout découle.
Hélas ! L'affreuse douleur
de mon deuil intolérable
me contraint à t'ouvrir mon cœur.
Ô Mère d'équité,
les larmes amères qui me lavent les yeux
m'incitent à te dire mes malheurs ;
si je peux te les détailler
j'en aurai le cœur plus léger.
Poussée par une douleur extrême
et le désir d'une aide sûre,
je veux t'énumérer mes griefs
afin que tu me secoures.
Il est bien vrai que je fus formée
par le souverain Créateur ;
Il m'établit mère de toutes choses,

---

trouve dans R) *AD manque dans BEGL* Ci devise la supplicacion que la terre envoya ou ciel a Dame Raison *C* Ci s'ensuit la requeste que la terre envoya ou ciel a la Royne Raison *F* – **2603.** Suppli tres humblement *ABDEFGL* – **2616.** de secours *ABCDEFGL*

De toute riens, cellui facteur
Me fist des choses corrompables
2624 Nourrice, et singuliere mere
De tous corps compas et palpables.
Helas! or me voy tres amere,
Car ma porteure chier tenue
2628 Sur toute riens de moy, par m'ame,
Je voy adés de vertu nue,
Si m'en plaing a toy, chere dame.
Hey my, c'est d'umaine nature,
2632 En qui je voy tant de deffaulx
Que dueil ay de tel nourriture
Avoir fait, ou vices si faulx
Abitent qu'ilz n'ont foy aucune
2636 Entr'eulx, ainçois s'entretrahissent,
Detrayent et portent rancune
Et mortellement s'envaÿssent.
¶ Ou est la mere qui douloir
2640 Ne deust de celle affliccion,
Com de voir ses enfans vouloir
L'un de l'autre destruccion?
Et moy, lasse! qui de rosee
2644 Doy doulcement estre moullee,
De leur sanc me voy arrosee
Et de leurs entrailles soullee
Par les guerres dures, mortelles,
2648 Qu'adés s'entrefont sans cesser,
Qui tant sont cruelles que celles
Ne sçay comment osent penser.
Dont si amere et si dolente
2652 Suis de veoir tieulx voulentier,
Qu'il convient que je me repente
De ce qu'onques les ay portez.
¶ Je ne fus pas plus desolee

---

* **2653.** je m'en (corr. d'apr. *ABCDEF*)

** **2633.** tel porteure *C* – **2640.** telle *ACDEFGL* – **2641.** Com veoir *EGL* – **2642.** De l'un l'autre *EFGL* – **2646.** saoulee *C* saouillee *D* (*le* i *est une correction*) souillee *EL* – **2649.** telles *ABCDEFGL* – **2653.** m'en *GL*

aimée de ses enfants.
Il fit de moi l'unique nourrice
des créatures mortelles,
des corps solides et tangibles.
Hélas ! Tu m'en vois très amère,
car ma progéniture,
que, par mon âme, je chérissais par-dessus tout,
est à présent dénuée de vertu ;
voilà pourquoi je m'en plains à toi[1].
Hélas ! C'est la nature humaine,
en laquelle je vois tant de défauts,
qui me cause cette douleur ;
je regrette d'avoir fait de tels enfants,
habités de vices si pernicieux
qu'ils ne se font aucunement confiance,
mais se trahissent, se calomnient, se portent rancune,
et s'attaquent jusqu'à la mort.
Quelle est la mère
qui ne souffrirait pas
dans l'affliction de voir ses enfants
tâcher de se détruire l'un l'autre ?
Et moi, pauvre de moi...
c'est la douce rosée qui devrait me baigner,
au lieu de quoi, je me vois arrosée de leur sang ;
je suis souillée de leurs entrailles
à cause des guerres féroces, sans merci
qu'à présent ils se livrent sans cesse,
et qui sont tellement cruelles
que je ne sais comment ils osent y songer.
Je ressens tant de douleur et d'amertume
de constater chez eux de tels désirs
que je dois me repentir
de les avoir portés en mon sein.
Je ne fus pas plus désolée

---

1. Cette mise en scène des lamentations de mère Nature emprunte au *Roman de la Rose* de Jean de Meun, lui-même influencé par le célèbre *De planctu Naturae* d'Alain de Lille.

2656 Jadis, quant Pluto me ravi *[195va]*
Proserpine, ma fille, alee
Cueillir des flours ; puis ne la vi.
Ne quant Pheton par son oultrage
2660 Volt le char du souleil mener,
Qui m'ardi toute et fist dommage,
Dont Jovis a doulour finer
Le fist par Mulciber qui forge
2664 Ses fouldres, qui le fouldroya.
Mais oncques tout ce, par saint George,
Autant du tiers ne m'effroya.
Ancor me fait plus mal avoir
2668 Et mon penible dueil engrige
Ce qu'a toute riens son devoir
Voy faire, fors a homme lige,
De paradis hoir, s'il ne tient
2672 A lui. Car bestes mues font
Leur devoir, comme il appartient,
Et les hommes si se deffont.
Et la cause du grant meschief
2676 Que je voy entr'eulx encourir,
Principale, et c'en est le chef,
C'est couvoitise, que courir
Voy en leurs cuers pour les biens vains
2680 Avoir que Richece depart ;
Dont souvent sont et pale et vains
Pour le desir d'en traire a part.
Ha, dame Raison juste et pure,
2684 Et tu t'en es lassus fouÿe,
Pour ce que d'umaine nature
Tu ne povoies estre ouÿe ;
Et moy, comme mere piteuse
2688 Qui voit mesprendre ses enfans,
Doubtant vengence despiteuse

---

* **2679.** cours (*corr. d'apr. ACEFGL*)

** **2657.** fille amee *EFGL* – **2658.** Cueillant *EFGL* – **2664.** qui fouldroya *E* – **2669.** C'est *C* – **2670.** Voir faire *ABC* – **2676.** entreulx

jadis, lorsque Pluton me ravit
ma fille Proserpine, partie
cueillir des fleurs ; je ne l'ai pas revue depuis[1].
Ma souffrance ne fut pas si grande lorsque Phaéton,
dans son insolence, voulut conduire le char du soleil[2] –
en tombant, il m'a brûlée et fait du mal.
Jupiter lui réserva une fin douloureuse,
car il le fit foudroyer par Vulcain,
le forgeron des éclairs.
Mais par saint Georges, tout cela réuni
m'a affectée trois fois moins.
Cela me fait d'autant plus mal,
et aggrave mon deuil pénible,
de voir que tout le monde fait son devoir
excepté l'homme libre,
l'héritier du paradis, qui ne sait pas se tenir.
Les bêtes, elles, font ce qu'il faut,
alors que les hommes
fuient leur devoir.
La cause principale du malheur
qui a cours entre eux,
la racine de tous leur maux,
est la convoitise, qui court dans leurs veines,
d'avoir les vains trésors
distribués par dame Richesse.
Leur désir les rend souvent pâles et faibles,
tellement ils veulent mettre la main sur leur part.
Ah, dame Raison, juste et pure,
tu t'es réfugiée là-haut
parce que la nature humaine
refusait de t'entendre ;
Moi-même, en tant que mère compatissante
qui voit ses enfants se tromper,
je redoute une vengeance humiliante

---

courir *B* – **2678.** qui courir *D* – **2679.** leurs cours *B* leurs corps *D* – **2682.** d'en mettre *A* – **2686.** ne peuz *G*

---

1. Ovide, *Métamorphoses* V, *Ovide moralisé* 5 (1833-2299). – **2.** Ovide, *Métamorphoses* II, 50-102, *Ovide moralisé* 2.

De leurs mortieulx et durs offens,
Et paour d'eulx veoir boutez
2692 Hors de l'eritage du Pere,
Et si laidement deboutez
Qu'il couviengne qu'en eulx appere,
Te pry, dame, pour Dieu mercy, *[195vb]*
2696 Que tu y vueilles pourveoir,
Et que mon cuer qui est noircy
Il te plaise en pitié veoir;
Et ainçois que pis leur aviengne
2700 Ne prison laide et infernal,
Ton secours briefment entr'eulx viengne
Et de toy arroy communal.
Si fais que je m'en apperçoive
2704 Et oz ma supplicacion,
Ou Dieu pries que ne conçoive
Plus, et qu'aye vacquacion. »

COMMENT LES .IIII. DAMES FURENT MANDEES

Ainsi avoit en la requeste
2708 De la Terre, qui grant moleste
Recevoit pour les griefs offens
Que veoit faire a ses enfans.
¶ Ma dame Raison, qui nottee
2712 Diligemment et escoutee
L'ot, fu meue de grant pitié;
Si dit que pour son amistié
Encor verra s'on y peut mettre
2716 Remede; et de ce entremettre
Moult voulentiers el se vouldroit,
Qu'on se gouvernast plus a droit.
Et se pieça eust esté creue,
2720 Ceste meschance si acreue

** **2705.** En Dieu *EGL* – **Rubrique**: *La rubrique ne figure que dans R* – **2712.** Et diligemment escoutee *EFGL* – **2714.** Et dit *ABG* Si dist *EL*

pour leurs très graves offenses ;
j'ai peur de les voir exclus
de l'héritage du Père,
et si rondement éconduits
que tu devras leur venir en aide.
Je te prie donc, ma dame, que pour l'amour de Dieu
tu veuilles t'en occuper ;
et qu'il te plaise de prendre en pitié
mon cœur endeuillé de chagrin.
Avant qu'ils ne s'attirent de pires malheurs,
ou une terrible prison infernale,
puisses-tu les secourir,
intervenant rapidement pour rétablir le bon ordre.
Fais en sorte que je voie ton influence
et entends ma supplication,
ou alors, prie Dieu que je ne conçoive plus
d'êtres humains et que je demeure stérile. »

COMMENT LES QUATRE DAMES FURENT CONVOQUÉES

Telle fut la requête
de la Terre, qui était profondément peinée
par les graves offenses
qu'elle voyait ses enfants commettre.
Dame Raison, qui avait tout
diligemment observé et écouté,
fut émue d'une grande pitié
et dit que par amitié pour la Terre,
elle verrait si l'on pouvait y trouver
remède ; elle s'entremettrait
volontiers dans le désir de voir
les hommes apprendre à se gouverner plus
En effet, si on l'avait écoutée jadis, [correctement.
ce grand malheur

Ne fust mie, c'est chose voire.
Mais ne fu homs qui voulsist croire
Son conseil, quant au monde estoit
2724 Et leur bien leur amonnestoit.
Et pour ce elle s'en depparti,
Quant les gens vit en tel parti
Que nul n'entendoit a bien faire ;
2728 Si ne pot leur dolent affaire
Plus souffrir. Pour ce s'en ala,
Ne oncques puis ne tourna la.
¶ Son frere Droit adont appelle,
2732 Qui estoit assis de coste elle,
Et assez bien s'entreressemblent. *[196ra]*
Adont tout le conseil assemblent
Ou toutes Vertus appellees
2736 Furent, qui forment adolees
Estoient du meschief dont Terre
Se complaint. Si leur veult enquerre
Ma dame Raison se par voye
2740 Aucune le monde, qui voye
A prise de perdicion,
Pourroit estre a salvacion
Ramené, car moult le vouldroit.
2744 Son avis en demande a Droit,
Et aux Vertus moult s'en conseille ;
Mais chacune et chacun conseille
Que les dames qui se seoient
2748 Sus les .iiii. chayeres soient
Citees et a court mandees.
Car ne pevent estre amendees
Les deffaultes qui sont au monde
2752 Sans elles ; si faut que responde
Chacune de son propre fait,
Car cause sont du grant meffait
De quoy la mere se complaint
2756 De ses enfans qu'elle tant plaint.
Droit d'elles mander s'est chargé,

** **2722.** ne feust *AEGL* – **2724.** le bien leur *ABEFGL* – **2727.** ne tendoit *EFGL* – **2732.** d'en coste *F* – **2733.** aussi bien *AB* – **2745.** se

n'aurait jamais existé.
Mais personne n'avait voulu recevoir
ses avis lorsqu'elle était sur terre
et qu'elle conseillait aux hommes de suivre le bien.
Pour cette raison, voyant les gens ainsi disposés
que nul n'entendait agir justement,
elle décida de les quitter.
Ne supportant plus leur condition
lamentable, elle s'en alla
pour ne jamais revenir.
À présent, Raison s'adresse à son frère Droit,
assis à côté d'elle ;
il est vrai que les deux se ressemblent.
Ils convoquent leur conseil,
appelant toutes les Vertus,
qui sont fort attristées
des torts dont la Terre
se plaint. Dame Raison souhaite les consulter,
pour voir s'il y a encore moyen
de ramener le monde,
qui a pris la voie de la perdition,
à celle du salut ;
elle l'espère de tout cœur.
Elle demande son avis à Droit
et interroge avec soin les Vertus ;
tout le monde lui conseille
d'envoyer chercher les dames
qui occupent les quatre chaires célestes
et de les citer à la cour.
Les défauts du monde
ne pourront pas être corrigés
sans elles ; il faut en effet que chacune
rende compte de ses activités,
car ces dames sont responsables
du grand mal dont la mère se plaint
lorsqu'elle se lamente sur ses enfants.
Droit s'est tout de suite chargé de les faire venir ;

---

conseille *C* – **2755.** De qui *AB* quoy la terre *EFGL* – **2757.** de les *EFGL*

Si a le fait tost abrigé.
¶ Devers orient manda querre
2760 Sagece qui y vint grant erre,
Accompaignee de ses filles
Qui tant sont sages et soubtilles ;
Ce sont Sapïence et Scïence,
2764 Qui tant ont parfaicte essïence,
Et toutes Scïences o elles,
Qui estoient leurs damoiselles.
C'estoit, ce povez vous savoir,
2768 Belle compaignie a veoir.
¶ Devers septentrion a court
Vint a tout moult notable court
Ma dame Noblece, la haulte.
2772 Belle compaignie ot, sans faulte, *[196rb]*
Car d'empereurs, roys, ducs et contes
Tant y ot que n'en sçay le contes,
Et roÿnes et grans maistresses
2776 A tout couronnes sur leurs tresses.
Autres nobles y ot assez,
Bel les fist veoir, ce pensez ;
Noble compaignie ert la seue,
2780 Et une roÿne la queue
De son seurcot lui soustenoit,
Un grant empereur la menoit.
¶ Du costé devers midi vint
2784 Chevalerie, o plus de .xx.
Mille, je croy, de bacinés
A harnois fourbis, beaulx et nés.
N'oncques, je croy, tant de gens d'armes
2788 Ne vi ensemble ; et qui « Vouacarmes ! »
Criast ou quelque deffiaille,
Tost trouvast preste la bataille.
Prest en furent, je vous pleuvi,
2792 Paour me firent, quant les vi.
¶ Devers occident l'orgueilleuse

** **2758.** Si les a fait *G* – **2764.** Qui moult orent grant e. *EFGL* – **2774.** Y ot tant *AB* les comptes *ABCDEFGL* – **2776.** couronne

En un tournemain, c'était chose faite.
À l'orient, il fit chercher Sagesse,
qui vint promptement,
accompagnée de ses filles
Sapience et Science,
qui sont sages et fines d'esprit ;
très savantes,
elles arrivèrent entourées de toutes les Sciences
qui leur servaient de dames de compagnie.
C'était, comme vous pouvez vous l'imaginer,
une assemblée belle à voir.
Bientôt, du septentrion,
vint ma haute dame Noblesse
avec sa cour distinguée.
Ma foi, c'était une belle compagnie,
composée d'empereurs, de rois,
de ducs et de comtes sans nombre,
de reines et de grandes dames,
chacune portant une couronne sur ses tresses.
Beaucoup d'autres nobles complétaient le groupe ;
vous pensez bien qu'ils formaient un ensemble
Noble fut la cour de ma dame : [impressionnant.
une reine lui tenait
la traîne de son manteau
et un empereur la conduisait.
Du midi arriva dame Chevalerie,
avec, je crois, vingt
mille hommes casqués, au bas mot ;
leurs armes polies brillaient de propreté.
Je ne pense pas avoir jamais vu réunis
tant d'hommes équipés pour le combat ;
celui qui criait « Aux armes ! » ou quelque autre défi
trouvait des adversaires tout prêts.
Ils étaient disposés à se battre, je vous assure –
cela me fit peur de les voir.
À l'occident apparut l'orgueilleuse

CDEFGL sur les *F* – **2779.** y eut la *G* – **2786.** fourbi cler et nets *F O* harnoys luisans clers et nez *EGL* – **2789.** Criast au *B*

Richece y vint, qui merveilleuse
Gent ot o soy de pluseurs sortes,
2796 Car beaulx et lais, boçus et tortes
Et gent d'eglise grant foison
Amena la devant Raison,
Marchans, marchandes a grans tas
2800 Et gens de trestous les estas.
Mais d'une chose m'esbahi,
Et a pou que je l'en haÿ:
Qu'aucuns paillars mettoit devant
2804 Qui bons n'estoient ne savant,
Et autres qui trop mieulx valoient
Aprés ces meschans gens venoient,
Pour ce que n'estoient si riches,
2808 Car autre ne prise .ii. chiches.
Et ainsi Richece ordenoit
L'onneur a qui plus biens donnoit.

❁ LA PLAIDOIERIE QUI FU DEVANT RAISON *[196va]*
POUR LA TERRE MECTRE EN ORDONNANCE

Ainsi comme il estoit raison,
2812 A la court ma dame Raison
Ou justes causes sont tenues,
Ces .iiii. dames sont venues ;
Si furent a conseil assises,
2816 Tout devant la roÿne mises.
¶ Ne sçay comme ot nom l'avocas,
Mais en brief paroles le cas
Leur fu bien et bel recité
2820 Et le dueil et aversité
Qu'adés seuffre pour sa porture

---

* **2795.** Gent o soy (corr. d'apr. *ABCEFGL*)

** **2794.** vint l'orgueilleuse *EL ce vers manque dans G* – **2797.** d'eglise de grant *G* – **2806.** gens aloient *EFGL* – **2807.** ce

Richesse accompagnée de gens
dissemblables et étonnants :
elle amena devant dame Raison
des beaux et des laids, des bossus et des difformes,
une ribambelle d'hommes d'église,
une profusion de marchands et de marchandes
et des gens de toutes conditions.
Mais je m'ébahis d'une chose
qui a failli me faire détester Richesse :
c'est qu'elle donnait des places d'honneur
à certains hommes vils ni bons ni savants.
D'autres personnes qui valaient bien mieux
devaient, faute d'argent,
marcher derrière ces malheureux,
car Richesse les comptait pour quantité négligeable.
Ainsi attribuait-elle les places d'honneur
selon les biens que l'on lui offrait.

LA PLAIDOIRIE DEVANT DAME RAISON POUR RÉTABLIR L'ORDRE SUR TERRE

Comme de raison, les quatre dames
sont venues à la cour
où l'on présente les causes justes :
celle de ma dame Raison.
On les fit asseoir à part
juste devant la reine.
J'ignore le nom de l'avocat qui prit la parole ;
toujours est-il qu'il leur exposa
en quelques phrases bien tournées
le deuil et l'adversité
que subissait à présent, à cause de ses enfants,

---

qu'ilz *AB* – **2808.** autres *ABCDEFGL* ne prisoit *EFGL* – **Rubrique** : Cy commance la plaidoyerie devant Raison des quatre estas *C Les autres mss. ne comportent pas de rubrique à cet endroit* – **2815.** au conseil *C* – **2816.** Tout joignant la *C*

La mere d'umaine nature,
Qui requiert pour Dieu couvenable
2824 Remede, bon et raisonnable.
Adont fu la requeste leue
Par une dame moult esleue ;
Si la pot bien chacun ouÿr,
2828 Ou deust douloir ou esjouÿr.
Quant ce fu fait, un grant murmure
Commence, mais qui qu'en murmure
Appaysa tout dame Raison. *[196vb]*
2832 Si parla, quant il fu saison,
Et dist par beaulx mos et rassis,
Telz com je les ay cy assis :
¶ « O vous .iiii., les Influences
2836 Contraintes aux obeissances
Des haulx regars celestiaulx,
Des cieulx mouvans officiaulx,
Qui de Fortune accompaignees
2840 Et du cours du ciel enseignees,
L'univers monde gouvernez
Et les cuers des humains menez
Par tant de vains desirs vagans,
2844 Qu'ilz font d'eulx mesmes tieulx lagans
Que vie et leur ame desprisent
Pour voz faulx biens qu'ilz plus qu'eulx prisent,
Vueillez consentir orendroit
2848 Qu'estre curee selon droit
Puist la playe contagieuse,
Qui court si pestillencieuse
Que les hommes tous envenime,
2852 Si qu'entr'eulx n'a raison ne rime,
Par le desir qu'ilz ont d'aquerre,
Ce qui fait mouvoir entr'eulx guerre,
Dont il s'ensuit maulx infinis.
2856 Et ains qu'ilz en soient punis
Par mon Pere, qui deffendu

---

* **2842.** cours (corr. d'apr. *ABCDEFL*)

** **2832.** Et parla *G* – **2833.** par moult beaulx moz rassis *EFGL* –

la mère de la nature humaine,
qui demandait au nom de Dieu
un remède à sa détresse.
Alors une dame fort distinguée
lut à haute voix la requête de Nature
pour que chacun puisse l'entendre,
dût-il en souffrir ou s'en réjouir.
Lorsqu'elle eut fini, un grand murmure
s'est levé, mais dame Raison apaisa
tous ceux qui voulaient protester.
Au moment propice, elle se mit à parler,
prononçant calmement et en termes choisis
le discours que j'ai transcrit ici :
« Vous, les quatre Influences,
contraintes d'obéir
aux décisions de la haute cour
vous, officiers des cieux mouvants,
vous, les compagnes de Fortune,
instruites du cours des planètes,
vous gouvernez le monde entier
et faites passer les cœurs humains
par tant de vains désirs inconstants
que les hommes se détruisent eux-mêmes,
faisant fi de leur vie et de leur âme
pour gagner vos traîtres biens, qu'ils prisent par-
Veuillez consentir sur l'heure [dessus tout.
à la guérison en toute justice
de la plaie contagieuse
qui répand tant sa pestilence
qu'elle envenime tous les hommes ;
il n'y a plus entre eux ni rime ni raison,
tellement ils sont avides d'avoir,
si bien qu'ils se déclarent la guerre,
ce dont il s'ensuit des maux infinis.
Avant qu'ils ne soient punis
par mon Père,

2834. com les ay *EFGL* – **2842.** des hommes *EFGL* – **2844.** Qui font *EFGL* – **2846.** biens que plus qu'eulx *EFGL* – **2851.** tout envenime *B*

Leur a que ne soit offendu
Homme vivant par son prochain,
2860 Pensons de leur secours prochain.
¶ Dame Richece qui ci estes,
Cause de tous ces meschefs estes,
Et de tous estes encoulpee
2864 Que tous les mettez a l'espee,
Et qu'a tieulx maulx les avoiez
Par ce que vous leur envoyez
Vo chamberiere Couvoitise,
2868 Qui les aguillonne et atise
Et fait desirer les mondains *[197ra]*
Biens qui fuient plus tost que dains.
Si vous vueillez de ce retraire,
2872 Affin que d'eulx on puist fors traire
La couvoitise qui les art,
Dont il s'ensuit si fort exart.
Et se tost ne vous depportez
2876 Du mal que vous leur ennortez,
Ou que trop y soyez amorse,
On le vous fera faire a force ;
Car je cuid tel temps avenir,
2880 Et Dieu le doint briefment venir,
Que se continués tel verve,
Je vous feray si vile serve
Que chacun vous desprisera,
2884 Në homme ne vous prisera ;
Ne fait n'en sera tel santus,
Ains regneront teles Vertus
Qui vous feront baisser ces cornes
2888 Dont vous alez faisant tieulx sornes
Qu'il semble que soiés deesse
Du ciel, de terre et de leece. »
¶ Adont Richece a respondu
2892 A Raison ; plus n'a attendu,

** **2860.** de leurs *L* – **2861.** richesce tout ce faites *D* – **2862.** Cause en estes tout ce faites *A* Cause en estes et tout ce fetes *B* – **2863.** De chascun estes *DEFGL* – **2865.** mal *EFL* tel mal *G* – **2866.** que leur *AB* – **2872.** d'eulz l'en *EFGL* – **2874.** si grant essart *EFL* si grant

qui a défendu
qu'un homme offense son prochain,
empressons-nous de les secourir.
  Dame Richesse ici-présente,
c'est vous qui êtes la cause de ces malheurs ;
nous vous accusons tous
d'inciter les hommes à sortir leurs épées,
et de les pousser à leur perte
parce que vous leur envoyez
votre servante Convoitise,
qui les aiguillonne et les excite,
et leur fait désirer les biens terrestres
qui leur filent d'entre les mains plus vite que le daim.
Nous vous prions donc de vous retirer
afin que l'on puisse extraire des hommes
la convoitise qui les brûle,
et qui cause de si gros dégâts.
Si vous ne vous abstenez pas
de les exhorter au mal,
si vous persistez dans votre acharnement,
on vous forcera d'obéir.
Car je crois voir venir le temps –
plaise à Dieu qu'il arrive vite ! –
où, si vous continuez vos caprices,
je pourrai tellement vous faire déchoir
que l'on vous méprisera comme une esclave,
et personne ne vous témoignera d'estime ;
l'on ne fera plus aucun cas de vous.
À ce moment, des Vertus régneront
qui vous feront baisser les cornes
dont vous vous servez pour conter vos sornettes,
faisant croire que vous êtes la déesse
du ciel, de la terre, et de toute forme de joie. »
  Alors, sans tarder,
Richesse a répondu à Raison.

---

hasart *G* – **2875.** se vous ne vous d. *EFGL* – **2876.** mal qui tant leur *EFGL* – **2879.** Et je cuid *A* – **2885.** Ne n'en sera fait tel *EFGL* – **2892.** n'a entendu *B*

Si a dit : « Redoubtee dame,
Sauve vostre grace, par m'ame,
Cause ne suis pas du meschef
2896 Qui le monde maine a mal chef,
Et sans raison on m'en encoulpe,
Car je n'y ay ne tort ne coulpe.
Fais je dont faire les grans guerres
2900 Dont l'en s'occist en toutes terres ?
Non fois. Ce n'est pas mon mestier,
Ains ne quier voye ne sentier
Fors a moy tenir a mon ayse.
2904 Je ne met point gent a mesaise,
Ne ne les fais aler en guerre ;
Mes gens ne veulent fors paix querre,
Ne d'autre riens ilz n'ont espens,
2908 Fors de mener les grans despens, *[197rb]*
Jouer, dancier et eulx esbatre.
Je ne les fois point entrebatre
Ne nulle riens faire qui blece.
2912¶ Mais prenez vous ent a Noblece
Qui la est ; et ne lui desplaise,
Ce fait elle. Et mais qu'il vous plaise,
Faites lui ent la cause expondre,
2916 Car c'est tout a elle a respondre. »
¶ Quant Noblece s'ot accuser
Devant Raison, moult excuser
Se vouldra de cellui mesfait.
2920 Si dit : « Comment ? Ay je ce fait
Et commis ces crimes mortieulx ?
Certes, oncques ne fis maulx tieulx,
N'a mon estat il n'appartient,
2924 Ainçois suis celle qui se tient
En son palais pour gloire avoir ;
Në il ne me chault d'autre avoir,
Fors d'avoir l'onneur dessus toutes.
2928 Mais ce qui fait mener les routes

* **2906.** Mais (corr. d'apr. *ABCDEFGL*)

** **2897.** Et a grant tort on m'en *EFGL* – **2900.** *manque dans E* –

Elle dit : « Dame redoutée,
sauf votre grâce, je jure sur mon âme
que je ne suis pas l'agent du malheur
qui mène le monde à une mauvaise fin.
On m'accuse sans raison,
car je n'ai aucun tort et n'ai commis aucune faute.
Est-ce donc moi qui suscite les grandes guerres
dans lesquelles on s'entre-tue partout dans le monde ?
Mais non. Ce n'est pas ma fonction ;
je ne m'engage dans d'autres voies
que celles qui m'assurent mes aises.
Je ne fais pas de peine aux gens,
ni ne les pousse à faire la guerre ;
mes disciples ne souhaitent que la paix,
et n'aspirent à rien d'autre
que de vivre avec faste,
jouer, danser et s'ébattre.
Je ne les incite pas à se combattre
et ne leur demande en rien de se blesser.
Prenez-vous-en plutôt à Noblesse,
assise juste là. Ne lui en déplaise, c'est elle
la coupable. À moins que cela ne vous ennuie,
faites-lui exposer sa conduite
car elle a bien des comptes à rendre. »
Quand Noblesse s'entendit accuser devant Raison,
elle n'avait qu'une envie :
se disculper.
« Comment ? dit-elle.
Ai-je commis ces crimes mortels ?
Certes, non ; je n'ai jamais causé de tels maux ;
ce type de comportement n'appartient pas à mon état.
Je suis celle qui jouit de gloire
en se tenant dans son palais ;
tous les biens m'indiffèrent,
excepté l'honneur, que je porte aux nues.
Celle qui rassemble les troupes

2903. en mon aise *EGL* – **2904.** Je n'en met *EGL* mes pas gens *AB* – **2906.** veulent que paix *AB* – **2920.** Et dist AB Si dist *EGL* ay je fait *EGL* – **2926.** ne m'en *AB* – **2927.** d'avoir honneur *A*

Des gens d'armes pour conquerir
Terres, dont gent couvient mourir,
Ce fait dame Chevalerie
2932 A tout sa grant bachelerie.
Ma dame, si vous en prenez
A elle, et tant la reprenez
Com vous plaira, non pas a moy
2936 Qui coulpe n'ay de cest anoy. »
¶ Chevalerie se coursast
A Noblece adont, s'elle osast,
Et se Raison n'y fust, sans faille
2940 Tost y eust prest champ de bataille.
Mais n'osa parler fors a point;
¶ Si dist: « Noblece, certes, point
Ne me devez or mettre a sus
2944 Le mesfait que vous mettez sus;
Car se je maine les gens d'armes
A grant ost, et je fois faire armes
Aux chevaliers pour loz acquerre, *[197va]*
2948 Et par le monde vois en guerre,
Ne me faites vous tout ce faire?
Voirement ay je du parfaire
La peine et le traveil sans doubte,
2952 Mais de vous vient la cause toute,
Car ainsi le me commandez.
Fors a vous, rien n'en demandez;
Se ne fussiés, ne m'en meslasse,
2956 Ne jamais un seul pas n'alasse
Në en guerre n'en tel contens.
Mais trop vous tenez mal contens
Et menacés de moy rabatre,
2960 Se par tout ne me vois combatre;
Il n'en fault ja tenir tel verve.
Et ne suis je que vostre serve
(Et de ce n'ay je nulle honte),
2964 Et quant destruit ay duc, ou conte,

** **2930.** Terrtes B – **2940.** preste bataille *EGL* – **2944.** que me mettes *EGL* – **2956.** Car jamais *EFGL* – **2957.** En guerre *EFGL* ne en contens *AB* – **2959.** abatre *EFGL* – **2960.** Quant ne me vas par

pour aller conquérir des terres
dans des combats où les gens doivent mourir
est dame Chevalerie
à la tête de ses grandes armées.
Ma dame, prenez-vous-en à elle ;
critiquez-la tant que vous voudrez,
mais ne me blâmez pas de ces malheurs,
car je ne suis pas coupable. »
  Si elle avait osé, Chevalerie
se serait emportée contre Noblesse ;
si Raison n'avait pas été présente,
nul doute qu'il y aurait vite eu une bataille.
Mais elle n'osa parler sans peser ses mots,
et déclara : « Noblesse, vous ne devez
certainement pas m'imputer les torts,
que vous venez d'exposer,
car, si je dirige de grands régiments,
si j'exhorte les chevaliers à se servir de leurs armes
et les envoie à la guerre dans le monde entier
pour rehausser leur gloire,
n'est-ce pas à cause de vous ?
Il est vrai que je dois faire tout le travail,
et que toute la peine est pour moi,
mais c'est vous qui en êtes la raison,
car vous me l'imposez ainsi.
Vous ne devriez demander des comptes qu'à vous-[même ;
si vous n'existiez pas, je ne me mêlerais pas de ces [affaires ;
je n'aurais jamais fait un pas
sur la route de la guerre ou du conflit.
Mais si je ne passe pas mon temps à me battre,
vous êtes très mécontente
et vous menacez de me punir ;
renoncez désormais à ce type de caprice.
Je ne suis que votre servante
(je n'éprouve nulle honte à le dire),
et quand j'ai détruit quelque duc, comte,

---

tout *EF* Quant ne m'en voys par tout *LG* – **2961.** Il ne fault *G* ja compter *EFGL* – **2962.** En ne suis *AB*

Ou roy, ou prince, ou terre prinse –
Quel que soit la mort ou la prinse –
Lors suis je de vous bien venue.
2968 Ja n'en fust guerre maintenue,
Se ne fussiés ; vous les menez,
A vous meismes vous en prenez.
Que vault mentir devant Raison ?
2972 Mençonge n'est ci en saison. »
Noblece se volt courroucer,
Mais Raison les voult appaiser.
Pour ce autre part son parler tourne,
2976 Et devers Sagece se tourne
¶ Et dit : « Comment, Dame Sagece !
Vous avez de sens grant largece
Et voz belles filles si sages
2980 Et damoiselles et messages,
Remplis et duis de grant doctrine ;
Et ou est dont vostre doctrine,
Qui si le monde foloier
2984 Avez laissé, et desvoyer,
Et courir en trestous les vices ? *[197vb]*
Vous faites moult pou de services
Au bas monde, a ce que je voy,
2988 Quant il est ore en tel desvoy
Qu'a peine sera ravoyé,
Tant est infect et desvoyé. »
¶ Adont Sagece l'atrempee,
2992 Sans de nulle yre estre frappee,
Respondi moult rassisement
Et dist : « Dieux, ma dame, comment
Me blasmez vous dont n'ay retrait
2996 Le monde du mal ou il trait ?
Et comment l'en peusse retraire,
Sans vous qui ça vous voltes traire
Pour ce que les mondains entendre
3000 Ne vous vouloient, n'a bien tendre ?

---

* **2974.** vint (*corr. d'apr. ABCDEFGL*)

** **2968.** Ja ne fut *FGL* – **2971-2.** *manquent dans EFGL* – **2977.** dist

roi ou prince, quand j'ai pris un pays,
quelle que soit la nature du mort ou de la conquête,
je trouve grâce à vos yeux.
Une guerre ne pourrait jamais se poursuivre
si vous n'étiez pas au monde ; vous menez
les guerres, alors prenez-vous-en à vous-même.
À quoi bon mentir devant Raison ?
Les mensonges ne sont pas de saison en ce lieu. »
Noblesse est prête à s'insurger,
mais Raison veut les apaiser toutes les deux ;
elle décide alors de s'adresser à quelqu'un d'autre.
Se tournant vers Sagesse, elle dit :

« Comment, Dame Sagesse !
Vous êtes pleine de bon sens,
et vous avez deux belles filles qui vous tiennent
compagnie et vous servent de messagères,
fort sages et profondément savantes ;
où est donc votre propre science,
pour que vous ayez laissé le monde
tourner à la folie, se dévoyer,
et se plonger dans tous les vices ?
À ce que je vois, vous rendez
bien peu de services au monde :
il est maintenant dans un tel désarroi
qu'il sera difficile de le remettre dans le droit chemin,
tant il s'est corrompu et égaré. »

Alors Sagesse la tempérée
répondit très posément
et sans colère aucune :
« Ciel, ma dame, comment se fait-il que vous me blâmiez
de ne pas avoir tiré le monde
du mal où il s'enlise ?
Comment aurais-je pu l'en tirer sans votre aide ?
Or, vous vous êtes réfugiée ici
parce que les êtres humains ne voulaient pas
vous écouter, ni s'efforcer de faire le bien.

ABCDEFGL – **2979.** Et vous belles *BEGL* – **2985.** entrestous *EL* – **2997.** Et comme *E* – **2998.** qui cy *C*

Et sans vous comment le feïsse ?
Certes, pour neant y meïsse
Peine, quant vous en estiés hors.
3004 Ne vous en prenez a nul fors
A vous, sauve soit vostre paix ;
Car, par deffaulte de vous, pais
Ne peut avoir cellui bas monde,
3008 Plus desvoyé que de mer l'onde. »
« **O**r sus doncques ! ce dit Raison,
De ceste chose nous tayson.
Ce qui est fait ne peut deffaire,
3012 Mais penson s'il se pourra faire
Qu'aultrement le monde arreé
Puist estre qui est desreé.
Pensez y chacun et chacune
3016 S'on y pourra trouver aucune
Bonne voye, et a son avis
Chacun en die son devis ;
Si nous tendrons au meilleur dit. »
3020 Tous respondirent : « C'est bien dit. »
¶ Entr'eulx parlerent longuement,
Et moult dura leur parlement,
Mais pour abreger mon lengage, *[198ra]*
3024 Sans dire qui mieulx y lengage,
J'en diray trestout en un mont :
Yla se debatirent moult,
En disant chacun son avis,
3028 Mais ainçois que fust assouvis
Leur parlement, ilz ont trouvé
Et par vive raison prouvé
Que la plus grant cause qui soit
3032 Au monde, qui l'omme deçoit,
C'est couvoitise de regner
L'un sus l'autre et de gouverner.
Et pour ce les princes poissans,
3036 Dont ou monde a millers et cens,

** **3003.** en estes *EGL* – **3007.** avoir en ce bas *EFGL* – **3009.** dist *ACFGL* – **3015.** Pensons *D* – **3020.** Chascun respont que c'est *EFGL* – **3022.** dura le *EGL* – **3023.** leur language *ABCD* – **3025.** Je diray

Sans vous, comment aurais-je fait ?
Ç'aurait sûrement été peine perdue
tant que vous restiez à l'écart.
Si je puis me le permettre,
vous ne pouvez faire de reproches qu'à vous-même,
car c'est votre faute si le monde des hommes,
plus turbulent que les hautes vagues de la mer,
ne peut trouver de paix. »
« Allons, allons ! répliqua Raison,
Taisons-nous à ce sujet.
Ce qui est fait ne peut être défait ;
voyons plutôt s'il sera possible
d'ordonner autrement
ce monde dévoyé.
Que chacun et chacune réfléchisse
à une solution éventuelle ;
puis, dans ce but,
chacun dira son avis,
et nous nous en tiendrons au meilleur plan. »
Ils répondirent tous : « Voilà qui est bien parler. »
Suivirent de longues discussions ;
les entretiens se prolongèrent,
mais pour abréger,
sans toutefois dire qui parla le mieux,
je résumerai le tout en quelques mots :
ils débattirent fort bien de la question,
chacun donnant son opinion,
mais avant de clore
leur discussion, ils ont conclu,
en le déduisant de raisonnements valides,
que la plus grande cause
de l'aveuglement de l'homme
est le désir de régner sur autrui,
de gouverner les autres.
Il en résulte que les milliers
de princes puissants de par le monde

EGL a ung mont *EGL* – **3026.** Illec *GL* – **3028.** Mais avant que *EGL* – **3029.** elz ont *BCDEFGL*

Par leur puissance font les guerres
Maintenir, pour nouvelles terres
Acquerir ; et ne leur souffit
3040 Riens, tant y ayent grant prouffit.
Si seroit doncques neccessaire,
Pour tout le bas monde a paix traire,
Q'un seul homme ou monde regnast
3044 Qui toute terre gouvernast,
En paix la tenist, et feïst
Justice de qui meffeïst.
Et tous autres seigneurs tenissent
3048 De lui et du riglé n'ississent
De bonne paix, sans nulle envie,
Sus peine de perdre la vie.
Mais il couvendroit bien enquerre,
3052 Se point de tel en a sus terre
Qui soit souffisent que le monde
Gouverne tout a la reonde.
Car a ce conseil tuit se tiennent
3056 Et deliberent et soustiennent
Que c'est le mieulx. Or n'i a plus ;
Qu'ainsi sera fait ont conclus.
Mais il couvendra aviser
3060 Qui il sera, et pour viser
A ceste chose, ont terme mis
Quant a conseil seront remis. *[198rb]*
En tandis chacun visera
3064 De bien eslire qui sera
Ycellui prince a ce commis,
A qui tout le monde ert soubmis.

** **3037.** leurs poissances *ABCDEFGL* – **3039.** souffist pas *E* – **3048.** lui ne du *EFGL* – **3051.** Si couvendroit dont *EFGL* – **3053.** Qui sont *B* – **3062.** Quant au *EFGL* – **3066.** monde seroit *G*

utilisent leur pouvoir pour soutenir des guerres
et pour acquérir de nouvelles terres ;
ils n'en ont jamais assez,
tant ils tirent de profit de ces combats.
Il serait donc nécessaire,
pour amener le monde à la paix,
que règne un seul homme ;
il aurait les pleins pouvoirs pour gouverner
et devrait sauvegarder la paix,
faisant justice des fauteurs de trouble.
Tous les autres seigneurs dépendraient de lui
et ne dérogeraient pas à la loi
de la paix, s'y prêtant de bonne grâce,
sous peine de perdre la vie.
Mais il faudrait bien s'informer
si un homme compétent
pour gouverner le monde entier
existe sur terre.
Tous sont d'accord sur le principe ;
on délibère et on finit par soutenir
que c'est la meilleure chose à faire.
Il n'y a rien à ajouter ; la décision est prise.
Or, il conviendra de considérer
qui sera cet homme ; à cette fin,
les membres du conseil fixent un délai
au terme duquel il rediscuteront.
Entre-temps, chacun aura pour visée
de bien choisir le prince
à qui on confiera cette charge :
le monde entier lui sera soumis.

CE QUE DAME NOBLESSE PROPOSA EN LA PLAIDOIERIE DEVANT RAISON

Quant l'espace qu'ilz orent mis
3068 Fu passé, a conseil remis
Se sont, car par jours ne par heures
N'ordenoient pas leurs demeures;
Car la n'avoit nuit qui du jour
3072 Feist difference, ains sens sejour
Y ot lueur perpetuelle.
Adont fu la cause actuelle
Recitee devant Raison;
3076 Si commenda, ce fu raison,
Que Noblecë eust l'audïence
Premier, et par obedïence
Noblece premiere parla,
3080 Present tous ceulx qui furent la,
¶ Et dit: « Haulte puissant roÿne,
Ma dame Raison, qui ruïne
Deffendez au monde avoir,
3084 Puis qu'il vous plaist, diray le voir
De mon avis sus l'ordenance
De la mondaine gouvernance,
Dont par deliberacion,
3088 Pour plus amoderacion
Des vices qui y sont manans,
Un tout seul prince y soit regnans,
Comme vous et vostre conseil
3092 Deliberastes au conseil.
Si devez toutes consentir
A ce, et je croy, sans mentir,
Que Dieu a le monde veü
3096 En pitié, et bien pourveü.
Se mon conseil en est ouÿ,
Croy que les hommes resjouÿ

** **Rubrique**: *seul le ms. R comporte une rubrique à cet endroit* – **3069.** De sont *E* jours et par *F* – **3071.** Car n'y avoit *EFGL* – **3076.** Ci commença *BC* – **3078.** et pour obedience *F* Premiers pour

CE QUE DAME NOBLESSE PROPOSA DANS SON PLAIDOYER DEVANT RAISON

Quand le délai imparti fut écoulé,
la séance du conseil reprit ;
ils n'ont pas réglé le temps de l'ajournement
en jours ni en heures,
car, dans ce lieu, il n'y avait pas de nuit
pour contraster avec le jour ;
la clarté y était perpétuelle.
On fit alors l'état de la question,
l'exposant devant Raison.
Celle-ci ordonna, à juste titre,
que l'on écoutât Noblesse
en premier. Obéissante,
Noblesse prit la parole
devant toute l'assistance
et dit : « Reine digne et puissante,
ma dame Raison, qui interdisez
la ruine finale du monde,
puisque cela vous plaît, je vous dirai ouvertement
mon avis sur l'organisation
du gouvernement du monde.
Après délibération
sur le moyen de neutraliser
les vices qui dominent sur terre,
je pense qu'un seul prince doit régner,
ainsi que vous et votre conseil
l'avez arrêté.
En effet, vous approuverez tous mon idée,
et je crois vraiment
que Dieu a maintenant pitié du monde,
et qu'Il en prendra soin.
Si l'on accepte ma suggestion sur le choix d'un prince
je crois, pour ma part,

---

obedience *EGL* – **3081.** dist *ACDEFGL* – **3083.** Deffendez a au *ABDEFGL* – **3089.** menans *ABD* – **3094.** A ce je croy *EGL*

En seront, a m'entencion,
3100 Mais soubz vostre correction
Soit, ma dame, ce qu'il me semble. *[198va]*
Car depuis que fumes ensemble,
J'ay cerchee toute la terre
3104 Pour avisier et pour enquerre
Homs le plus abile a regner
Et au bas monde gouverner;
Si l'ay trouvé au mien cuidier
3108 Tres propre et fust a souhaidier.
¶ C'est un prince qui dessendus
Est d'empereurs et de ducs;
Në il n'a pas soubz le souleil
3112 De lignee homme son pareil
De hautece, de grant lignage;
Car d'Eneas, qui vint a nage
En Ytale de la grant Troye,
3116 Ainsi com l'istoire l'ottroye,
Est dessendus; c'est chose voire;
Et des haulx roys de grant memoire
Qui tindrent la possession
3120 De Romme par succession,
De Cesar, le grant conquereur,
Et d'Octovïen, l'empereur.
Si n'est pas faillis cilz lignages,
3124 Ains aliance et mariages
Furent fais de leurs successeurs
A roys et a princes plusieurs:
Tous les empereurs d'Alemaigne,
3128 Ceulx de Baviere et de Bahaigne,
De Bresouich et dë Austerriche,
Et li plus grant et li plus riche
Et de Honguerie et d'Espaigne;
3132 Ne fault ja que nul en remaigne:
Le roy de France et d'Engleterre
Et tous les haulx princes de terre,
Voire nez l'empereur de Grece,

** **3101.** m'en semble *ABD* – **3105.** Homs plus *EGL* – **3107.** a mon cuidier *BF* en mon *EG* en mien *L* – **3113.** De noblece *EGL* –

que les hommes s'en réjouiront,
mais permettez, ma dame, que je soumette
mon point de vue à vos critiques
Depuis notre dernière réunion
j'ai parcouru le monde
à la recherche
de l'homme le plus apte à régner
et à gouverner sur terre,
et j'ai trouvé quelqu'un qui est, à mon avis,
capable à souhait.

C'est un prince qui descend
d'empereurs et de ducs ;
il n'y a pas sous le soleil
un homme dont la lignée égale la sienne,
tellement sa race est illustre.
Énée, qui, comme l'histoire l'atteste,
navigua
de la noble Troie jusqu'en Italie,
fut son ancêtre – je vous dis vrai –
ainsi que les grands rois de célèbre mémoire
qui gouvernaient Rome
à la suite
de César, le conquérant suprême,
et de l'empereur Octavien.
Ces familles ne se sont pas éteintes,
car des alliances et des mariages
tissèrent des liens entre leurs descendants
et bien des rois et des princes.
Tous les souverains d'Allemagne,
de Bavière et de Bohême,
de Brunswick, d'Autriche,
les plus grands et les plus riches
de Hongrie et d'Espagne,
et, pour ne pas en omettre un seul,
le roi de France et celui d'Angleterre ;
l'ensemble des princes les plus glorieux
et même l'empereur de Constantinople,

3115. de grant Troye *E* – **3118.** Et de grant roys *G* – **3126.** A roys a *E* – **3129.** De Bresowich de *ABCDEFGL* – **3130.** Et ly plus hault *EFGL*

3136 A qui qu'il plaise ou a qu'il griece.
A tous appartient ce noble homme,
N'il n'a ou monde en toute somme
Si nobles homs, ce n'est pas fable,
3140 De dessendue si nottable. *[198vb]*
Car tous les roys lui appartiennent
Et pour prochain parent le tiennent;
A l'un atient de par sa mere
3144 Et a l'autre de par son pere.
Bonté a assez et savoir,
Tout n'ait il mie grant avoir,
Et a beau corps et belle face.
3148 Si conseille que l'en le face
Roy du monde par bon vouloir;
Autre ne pourroit mieulx valoir,
Car les autres seigneurs seroient
3152 Joyeux quant un tel prince aroient.
Et se mains y eust de noblece,
Envie qui moult tost cuers blece
Pourroit bien sourdre entre les princes,
3156 Qui sont de diverses provinces,
De veoir mendres que eulx regner
Et tout le monde gouverner. »
¶ Quant Noblece ot dit sa raison,
3160 Adont a commandé Raison
Que Chevalerie deïst
Tout ce qu'il lui plust et seïst;
Car de toutes vouloit savoir
3164 Les oppinions, pour avoir
Regart sus le meilleur eslire.
Adont celle commence a lire
Voire ou secret de sa pensee,
3168 Car d'autre chose ert appensee
Que Noblece n'ot recité.
Si dit: « Ma dame, en verité,

** **3136.** a *est un rajout*

** **3136.** A qui plaise *A* A qu'il plaise *B* a qui griesce *EFGL* – **3143.** par son pere *EFGL* – **3144.** par sa mere *EFGL* – **3148.** l'en

que cela fasse plaisir ou non ;
mon noble candidat est apparenté avec tous.
En somme, la vérité est qu'il n'y pas dans le monde
un homme aussi noble que lui, [entier
d'un lignage si connu.
Tous les rois sont ses parents
et le considèrent comme un proche ;
il est lié à certains par sa mère,
à d'autres par son père.
il est bien pourvu de bonté et de savoir,
quoiqu'il ne soit pas très riche ;
son corps est gracieux et son visage, beau.
Je recommande donc qu'en toute confiance
on fasse de lui le roi du monde ;
ce serait le choix le meilleur
parce que les autres seigneurs se réjouiraient
de dépendre d'un tel prince.
S'il avait moins de noblesse,
l'envie, qui se hâte de s'insinuer dans les cœurs,
pourrait bien sourdre
parmi les princes de divers pays,
qui s'indigneraient de voir régner sur tous
quelqu'un d'un moindre rang qu'eux-mêmes. »
Quand Noblesse eut fini de parler,
dame Raison a ordonné
que Chevalerie dît
tout ce qu'il lui plairait,
car elle voulait connaître l'avis
de chacune des dames,
afin de pouvoir élire le meilleur candidat.
Alors Chevalerie commence à exposer
le cœur de sa pensée ;
ses préoccupations sont autres
que celles de Noblesse.
Elle dit : « Ma dame, en vérité

---

face *C* – **3151.** princes seront *EFGL* – **3152.** prince aront *EFGL* – **3154.** cuer *AB* – **3157.** mendre gouvernez *EFGL* – **3158.** Que eulz et sus le monde regner *EFGL* – **3160.** *manque dans E* – **3162.** feïst *D* – **3166.** Adont elle *EFGL* a dire *C* – **3170.** dist *ACDEFGL*

Sauve la grace de Noblece,
3172 Il m'est avis que grant simplece
Seroit de choisir un tel homme,
Pour tant se si noble on le nomme,
A avoir tel gouvernement
3176 Com tout le monde entierement.
Car il ne fault mie doubter
Qu'on ne pourroit homme dompter
Tant que, comment qu'il en alast, *[199ra]*
3180 Aucune fois ne rebellast.
Si faut homme qui soit cremus;
En tel fait pour ce plus que nulx
Autres. En sçay un si vaillant
3184 Que tout n'ait il pas moult vaillant,
Si n'a il ou monde pareil
De ce qu'il fault a l'appareil
De chevalerie, ma dame.
3188 C'en est le mirouër, par m'ame,
Et se creu en est mon conseil,
Autre que lui je ne conseil;
Car ou monde n'a si nottable
3192 Chevalier, ne si deffensable.
Par toute terre en est renom,
Et par tout est congneu son nom
Et ce qu'il scet en armes faire,
3196 Car tout est duit de les parfaire,
Et c'est son naturel mestier.
Mentir ne vous en est mestier,
Car il n'a ou monde royaume
3200 Ou chevalier porte hëaume
Ou il n'ait chevauché en armes;
Et si bien se porte en ses armes
C'on ne parle se de lui non.
3204 Chevalier n'est de tel renom:
Maintes grans terres a sauvees
Et maintes guerres achevees,

* **3182.** fait si fault pour ce plus que nulz (*mais* si fault *est sous rature*) – **3185.** ou *est un rajout*

et n'en déplaise à Noblesse,
il me semble que ce serait fort naïf
de choisir un homme
pour une charge aussi lourde
que de gouverner le monde entier
seulement parce qu'on le dit si noble.
Il faut que nous soyons sûrs
de pouvoir dompter tout homme rebelle
aussi longtemps qu'un danger existe,
et quelle que soit la situation.
Est donc nécessaire un homme qui inspire la crainte,
qui, plus que nul autre, sait briser la révolte.
Ma dame, j'en connais un de si vaillant,
qu'à défaut de fortune
il n'a pas son pareil au monde
pour prêter de l'éclat à l'équipage
de la chevalerie.
Ma foi, il incarne toutes les vertus chevaleresques,
et si vous me croyez,
vous ne choisirez personne d'autre,
car il n'est chevalier qui soit son pair
en mérite ni en bravoure.
Son renom a atteint tous les pays ;
partout, l'on sait son nom
et qu'il est rompu aux armes,
car il sait s'en servir parfaitement ;
cela lui est naturel.
Il n'est pas besoin de vous mentir,
car il n'y a au monde de royaume
où les chevaliers portent des heaumes,
où il n'ait chevauché, prêt au combat ;
il porte si bien ses armes
que l'on ne parle que de lui.
Aucun autre chevalier n'a une telle réputation :
il a sauvé beaucoup de terres,
mené à bien de nombreuses campagnes,

** **3175.** Avoir tel *E* – **3176.** Comme est le *EFGL* – **3178.** homme doubter *D* – **3182.** pource que plus que nulz *F* pource que plus nulz *EGL* – **3190.** *manque dans E*

Fais mains effors en mainte place ;
3208 Et a nul autre n'en desplace,
Car mainte fois s'est combatus
Que lui seul a cent abatus
Ains qu'il partist de la bataille.
3212 C'est la fleur du monde sans faille,
Et en Angleterre et en France
A il fait armes a oultrance,
Ou trop vaillamment s'est portez ;
3216 Encor ne s'est il depportez.
Je ne sçay a quoy je le dye,
Car chacun scet qu'en Lombardie *[199rb]*
Es guerres du duc de Millan,
3220 Il n'y ot pareil, ce dit l'en ;
Par lui ot il les grans victoires
Sus ses ennemis, si nottoires
Qu'il n'yert nulz qui l'osast attendre ;
3224 Par son effort les faisoit rendre.
Es autres contrees lontaines,
Soit en Grece soit en Athenes,
Par tout ou il a sceu grant guerre,
3228 Est celle part alé grant erre.
Et tant a cerché de contrees
Les issues et les entrees
Que ou bas monde n'a region,
3232 Mesmes le fleuve de Gion,
Qu'il n'ait passé et tout cerché ;
Et de tout est venu a ché
A son honneur si grandement
3236 Que je croy veritablement
Qu'onq Hector de Troye le fort,
Ne Troÿlus et son effort,
Ne Cesar le grant empereur,

* **3219.** duc Millan (corr. d'apr. *ABCDEFGL*)

** **3209.** Car plusieurs fois *D* – **3223.** n'y eut *G* – **3229.** cerchiié grans contrees *AB*

1. Il s'agit de la famille Visconti. Jean-Galéas Visconti enleva son oncle Bernabo en 1385 et prit le pouvoir, devenant ainsi duc

et vaillamment guerroyé dans divers pays.
N'en déplaise à ses compagnons,
il est souvent arrivé
qu'il abatte cent adversaires à lui seul
avant de quitter le champ de bataille.
Sans aucun doute, c'est la fleur de la chevalerie ;
en Angleterre et en France
il a multiplié ses hauts faits,
et s'est comporté de façon héroïque ;
en fait, il n'en a pas encore fini.
Je ne sais pas pourquoi je récite l'histoire,
car chacun sait qu'en Lombardie
dans les guerres du duc de Milan[1]
aucun chevalier ne l'a égalé ;
à cause de lui, le duc remporta
de telles victoires sur ses ennemis
que personne n'osa lui tenir tête ;
devant sa force, il n'y avait plus qu'à se rendre.
En d'autres contrées lointaines,
en Grèce, par exemple, et à Athènes,
partout où il apprit qu'il y avait une guerre
il est allé au plus vite.
Il a tant parcouru
les coins et les recoins des pays
qu'il n'y a pas sur terre une région
qu'il ne connaisse à fond ;
il a même été jusqu'au fleuve Gion.
Tous ses exploits se sont terminés en triomphe ;
il en a tiré tellement d'honneur
que je crois réellement
que ni Hector de Troie, le fort,
ni Troïlus l'acharné,
ni le grand empereur César,

---

de Milan. Sa fille Valentine épousa Louis d'Orléans, le frère cadet de Charles VI, en 1388. Après de nombreuses conquêtes dans le but d'unifier l'Italie entière sous sa domination, Jean-Galéas mourut le 3 septembre 1402, un mois avant que Christine n'entreprît la composition du *Chemin*. Christine raconte l'histoire des ducs de Milan dans son *Livre de la mutacion de Fortune*, vv. 23429-23492.

3240 N'Alixandre le conquereur,
En armes tant ne s'avancerent,
N'en pröece ne le passerent.
¶ Si est bien digne, ce me semble,
3244 Que toutes consentiés ensemble
Qu'il soit du monde couronné,
Car ou mond si bon trouvé n'é.
Bien est digne de tel empire,
3248 Ne si bon ne pourriés eslire.
Si tendra bien le monde en paix,
Car nul n'osera fors la paix
Demander; car moult bien deffendre
3252 Se saroit, qui vouldroit l'offendre.
Si en faites vostre plaisir,
Mais on ne pourroit mieulx choisir. »
Chevalerie atant s'acoise;
3256 Plus ne parla, mais plus grant noise
Y pot il bien adont avoir *[199va]*
D'aucuns qui distrent: « Il dit voir. »
Raison commanda qu'on se teust
3260 Tant que chacun devisé eust
Son bon avis tout a loisir;
Lors pourroit on le mieulx choisir.
¶ Raison commanda a Richece
3264 Qu'el die, puis dira Sagece.
Si a pris atant la parolle
Richece, et haultement parole,
Et de maintien grant et haultain,
3268 Et dit: « Ma dame, pour certain,
Ces .ii. dames qui devisé
Ont ci endroit, bien avisé
Pour le monde ont, ce leur est vis,
3272 De baron propre et assouvis
A leur cuidier et a leur sceu.

---

* **3241.** ne *est un rajout* – **3271.** monde dolent et vilz (*corr. d'apr. ABCDF*)

** **3249.** Qui tendra *G* – **3252.** Saroit qui le vouldroit offendre *EFGL* – **3258.** el dist *EFGL* – **3268.** Si dist *EFL* dist *CD* – **3271.** monde est *EGL* est advis *EGL*

ni Alexandre le conquérant[1]
n'ont jamais brillé comme lui aux armes ;
ni ne l'ont surpassé en prouesse.
Il est donc bien digne, me semble-t-il,
que vous consentiez d'une seule voix
à le couronner roi du monde ;
on ne saurait trouver un choix plus heureux.
Il est certes à la hauteur d'un tel empire ;
vous ne pourriez élire quelqu'un d'aussi vaillant.
Il maintiendra la paix dans le monde
car personne n'osera réclamer
autre chose ; il serait capable de trop bien
se défendre si quelqu'un l'offensait.
Maintenant, suivez vos inclinations,
mais encore une fois, l'on ne pourrait mieux choisir. »
Alors Chevalerie se tint tranquille ;
elle ne parla plus, mais le bruit augmenta
à cause de certaines autres personnes,
qui convinrent : « Elle dit vrai. »
Dame Raison ordonna que l'on se tût
jusqu'à ce que chacun eût tout loisir
de faire part de ses réflexions ;
à ce moment-là, on serait en mesure de bien voter.
Raison commanda à Richesse de parler ;
ensuite, ce serait le tour de Sagesse.
Richesse prit donc la parole ;
parlant fort
et se comportant de façon hautaine,
elle dit : « Ma dame,
les deux dames qui viennent
de faire leur discours pensent
certainement avoir choisi pour le monde
un homme idéal, compétent et distingué –
selon leurs convictions et leurs lumières.

---

1. Hector et Troïlus : Troyens, fils de Priam et d'Hécube. Hector commanda les forces troyennes dans leurs combats contre les Grecs. Jules César (mort en 44 av. J.-C.) : empereur romain et conquérant de la Gaule. Alexandre III le Grand : conquit un vaste empire sur trois continents avant de mourir à l'âge de 33 ans, en 323 av. J.-C.

Mais, certes, mieulx ay apperceu
Et mieulx cuid le mond pourveoir,
3276 Së a droit y voulez veoir;
¶ Si nel mettez en non chaloir,
Car au monde pourra valoir.
Je sçay en terre un si riche homme
3280 Qu'onques de tresor n'ot tel somme
Homme qui fust de mere nez,
Car il en chargeroit les nez
Plaines d'avoir et de deniers;
3284 Il en a comblez les greniers;
Tout ce sçay je, car veü l'ay
Et prouveroie sans delay.
N'oncques tant n'en ot amassez,
3288 Car, certes, il en a assez
Pour tout le monde replanir
Et en grant richece tenir.
Ne sçay com tant en amassa,
3292 Mais il dit qu'en l'isle passa
Jadis qui toute est d'or comblee.
Si n'a pas tel richece emblee,
Fors aux serpens qui la gardoient,
3296 Qui de lui point ne se gardoient. *[199vb]*
Plus de mille nez en chargia,
En Occident les deschargia
En un fort chatel qu'acheté
3300 Y ot de son propre cheté.
Qu'en diroie? Cil, sans doubter,
Assez pour un monde acheter
A de tresor; s'a vendre fust,
3304 Cil seroit roy, qui m'en creüst.
Car je croy, s'il aloit a Romme
Et l'en savoit la tres grant somme
D'avoir qu'il a, que on l'esliroit,
3308 Ne ja nul n'y contrediroit,
A empereur sur les Rommains.

---

* **3285.** car *est un rajout*

** **3284.** comble *C* combles *ABDEFGL* – **3287.** n'en fu amassez

Mais je suis sûre d'avoir repéré un meilleur candidat,
et je pense mieux pourvoir le monde,
si vous voulez bien regarder les choses en face.
Ne dédaignez pas mon choix
car il conviendrait à merveille.
Je connais sur terre un homme si riche
que jamais créature humaine
n'a possédé tant de trésors.
Il pourrait charger des navires
entiers d'objets de valeur et d'argent ;
ses greniers en sont combles.
Tout cela, je le sais pour l'avoir vu,
et je prouverai sans tarder
que personne n'a jamais tant thésaurisé,
car, certes, cet homme a assez de richesse
pour remplir le monde
et le maintenir en abondance.
J'ignore comment il acquit une fortune pareille,
mais il dit que jadis,
il passa par l'île qui regorge d'or.
Il en prit, mais sans voler personne,
exceptés les serpents qui montaient la garde,
et qui ne lui prêtèrent pas d'attention.
Il en chargea plus de mille navires,
qu'il déchargea en Occident
dans un château fort qu'il avait acheté
de ses propres deniers.
Qu'en dirais-je ? Sans aucun doute,
cet homme a suffisamment de richesses
pour acheter un monde ; s'il s'en trouvait à vendre,
vous pouvez me croire qu'il en serait le roi.
S'il allait à Rome
et que l'on savait tout ce qu'il possède,
on l'élirait,
à l'unanimité et sans réserves,
empereur des Romains.

ABEFGL – **3300.** Il ot *EFGL* – **3307.** a c'on le feroit *B* qu'il a on *EGL* – **3308.** Roy ne nul *AB*

Si ne croy pas qu'il acquist mains
Terres que fist Cesar jadis,
3312 Sicomme l'en treuve en ses dis,
Pour sa puissance et grant richece
Que l'autre fist pour sa prouece.
Tout le mond seroit enrichis ;
3316 Pour ce doivent estre flechis
Voz cuers a tendre au bien commun,
Car ne leur vauldroit tant comme un
.C. mille autres, je le sçay bien ;
3320 Car joie, richece et tout bien
Vendroit d'un si fait empereur ;
D'autre conseiller, c'est erreur.
Ne lui fauldroit mettre subsides,
3324 Taillis, gabeles në aÿdes
Pour soustenir diverses charges
Ne pour armer naves ne barges
Pour aler conquerir contrees,
3328 Ne pour deffendre les entrees
De terre, ou pour grant guerre faire.
Car s'il avoit aucun affaire,
Assez a du sien, sans dongier,
3332 Sans homme vivant domager.
Ma dame, esgardez qu'en ferés,
Mais vers le monde mesferés
S'aultre eslisez, je le vous notte, *[200ra]*
3336 Quoy que autre vous en die ou notte.
Du dire j'ay fait mon devoir ;
Faites ent selon vo savoir. »
¶ Atant s'est Richece teüe,
3340 Qui tel chose a ramenteüe,
Que s'au monde la plaidoirie
Fust, non obstant Chevalerie,
Noblece et Sagece, ou delit
3344 A assez, l'omme riche eslit
Seroit a empereur du monde.
Mais Raison, qui est pure et monde,

** **3316.** Pource plus tost estre *EFGL* – **3317.** Doivent voz cuers au *EFGL* – **3319.** autres ce sçay je bien *EFGL* – **3322.** orreur *AB* –

Je ne crois pas qu'il ait acquis moins de terres
par sa puissance et sa richesse
que, selon le témoignage de ses écrits,
la prouesse de César
ne lui en valut jadis.
Tout le monde se trouverait enrichi de ses gains ;
voilà pourquoi il faut plier votre volonté
aux visées du bien commun ;
je sais que cent mille autres
ne vaudraient pas ce seul homme,
car la joie, l'aisance et tous les bénéfices
régneraient avec un tel empereur ;
ce serait une erreur de vous en conseiller un autre.
Il n'aurait pas besoin d'appeler aux subsides,
ou d'imposer tailles, gabelles ou aides
pour supporter des charges diverses,
ni pour armer des navires
partant à la conquête,
ni pour défendre des frontières
ou soutenir l'effort d'une guerre.
S'il avait des dépenses de ce genre,
il a largement de quoi y subvenir
sans grever homme qui vive.
Ma dame, réfléchissez à votre choix,
mais je vous préviens que vous feriez du tort au monde
si vous élisiez quelqu'un d'autre –
quels que puissent être les avis d'autrui.
J'ai rempli mon devoir de parler ;
agissez selon ce que vous savez. »
  Alors Richesse se tut,
ayant rappelé
que si le monde pouvait opter
sans égard à Chevalerie,
Noblesse ou Sagesse,
qui demeurent malgré tout des sources de joie,
l'homme riche serait élu empereur de la terre.
Mais Raison, qui est pure et incorruptible,

3323. susaidez *EFGL* – **3333.** gardés *EFGL* – **3336.** die et note *F* dist et note *EGL* – **3337.** dire ay je fait *EFGL*

Veult que on voise par autre voye.
3348¶ Atant a Sagece la quoye
Commande que sa raison die,
Et celle, qui pas estourdie
Ne fu, dit qu'elle la diroit,
3352 Ne de riens ne leur mentiroit.
¶ Adont dist Sagece : « Ma dame,
Je me merveil moult, par mon ame,
De ce que j'ay ycy ouÿ.
3356 Pou s'en est mon cuer esjouÿ
De ces dames cy qui conseillent
Tel chose qu'il semble qu'elz vueillent
Du monde la destruccion,
3360 Quant, selon leur affeccion,
Löent eslire gouverneur
Ou vous arés petite honneur.
Mais vous estes de tout droit juge ;
3364 Si ne mettrés en tel deluge
Le monde, que vous consentiés
Homme empereur ains que sentiés
Qu'il soit moult bien digne de l'estre.
3368 Et ja ne plaise au roy celestre
Que le monde soit mal pourveu,
Et bien descuté et veü
Par vous qui sera ycellui,
3372 N'en soit juge que vous nullui.
¶ Mais j'en diray ce qu'il m'en semble.
Depuis que nous fusmes ensemble
A parlement, toute la terre
3376 Ay cerchee pour bien enquerre
S'el monde avoit homs si parfait,
Si sage, si bon en tout fait, *[200rb]*
Que digne fust par droit deü
3380 A empereur estre esleü.
Un y ay seulement trouvé
Parfaictement bien esprouvé ;

---

* **3354.** moult *est un rajout* – **3358.** qu'ilz (*corr. d'apr. ABD*)

** **3356.** est cuer esioy *E* – **3358.** que el vueillent *C* qu'ilz veullent

veut que l'on progresse selon une autre voie.
Elle commande alors à la paisible Sagesse
d'exposer ses pensées.
Celle-ci, qui n'a rien d'une étourdie,
répond qu'elle parlera
sans mentir en rien à l'assistance.
Elle commença : « Ma dame,
je suis, ma foi, fort étonnée
de ce que j'ai entendu ici.
Mon cœur s'est peu réjoui
des paroles de ces dames ;
leurs conseils laissent à penser
qu'elles souhaitent la destruction du monde,
lorsqu'elles recommandent, chacune selon sa [préférence,
d'élire des gouverneurs
qui ne vous feraient guère d'honneur.
Mais vous êtes un juge équitable en toute chose ;
vous ne perdrez donc pas le monde
en consentant à l'élection d'un homme
avant de vous assurer
qu'il en est bien digne.
Ne plaise au Roi céleste
que la terre soit mal lotie ;
après de longues discussions,
lorsque vous aurez vu qui constituerait le meilleur [choix,
nulle autre que vous ne doit porter un jugement.
Toutefois, je dirai ce qu'il m'en semble.
Depuis notre dernière assemblée
j'ai parcouru la terre entière
dans le but de découvrir
si le monde contenait un homme
si parfait, sage et bon
qu'il méritait en toute justice
d'être élu empereur.
Je n'en ai trouvé qu'un
d'une qualité à toute épreuve ;

EFGL – **3362.** ariez *BEGL* – **3364**. mettes *EL* – **3373.** ce qu'il me semble *EG* ce que me *FL* – **3377.** S'ou *EGL*

Cellui seul conseil a eslire,
3384 Tout non obstant le dueil et l'ire
Que ces autres dames aroient,
Car leur fais le monde desroient.
¶ Cellui homs sçay de tel savoir
3388 Que je vous di sans decevoir
C'onques son pareil ne nasqui,
Fors Dieu, qui toute riens vainqui ;
Në ou autant eust de scïence
3392 Në aussi parfaicte essïence.
Philosophe est moult vertueux,
En toutes bontez fructueux,
Et avec la philosophie
3396 Dont il est plains, je vous affie
Qu'en lui toutes vertus habitent
Et si herbergent et delitent,
Qu'on doit amer plus qu'aultre riens ;
3400 Car savoir je ne prise riens
Sans bonté, bien sieent ensemble ;
Si est cellui tel, ce me semble.
Astrologïen est parfait,
3404 Par scïence scet quanque on fait.
Des planettes congnoit les cours
Et des estoiles tous les tours,
Tout le compas du firmament,
3408 Et toutes scet entierement
Les choses qui sont avenir ;
Comment elles doivent venir
Scet il, tout par sa grant scïence.
3412 Brief, en lui est, je vous fiance,
Toute philosophie entiere,
Në oncques ne l'ot si planiere
Në Aristote ne Platon, *[200va]*
3416 Qui moult en sorent, ce dist on ;
Meismes Socrates, qui tant sçot,
A peines envers lui fu sot,
Et d'Anasagoras le sage

** **3386.** leurs fais *ACDEGL* – **3391.** Në autant *EGL* – **3393.** Car Philosophe est vertueux *EFGL* – **3395.** Car avec *ABCDEFGL* –

c'est le seul que je vous conseille,
nonobstant le chagrin et la colère
que ces autres dames en concevront,
car leurs propres actions mènent le monde au désordre.
Cet homme a un tel savoir
que je ne vous trompe pas en vous disant
que jamais ne naquit quelqu'un qui le vaille,
si ce n'est Dieu, l'autorité suprême ;
personne n'a égalé son savoir
ni son intelligence parfaite.
C'est un philosophe très vertueux,
doté de toutes les qualités ;
je vous assure que,
étant nourri de philosophie,
toutes les vertus
qu'il faut aimer par-dessus tout
s'épanouissent en lui.
Je ne prise en rien le savoir sans la bonté ;
les deux doivent aller de pair,
et tel est le cas chez cet homme, me semble-t-il.
C'est un astrologue accompli ;
sa science lui fait tout savoir.
Il connaît le cours des planètes
et les orbites des étoiles ;
tout le cercle du firmament
et les événements de l'avenir,
il les déchiffre à livre ouvert.
Il sait exactement comment les choses vont arriver
grâce à son vaste savoir.
Bref, je vous donne ma parole
qu'il maîtrise toute la philosophie.
Ni Aristote ni Platon
ne la possédaient comme lui,
bien qu'on les dise très savants ;
même Socrate, qui en savait tant,
ferait presque figure d'un sot à côté de lui.
Sans vous raconter d'histoires,

3401. siet *A* – **3406.** tous les cours *C* – **3407.** Tous les *EGL* – **3414.** si entiere *C* – **3416.** dit *AC*

3420 Cestui a de sens l'avantage
Dessus trestous, ce n'est pas fable.
N'oncques poete plus notable
Fust, Virgile, Orace, ou Omer,
3424 Ou Lucan, que l'en doit amer,
Qui en sceüst a la moitié.
Il a fait maint noble traictié
Et mainte notable responce ;
3428 N'oncques le sage roy Alfonse
Tant du cours du ciel ne sot mie.
La scïence scet d'arquemie
Toute, s'il en vouloit user,
3432 Mais il ne s'i daigne amuser.
Brief, toute scïence en lui maint ;
Ce scevent bien maintes et maint.
Et de parfaict sens et prudence,
3436 Sans presompcion ne cuidance,
Oncques tant n'en sot Salomon ;
Croy voirement, ce ne fist mon ;
Ne de gouvernement mondain.
3440 Vindicatif n'est, ne soubdain,
Mais si attrempé en tous fais
Que homs ne peut estre plus parfais.
Cellui seul vous conseil eslire ;
3444 Je ne vous en sçay plus que dire,
Mais bien sçay s'un tel homme garde
Le monde, de mal n'ara garde.
Or en faites vostre plaisir,
3448 Et Dieux le vous doint bon choisir. »
Atant s'est Sagece teüe
Qui la court a moult esmeüe,

---

* **3438.** Sçot v. (*corr. d'apr. EFGL*)

** **3420.** des *D* – **3422.** pouete si notable *DEFGL* – **3435.** sens et scïence *EGL* – **3437.** sot de Salomon *F* ne sçot Salemon *EGL* – **3438.** Sçot v. *ABCD* – **3440.** n'est mie *F* – **3442.** puist *C*

---

1. Anaxagore : philosophe grec, ve siècle av. J.-C. – **2.** En répertoriant les grands poètes dans *Enfer* IV, vv. 88-90, Dante, par la

cet homme l'emporte de loin en esprit
sur le sage Anaxagore[1].
Il n'y eut jamais poète,
si célèbre ou digne d'amour fût-il –
Virgile, Horace, Homère ou Lucain[2] –
qui sût la moitié de ce qu'il sait.
Il a écrit plusieurs nobles traités,
ainsi que des réponses remarquables à d'autres.
Jamais le sage roi Alphonse[3]
n'en a su autant sur le cours des planètes.
Ses connaissances englobent la science d'alchimie ;
il pourrait s'en servir s'il le voulait,
mais il ne daigne pas s'y amuser.
Bref, c'est un puits de science,
nous sommes nombreux à le savoir.
Montrant un parfait bon sens et de la prudence,
sans tomber dans la prétention et l'arrogance,
Salomon, lui-même, ne s'y connaissait pas autant[4] –
c'est véritablement ce que je pense, vraiment –,
il en est de même pour sa façon de gouverner.
L'homme que j'ai trouvé n'est ni vindicatif, ni irréfléchi,
mais tellement mesuré
que personne ne pourrait être plus parfait.
C'est le seul que je vous conseille d'élire ;
je ne sais que vous en dire d'autre,
mais je sais que si un tel homme veille
sur le monde, on évitera le mal.
Maintenant, faites ce qu'il vous plaît,
et que Dieu vous accorde de bien choisir. »
Alors Sagesse s'est tue ;
son discours a mis la cour en ébullition,

---

bouche de Virgile, cite Homère, Horace et Lucain ; ici, Christine incorpore Virgile lui-même dans la liste (elle élimine du même coup Ovide, qui figure dans la série de Dante). – **3.** Alphonse X (en espagnol Alfonso el Sabio) 1221-1284. Roi de Castille et de Léon qui aima l'étude plus que la politique. Astronome, écrivain, et poète, il sut apprécier les courants culturels chrétiens, arabes et juifs qui traversaient son domaine. – **4.** Salomon : troisième roi d'Israël, célèbre pour sa sagesse.

Car oppinions moult diverses
3452 Y a, et l'une a l'autre averses.
Si a bien cy a deviser
Pour mieulx choisir et aviser.

LES ARGUMENS QUE NOBLECE FAISOIT DEVANT RAISON *[200vb]*

Raison parla, et dist : « Sans doubte,
3456 Chacune de vous a dit toute
Sa raison bien et bel comptee,
Et entendue et escoutee
Nous l'avons moult bien ; mais veoir
3460 Nous couvient (le mieulx asseoir
La seignourie sus) des .iiii.
L'un le meilleur ; et Dieux embatre
Nous y doint ! Or couvient prouver
3464 Le quel on peut meilleur trouver
Qui soit plus couvenable au monde
Seignourir ; chacun en responde
L'un a l'autre et par droite preuve.
3468 Le meilleur soit pris qu'on y treuve
Par le dit de nostre conseil.
Ainsi le vueil et le conseil :
Chacune preuve sa raison,
3472 Et qui de preuves plus foison
Trouvera, il soit obtenu,
Et cil qu'elle eslira tenu.
¶ Dites, Noblece, que on vous oye
3476 Premier, se voulez qu'on vous croye,
Comment et pour quoy devant tous
Le noble doit estre de nous
Esleu a prince et gouverneur

* **Rubrique** : les argumens que noble (*nous avons corrigé*) – **3468.** com (*corr. d'apr. ACDEFGL*)

car les opinions sont très diverses
et parfois opposées.
En effet, on a bien matière à discussion
pour débattre du meilleur choix.

LES ARGUMENTS DE NOBLESSE
DEVANT RAISON

Raison parla, et dit : « Sans aucun doute,
chacune de vous a effectivement exposé
son avis jusqu'au bout.
Nous avons écouté avec attention ;
mais il nous appartient de voir,
afin de lui octroyer la souveraineté,
lequel des quatre candidats serait le meilleur ;
puisse Dieu nous donner un esprit pénétrant !
À présent, il convient de prouver
quel homme serait le plus apte
à gouverner le monde ;
que chacune réponde aux arguments des autres
en fournissant des raisons appropriées.
On prendra celui en faveur de qui
notre conseil se prononcera.
Tels sont mes désirs et mes conseils :
chacune défendra son point de vue,
et l'on s'en tiendra au choix
de celle qui présentera le plus de preuves :
son candidat sera retenu.
Dites, Noblesse – qu'on vous entende la première ;
prouvez, si vous voulez que l'on vous croie,
comment et pourquoi nous devons
faire passer le noble devant tous les autres
et l'élire prince du monde,

** **3452.** Y a moult l'une *A* – **Rubrique** : *Seul le ms. R comporte une rubrique à cet endroit* – **3474.** Et ce que *A* – **3476.** Prouvez se *AEFGL*

3480 Du monde, sus grant et meneur. »
¶ « Voulentiers, dit dame Noblece.
En ma preuve n'a pas foiblece,
Mais force assez, car elle est clere ;
3484 Experience si l'esclere
Et droit commun et droit civil.
Ja ne soit Noblece si vil
Qu'autre sur lui ait seignourie ;
3488 Dieux la gard d'estre si perie !
¶ Vous savez, et chose est certaine,
Que de seignourie mondaine,
Par la posseder longuement
3492 Vint noblece premierement,
Qui oncques puis ne fu descreue,
Mais, Dieux mercy, si acreüe
Que par le monde en toutes pars *[201ra]*
3496 Sont nobles gens par tout espars.
Et de ces nobles Dieux consent,
Et tout le monde s'i assent,
Que par toutes les nacions
3500 Du monde ou gent ont mansions,
Le plus noble si soit le chef
De tous ; autrement a mal chef
Yroient toutes seignouries,
3504 Et moult tost seroient peries
Se noblece ne les gardoit.
Si est voir que seignourir doit
Le plus noble, et cellui est roy.
3508 D'ancïenneté cest arroy
Est au monde juste et leal.
Et pour ce que l'estat royal
Est ja abile a seignourir
3512 Par droite nature courir,
Chacun doit qui veult roy eslire,
Ou prince ou chief d'aucun empire,
Prendre un des raims, point n'en doubtons,
3516 De ces nobles royaulx gitons,

** **3481.** dist *ACEFGL* – **3488.** Et Dieux *C* – **3500.** ont nacions *EGL* – **3502.** mal meschief *EGL* – **3515.** rainciaux n'en *AB*

gouverneur des grands comme des petits. »
« Volontiers, répondit dame Noblesse.
Il n'y a pas de faiblesse dans ma défense,
mais une force considérable, car elle est limpide,
corroborée par l'expérience,
et prônée par le droit commun et le droit civil.
Que Noblesse ne soit pas rabaissée
au point de voir un autre la dominer ;
Dieu la garde d'une telle ruine !
Vous savez en toute certitude
qu'à force de détenir le pouvoir,
Noblesse occupe depuis longtemps
la première place dans le monde ;
elle n'en a jamais déchu ;
au contraire, Dieu merci, son importance s'est accrue,
de sorte que partout, dans tous les pays,
les nobles ont essaimé.
À leur sujet, Dieu approuve –
à l'assentiment général –
que dans toutes les nations
de la terre où demeurent les gens,
l'homme le plus noble soit le chef ;
autrement, les seigneuries
s'attireraient une mauvaise fin ;
elles auraient tôt fait de courir à leur perte
si la noblesse ne les préservait pas.
Il est donc vrai que le plus noble
doit dominer et être le roi.
Depuis les temps les plus reculés,
cet ordre est juste et légitime.
Puisque l'état royal
habilite déjà à gouverner
par sa nature même,
celui qui veut élire un roi,
un prince, ou un chef d'empire,
doit prendre, n'en doutons pas,
un rameau des nobles rejetons royaux,

Ainsi com qui vouldroit enter
Un arbre, il couvendroit planter
Une branchete ja conceue
3520 De l'arbre dont l'en veult yssue.
Et qu'il soit voir o la scïence
Le nous monstre l'experïence ;
Ainsi fist on pieça et fait,
3524 Je le vous monstreray de fait.
¶ Jadis quant Troye fu destruite,
Plusieurs Troyens a moult grant suite
Se partirent et s'en alerent
3528 Par le monde ou ilz habiterent.
Helenus, qui fu filz au roy
De Troye, a moult noble conroy
En Grece abiter s'en ala ;
3532 Mais aussi tost comme il fu la,
Pour le noble ling dont il fu
Il n'y ert pas mis en refu, *[201rb]*
Ains a lui rendre a grant honneur
3536 Se vindrent tuit, grant et menour.
La mainte ville ediffia,
Et en son peuple se fia ;
Tout fussent ilz ses ennemis
3540 Avant, or l'ont a honneur mis.
Dont depuis, com je puis entendre,
De lui dessendi Alixandre,
Le grant empereur qui conquist
3544 Le monde et a l'espee acquist.
Pour sa noblece fu receu
Cellui, sicom j'ay apperceu,
Et non obstant fu il bien sage,
3548 S'atrait ne fust de tel lignage,
Ja ne s'alassent a lui rendre ;
Ainçois mieulx le laissassent pendre.

---

* **3521.** au la (corr. d'apr. *CDEFL*) – **3539.** Tous (corr. d'apr. *AEL*)

** **3518.** y couvient *G* – **3519.** branche *EGL* – **3522.** monstre experience *EGL* – **3527.** S'en *ABD* – **3532.** tost que il *D* – **3534.** n'y fu pas *F* ne fu pas *EGL* – **3539.** Tous *BDF* Tant *G* – **3546.** Celui com *AB* – **3547.** fust C – **3550.** mieulz l'eussent laissié pendre *EFGL*

de même qu'il convient que celui qui voudrait greffer
un arbre y plante
une petite branche poussée
sur l'arbre qu'il cherche à reproduire.
La science nous démontre,
en accord avec l'expérience, qu'on est dans le vrai;
ainsi fit-on autrefois, et l'on continue;
je vous le démontrerai par des faits avérés.

Jadis, quand Troie fut détruite[1],
plusieurs Troyens, suivis de beaucoup de leurs gens,
quittèrent leur ville, s'en allèrent
de par le monde, et s'installèrent ailleurs.
Hélénus, le fils du roi de Troie[2]
s'en fut habiter en Grèce
avec son très noble cortège.
Au moment où il arriva,
à cause de son lignage,
personne ne refusa de l'accueillir,
mais tous vinrent lui rendre hommage,
grandes et petites gens ensemble.
Il fit édifier plusieurs villes
et donna sa confiance à son peuple;
bien que ses ennemis d'hier,
les Grecs maintenant le tenaient en honneur.
Par la suite, si j'ai bien compris,
la lignée se perpétua avec Alexandre,
le puissant empereur
qui conquit le monde à la pointe de son épée.
On l'accepta en raison de sa noblesse,
d'après ce que j'ai entendu;
quoiqu'il fût très sage,
s'il n'était pas descendu d'un tel lignage
les gens ne seraient jamais allés se rendre à lui;
ils auraient préféré le voir pendu.

---

1. À la suite de la guerre de Troie contre les Grecs, racontée par Homère dans l'*Iliade*. P.G.C. Campbell démontre que les sources principales de Christine pour tout ce qui concerne l'histoire de Troie sont la compilation anonyme *L'Histoire ancienne jusqu'à César*, et l'*Ovide moralisé*, anonyme également. Campbell, 87-107. – **2.** Hélénus: fils du roi Priam, qui devint roi d'Épire.

¶ Eneas, qui fu uns grans ducs
3552 Des royaulx Troyens dessendus,
Aussi arriva en Ytale
Aprés la destruccion male
De la noble cité de Troye.
3556 Le roy Latin a moult grant joye
Le receut, et pour son lignage
Il lui donna par mariage
Sa fille, ne l'en garda nulx,
3560 Tout non obstant le roy Turnus,
Qui plus que lui avoit avoir
Et Lavine quidoit avoir.
Si ne fu pas ou lieu haÿs,
3564 Tout fust il d'estrange paÿs;
Mais sa venue desdaignee
Eust esté, se la grant lignee
Dont il estoit nel garentist;
3568 N'a seigneur nul nel consentist.
¶ Et les Troyens qui de Sicambre
Se partirent, s'il m'en remembre,
Et droit en Gaule s'en alerent,
3572 Quë ilz aprés France appellerent;
Ne firent ilz leur chevetaine *[201va]*
Du plus noble ? Chose est certaine.
Lequel estoit, n'en doubte nulz,
3576 Du bon roy de Troye venus
Et dessendus, c'est chose voire.
Francio, dit aucune histoire,
Fu appellé, et de lui France
3580 Fu nommee soubs sa souffrance.
¶ Jadis Remus et Romulus,

---

* **3562.** Lavine qui doit (*corr. d'apr. ABCD*) – **3571.** Droit (*-1 ; corr. d'apr. CEFGL*)

** **3562.** Lavine devoit avoir *EFGL* – **3565.** Et sa *EFGL* – **3571.** Droit en Gaule ilz *AB* Tout droit en *D* – **3578.** dist *ABEFGL*

---

1. Les origines troyennes d'Énée, et son avenir comme fondateur d'une nouvelle communauté en Italie, sont décrites dans le livre I de l'*Énéide*. – **2.** Latinus : roi de Laurentum ; Lavinia : la fille

Énée, lui aussi, un grand duc descendu
de la famille royale troyenne[1]
arriva en Italie
après l'horrible destruction
de la noble cité de Troie.
Le roi Latinus le reçut à bras ouverts,
et à cause de son lignage,
il lui donna la main
de sa fille, personne ne put l'en empêcher,
malgré les prétentions du roi Turnus,
qui était plus riche,
et pensait que Lavinia serait sienne[2].
Énée n'éveilla donc pas la haine de l'Italie,
bien qu'il vînt d'un pays étranger ;
mais on l'aurait dédaigné
si la grande lignée dont il était l'héritier
ne lui avait pas servi de garant ;
sinon, personne n'aurait consenti à le prendre pour [seigneur.
Et, si ma mémoire ne me fait pas défaut,
les Troyens qui partirent de Sicambre
pour aller directement en Gaule,
que par la suite il appelèrent la France,
ne firent-ils pas du plus noble
leur chef ? C'est chose certaine[3].
Personne ne doute que cet homme
descendait du bon roi de Troie ;
voilà la vérité.
Nombre d'histoires racontent
qu'il s'appelait Francio, et qu'avec sa permission,
la France tira son nom de lui[4].
Il y eut encore jadis Remus et Romulus,

---

de Latinus, future épouse d'Énée ; Turnus : roi des Rutules, prétendant à la main de Lavinia, défait dans un combat contre Énée. Voir l'*Énéide*, livre XII. – **3.** Dame Noblesse évoque le *topos* des souches troyennes des habitants de la France ; voir la belle analyse de l'importance historique de ce mythe dans Colette Beaune, *Naissance de la nation France* (Paris : Gallimard, 1985), surtout son premier chapitre, « Trojani aut Galli ? », 25-74. – **4.** Voir la note précédente.

Qui a leur mere esté tolus
Orent par leur oncle crueux,
3584 Qui grant envie avoit sur eulx
Et les cuida faire mourir,
Mais Dieux les en sot bien garir ;
Car d'une louve ilz alaictiez
3588 Furent ou bois, sains et haitiez,
Tant qu'ilz furent fors et nourris
Et du peril de mort garis.
Mais quant la verité fu sceue,
3592 Et tout le voir vint a leur sceue
Que de ligne royal estoient,
Adont les brebis qu'ilz gardoient
Laissierent ; si se voldrent mettre
3596 Aux armes, dont bien entremettre
Ilz se sorent en petit d'eure.
Si assemblerent sans demeure
Gens assez qui de tous lieux vindrent
3600 Et soubz leur baniere se tinrent.
Si gitterent hors de la terre
Leur oncle par force de guerre ;
La cité d'Albe lui tollirent,
3604 Et a la parfin ilz l'occirent ;
Car leur mere ot fait enfouÿr,
Et leur ayol fait ensuivre,
Et eulx cuida il faire occire ;
3608 Mais les sergens leur furent mire
Qui ou bois tous .ii. les laissierent.
Et ainsi ces .ii. commencierent
Leur seignourie, quant sceü
3612 Fu de qui furent conceü ; *[210vb]*
Et se de bas lignage fussent,
Jamais a tel point venu n'eussent.

---

* **3600.** se mistrent (*corrigé d'apr. DEL*) – **3608.** lui furent (*corr. d'apr. AEGL*)

** **3591-2.** *intervertis dans D, mais une note dans la marge corrige l'inversion* – **3597.** Se sorent en bien petit *EFGL* – **3598.** Si samblerent *C* – **3600.** se mistrent *ABCF* – **3603.** dollirent *D* – **3606.** fait enfuir *ABCDEFGL* – **3608.** sergens lui furent *BDF*

enlevés à leur mère
par leur oncle cruel[1]
qui leur voua une haine envieuse
et croyait pouvoir les faire mourir ;
mais Dieu sut les en préserver.
Une louve les allaita,
sains et saufs, dans un bois,
de sorte qu'ils furent bien nourris, et forts,
et protégés du péril de la mort.
Mais lorsque la vérité se fit jour,
et que les deux frères surent
qu'ils descendaient d'une lignée royale,
ils délaissèrent sur-le-champ les brebis
qu'ils gardaient, voulant s'essayer
aux armes. En quelques heures,
ils s'y connaissaient bien,
et puis, sans tarder, ils réunirent
une multitude de gens, qui vinrent de toutes parts
pour se ranger sous leur bannière.
Ils chassèrent leur oncle hors du pays
au moyen d'une guerre,
lui prirent la cité d'Albe,
et à la fin, le tuèrent ;
car il avait fait enterrer leur mère,
et fait fuir leur aïeul,
et, quant à eux, il croyait les avoir fait mettre à mort ;
ce sont les domestiques qui les ont sauvés
en les abandonnant tous deux dans un bois.
Ainsi les frères purent-ils entrer
en puissance, lorsqu'on connut
leurs origines ;
s'ils avaient été de basse extraction,
ils ne seraient jamais arrivés au pouvoir.

---

1. Leur oncle cruel : Amulius déposa son frère aîné Numitor pour devenir roi d'Alba Longa. La fille de Numitor, Rhéa Sylvia (ou Ilia), eut deux fils, Romulus et Remus, du dieu Mars. Amulius voulut les faire mourir en les jetant à l'eau, mais ils furent sauvés et devinrent, par la suite, les fondateurs de Rome.

Depuis fu de eulx Romme fondee
3616 Qu'aultres ont puis moult amendee,
¶ Et ainsi, com je dis ainçois,
Des Troyens vindrent les François.
Ne leur fust pas si grant honnour
3620 Se de ligne fussent menour.
D'un des enfans du preux Hector,
Qui plus avoit force que un tor,
Vindrent li prince qui couronne
3624 Portent en France, com raisonne
L'istoire qui fait mencion
D'eulx et de leur attraccion.
Bretaigne aussi, de quoy la terre
3628 Est a present dicte Angleterre,
Brutus de son nom la nomma,
Qui Troyen fu et moult l'ama.
Corineüs aussi, sens faille
3632 Nomma de son nom Cornouaille.
Et toute l'isle fu pourprise
Des Troyens, habitee et prise
Qui Albion estoit nommee ;
3636 Or Angleterre est surnommee.
¶ D'autres assez dire pourroie,
Mais peut estre longue seroie
Se je vouloie raconter
3640 De tous ceulx c'on pourroit compter
Qui ont esté pour leur lignage
Esleüs a grant heritage,
Qui n'y avoient droit ne part.
3644 Mais c'est coustume en toute part,
Et vous l'oyez a chacun dire
Que qui vouldroit un roy eslire
En païs ou n'ot oncques roy,
3648 Ou que la mort par son desroy
Eust pris la souche des hoirs toute,
Tout le plus noble – et qui en doubte ? –

---

* **3627.** de qui la (*corr. d'apr. ABCDEFL*)

** **3620.** lignee *EFGL* – **3622.** Qui plus ot *EGL* – **3627.** de qui la *G*

Par la suite, il fondèrent Rome,
que d'autres après eux portèrent à sa perfection.
De cette manière, comme je le disais plus tôt,
les Français descendirent des Troyens.
Ils n'auraient pas été tellement illustres
si leur lignée avait été moindre.
D'un des enfants d'Hector, le preux,
qui fut plus fort qu'un taureau,
viennent les princes
couronnés de France,
selon l'histoire
qui explique leur extraction.
Il en va de même pour la Bretagne,
que l'on appelle aujourd'hui Angleterre :
un Troyen, Brutus, lui donna son nom
en plus de son amour.
Corineus aussi, je vous l'assure,
baptisa la Cornouailles.
Les Troyens prirent toute l'île de force
et s'y installèrent ;
ils l'appelèrent Albion ;
maintenant on la connaît sous le nom d'Angleterre[1].
Je pourrais parler de beaucoup d'autres ancêtres ;
mais ce serait peut-être trop long
si je voulais énumérer
tous ceux qui,
à cause de leur lignage,
se sont vu élire à la tête de grands héritages
sans avoir pu faire valoir d'autres droits.
C'est une tradition répandue ;
vous l'entendez dire à chacun :
celui qui voudrait choisir un roi
dans un pays où il n'y en eut jamais,
ou quand les attaques de la mort
ont détruit toute la souche héritière,
doit élire – qui en doute ? –

1. Brutus, Corineus : la Grande-Bretagne s'attribuait aussi des origines troyennes.

Seroit esleu roy du paÿs; *[202ra]*
3652 Il seroit bien vrays folz naÿs
Qui ainsi faire nel vouldroit.
Et or regardons orendroit:
De nostre temps l'avons veü
3656 Et tous les jours est il sceü:
¶ La roÿne Jehanne de Naples –
Cui Charles de la Paix maint chapples
Fist, et a la parfin estaindre
3660 Entre .ii. coutes, si attaindre
La sot, dont de ce valut pis
(Mais mortelment feru ou pis
En fu depuis, car c'est raison
3664 Que mal viengne de desraison) –
Celle roÿne, qui nul hoir
N'ot de son corps, si volt avoir
Et eslire a filz adoptif,
3668 Sans de droit nul autre motif
Fors de noblece et hault lignage,
Le noble duc d'Angiou le Sage,
Qu'a filz eslut et fist son hoir.
3672 Bien cuida que le regne avoir
Deust a plus grant paix qu'il ne tint;
Pou y gaigna a qui il tint.
¶ Encor veons presentement
3676 Cest fait prouvé notablement
Du noble duc de hault encestre
D'Orlïens. Et comment peut ce estre
Qu'ainsi ses bons en Allemaigne
3680 Fait a present, qu'il ne remaigne
Ville, paÿs, chastel ne bourc
En la duché de Lucembourc

---

* **3673.** qui n'el tint (*corr. d'apr. C*)

** **3673.** qu'il n'el tint *ABEGL* qui n'el tint *DF* – **3681.** chastel païs *AB* Ville cité chastel ne bourc *EFGL*

---

1. Jeanne, reine de Naples de 1343 à 1382. Elle désigna d'abord Charles de Duras (Charles de la Paix) comme son héritier, mais le

le plus noble pour être le roi.
Celui qui ferait fi de cette coutume
serait bien fou à lier.
Considérons maintenant une époque récente :
nous avons vu de notre temps, on le sait,
la même pratique mise en œuvre.
La reine Jeanne de Naples –
que Charles de la Paix poursuivit d'assauts meurtriers[1],
jusqu'à ce qu'il l'atteignît
et l'étouffât entre deux matelas
pour son plus grand déshonneur
(il fut par la suite
mortellement blessé à la poitrine ;
il est légitime que le malheur succède à l'injustice) –
cette reine donc, qui n'avait pas mis au monde
d'héritier, voulut choisir
pour fils adoptif,
sans autre raison que sa noblesse
et son lignage glorieux,
l'illustre duc d'Anjou, dit le Sage ;
elle l'élut et fit de lui son héritier.
Elle crut qu'il régnerait
dans une paix tranquille, mais il ne sut la maintenir ;
ce qu'il conserva de son gain se montait à peu de chose.
Voyons encore à présent
comment le noble duc de la race éminente
des Orléans a admirablement prouvé mon idée[2].
Comment se fait-il qu'actuellement,
le duc gouverne à sa guise en Allemagne,
de sorte qu'il ne reste
ville, château, région ni bourg
en la duché de Luxembourg

---

remplaça par Louis, duc d'Anjou, le frère puîné de Charles V. Louis mourut en 1384 à la conquête de sa capitale. Christine parle de Jeanne dans *La Mutacion de Fortune*, vv. 23, 393-23, 418, et dans *Le Livre des faits et bonnes mœurs du roi Charles V le Sage* (trad. Eric Hicks et Thérèse Moreau, Paris : Stock, 1997), livre II, ch. XI. – **2.** Louis d'Orléans, l'un des dédicataires du *Chemin*, frère cadet du roi Charles VI.

Qui ne lui viengne faire hommage ?
3684 N'est ce pas pour son hault lignage ?
Si est, par Dieu ; car sa richece
Ne prisent tant com sa noblece.
Pour celle cause a prince el tiennent,
3688 Et pour moult bien paré se tiennent
D'estre subgés a filz de roy
Ou n'a cruauté ne desroy. *[202rb]*
Car ne sont pas tirans folages
3692 Venus de lignees volages,
Ceulx des flours de lis terrïennes
Seignouries tres anciannes.
Si y a fait noble conqueste
3696 Par sa noblece et riche aqueste.
¶ Et Phelippe, duc de Bourgongne,
A qui qu'il plaise ou qui qu'en grongne,
N'est il alez or en Bretaigne
3700 Mettre accort, comment qu'il en preigne,
Entre les Bretons descordans
Entr'eulx, de gouverner ardans
Pour ce qu'ilz ont jeune seigneur ?
3704 Et se cil duc ne fust greigneur,
Plus noble et plus hault qu'autre gent,
Tout fust il sage et eust argent,
Tost seroit des barons rusé,
3708 Ensus chacié et reffusé.
¶ Ainsi vous ay assez prouvé
Qu'en tout paÿs c'est fait prouvé :
Les plus nobles y sont esleus
3712 A princes com les plus esleus ;

---

* **3687.** cause prince (*corr. d'apr. ADEFGL*)

** **3696.** riche enqueste *D* – **3697.** Le tres noble duc de *ABCDEFGL* – **3699.** il or allé *G* – **3701.** les barons *ABEFGL* – **3706.** Tant *G* – **3710.** paÿs est esprouvé *EGL*

---

1. En 1402, Louis rachète les droits sur le duché de Luxembourg après plus d'une décennie de politique d'acquisitions territoriales. Mal pourvu en terres au départ, Louis en achète ou s'en fait donner par le roi son frère afin de pouvoir tenir tête à son grand rival, son oncle Philippe le Hardi. Il visait l'expansion à l'Est, cherchant

qui ne vienne lui rendre hommage[1] ?
N'est-ce pas à cause de son haut lignage ?
Si fait, par Dieu ; car les gens
ne prisent pas tant sa richesse que sa noblesse.
C'est à ce titre qu'ils le reconnaissent comme prince ;
ils s'estiment fort bien lotis
d'être les sujets d'un fils de roi
sans cruauté ni démesure.
Car ce ne sont pas des tyrans capricieux,
des descendants de lignées douteuses,
que ces fleurs de lys[2],
seigneuries terriennes très anciennes.
Le duc a certes fait une noble conquête
et une riche acquisition, grâce à sa noblesse.
Maintenant, Philippe, le duc de Bourgogne,
qu'on l'approuve ou non
n'est-il pas parti en Bretagne
dans le but de mettre d'accord, bon gré mal gré,
des seigneurs qui se disputaient,
chacun brûlant de saisir le pouvoir,
parce qu'ils étaient soumis à un jeune suzerain[3] ?
Si le duc n'avait pas été plus grand,
plus noble et plus digne que les autres,
quelles que fussent sa sagesse et sa richesse,
les seigneurs l'auraient vite trompé,
repoussé et chassé loin de leurs terres.
Voilà ; je vous ai assez prouvé
que dans tous les pays c'est un fait reconnu :
les plus nobles sont élus pour régner
parce qu'ils sont les plus éminents ;

à cerner et à diviser les terres de son oncle. Voir Gilbert Ouy, « Ambrogio Migli et les ambitions impériales de Louis d'Orléans », dans *Culture et Politique en France à l'époque de l'Humanisme et de la Renaissance*, éd. Franco Simone (Turin : Accademia delle Scienze, 1974), 13-42 : ici, p. 34. – **2.** Voir les vers 5, 15-16, et leurs notes. – **3.** Philippe le Hardi, duc de Bourgogne et oncle du roi, arrive à Nantes le 2 octobre 1402 pour régler une affaire délicate : la veuve du duc Jean IV de Bretagne a épousé le roi d'Angleterre, et le futur Jean V n'est pas encore majeur. La France craint que la Bretagne ne subisse une influence anglaise néfaste. Philippe arrive à se faire confier la régence et ramène Jean à Paris.

Et se le peuple a eulx se donne,
C'est a bon droit et cause bonne.
Si vous plaise, ma dame chiere,
3716 Que cellui qui noblece a chiere,
Dont au premier je vous parlay,
Soit esleu prince sans delay
Du monde, car sus tous le vault,
3720 N'il n'a ou mond homme si hault. »

COMMENT DAME CHEVALERIE DIT APRES SES RAISONS

« Avant, dites, Chevalerie !
Ce dist Raison. Sainte Marie,
Vous pourra l'en hui accorder ?
3724 Bien avez ouÿ recorder
Ce que Noblece nous a dit.
Vous accordez vous a son dit ? »
« Nennil, nennil, dist la haultaine
3728 Chevalerie, car sa peine
Pert en ce cas de soy debatre. *[202va]*
Je lui feray ja tost rabatre
Ses paroles, car trop me blece
3732 Le grant loz que donne a noblece
Sans chevalerie nommer,
Sans qui on ne la doit amer.
¶ Or avisons premierement
3736 De quoy vint le commencement
De noblece. Je croy sans faille
Que on trouvera la commençaille
De chevalerie venue,
3740 Et par elle estre soustenue.
Jadis les preux qui conqueroient
Les royaumes, loz acqueroient

** **3718.** Si soit *EGL* – **3720.** mond prince si *AB* ou monde si hault *C* – **Rubrique** : *La rubrique est écrite dans la marge. Seul le ms. R comporte une rubrique à cet endroit* – **3722.** Ce dit *AB* Raison

et si le peuple se livre à eux,
c'est à bon droit et à juste titre.
Qu'il vous plaise donc, ma chère dame,
d'élire sans tarder comme prince du monde
celui dont je vous parlai en premier,
qui chérit la noblesse ;
car il surpasse tout le monde ;
il n'y a sur terre de prince aussi illustre. »

COMMENT DAME CHEVALERIE DIT À SON TOUR SA PENSÉE

« En avant, dites, Chevalerie !
tels furent les mots de dame Raison. Par sainte Marie,
arrivera-t-on aujourd'hui à vous concilier ?
Vous avez bien entendu
ce que Noblesse nous a raconté.
Êtes-vous d'accord avec son discours ? »
« Pas du tout, dit Chevalerie
la hautaine ; Noblesse perd sa peine
à défendre sa cause.
Je lui ferai rapidement retirer ses paroles,
car le grand éloge qu'elle fait de la noblesse
sans mentionner la chevalerie
me blesse excessivement ;
on ne doit pas aimer l'une sans l'autre.
Avisons d'abord
l'origine de la noblesse.
Je crois fermement
qu'on la trouvera dans la chevalerie,
qui maintient la noblesse
aussi bien qu'elle la fonde.
Jadis les preux qui conquéraient
des royaumes acquéraient leur gloire

---

je vous en prie *C* – **3725.** Noblece vous a *EFGL* – **3729.** Pert Noblece de soy *ABCDEFGL* – **3735.** Or regardons *EFGL* – **3740.** elle est *G* – **3742.** royaumes lors *EGL*

Par les belles chevaleries
3744 Qu'ilz faisoient, dont seignouries
Et terres maintes ilz conquistrent.
Par ainsi leur noblece acquistrent,
Car s'en leur maison fussent quoy
3748 Demourez, sans faire pour quoy
On les deust nobles appeller,
Ja homme n'eust ouÿ parler
De leur noblece en nul endroit.
3752 Aussi n'eust ce pas esté droit,
Car de quel droit esté noble eussent,
Se chevalereux ilz ne fussent ?
Je croy de droit de commarage
3756 Ou d'eulx gogoier en l'ombrage,
Et vecy bonne resverie !
Je croy que la chevalerie
Des preux passez plus les alose
3760 Que leur noblece, dire l'ose –
Je dis noblece de lignee,
Car celle qu'ilz orent gaignee
Les fait estre plus apparens
3764 Que celle qui de leurs parens
Leur vint, combien que tout ensemble
Fait bon avoir qui peut, me semble.
¶ Le roy Ninus, qui tant acquist
3768 Jadis que toute Ayse conquist *[202vb]*
Et Oriant, lui et sa femme
Semiramis, la haulte dame,
Qui tant estoit de grant pröece,
3772 Je croy que pour leur gentillece
N'en est pas tel memoire faite ;
Ainçois leur vaillance parfaite
Leur fist loz de noblece acquerre
3776 Par pröeces faites en guerre.

---

* **3745.** terre (*corr. d'apr. ABCDEFGL*) – **3757.** veez ci (*+1 ; corr. d'apr. ABCDE*)

** **3745.** qu'ilz *EGL* – **3746.** leur noble a. *F* – **3747.** leurs maisons *EFGL* – **3752.** N'aussi *EFGL* – **3753.** Et de quel costé noblece eus-

par de beaux faits d'armes
qui leur valaient
maintes terres et seigneuries.
C'est ainsi qu'ils obtinrent leur noblesse ;
car, s'ils étaient restés tranquillement chez eux,
sans se livrer à l'activité
qui leur permettait d'exiger le nom de nobles,
personne nulle part n'aurait jamais entendu
parler de leur noblesse.
Le contraire aurait été injuste,
car de quel droit auraient-ils revendiqué des titres de [noblesse
sans être de preux chevaliers ?
Sans doute au moyen de commérages
ou en faisant la fête bien à l'abri,
quelle belle illusion !
J'ose dire que la chevalerie des preux du passé
prête plus d'honneur aux hommes de notre époque
que ne le fait leur noblesse –
j'entends leur noblesse de lignée,
car celle qu'ils gagnent par eux-mêmes
rehausse plus leur valeur
que celle qui leur vient de leurs parents,
bien qu'à mon avis,
l'idéal soit d'avoir les deux ensemble.
Un exemple : le roi Ninus[1]
qui jadis s'empara de tant de biens
qu'il conquit toute l'Asie et l'Orient
avec sa femme, l'illustre Sémiramis,
connue pour sa prouesse extraordinaire ;
je ne crois pas que l'on se remémore tellement
leur douces manières ;
c'est plutôt leur vaillance parfaite
qui leur fit acquérir la gloire de la noblesse
à travers des exploits guerriers.

---

sent *EFGL* – **3756.** Et d'eulz *EFGL* – **3757.** Voy cy trop bonne r. *EFGL* – **3769.** Et eurent *G* – **3774.** Ainçois la pröece parfaite *C*

---

1. Ninus : grand guerrier mythique, fondateur de Ninive. Mari de Sémiramis.

¶ Et se vous arguer voulez
Que ces vaillans, qui de tous lez
Aloient leurs corps esprouvant,
3780 Estoient ja nobles avant,
Et que leur noblece ce faire
Leur faisoit, voyez le contraire
Par Cirus, le grant roy de Perse,
3784 Qui, malgré sa partie averse,
Conquist Mede et Perse la grant,
La grant Babiloine, et engrant
Estoit du monde en toute somme
3788 Conquerir, et, filz d'un povre homme,
Fu chacié et desherité;
Et puis il fu si herité.
¶ Les Troyens mesmes, dont avez
3792 Ycy parlé, se vous savez,
Dites, quel chose plus alose
Leur renom, qui fu moult grant chose:
Ou leur ancïenne noblece,
3796 Ou leur souveraine prïoece?
Et croy que on trouvera sans faute
Que leur prïoece fu plus haute
Et plus leur donna grant louange.
3800 Que vous en semble? Dites, mens ge?
¶ Et des Rommains, qui si vaillans
Furent que leurs corps et vaillans
Mettoient en armes suivir
3804 Pour chevalerie suivir,
Et tant noblement l'ensuivirent
Que seigneurs du monde se virent,
Or en dites le voir ou non: *[203ra]*
3808 Leur noble lignage ce nom
Leur fist il doncques acquerir?
Croy que non, mais soing de querir
Noblece comme il appartient

** **3781.** que noblesce tout ce *D* – **3790.** puis fu il *DF* – **3796.** tres souvvraine *ABEFGL* – **3801.** Et les Romains *D* – **3804.** Pour chevalerie ensuivir *ABCDEFGL* – **3806.** monde ilz *AB* – **3809.** fist a doncques *C*

Et si vous voulez soutenir
que ces vaillants qui allaient de tous côtés
éprouvant leur corps
étaient déjà nobles avant de s'essayer aux armes,
et que c'était précisément cette noblesse
qui les faisait agir, voici un cas contraire :
Cyrus, le grand roi de Perse[1],
conquit malgré les chances contraires
la Médie et toute la Perse,
puis triompha à Babylone ;
il désirait subjuguer le monde entier.
Fils d'un homme pauvre,
il fut d'abord chassé et déshérité,
puis se retrouva héritier d'un empire.
Les Troyens mêmes, dont vous avez parlé ici,
dites-moi, si vous le savez,
ce qui rehaussa le plus
leur renom éclatant :
ou bien leur noblesse ancienne,
ou bien leur souveraine prouesse ?
Je crois que l'on trouvera sans nul doute
que leur prouesse fut plus admirable
et les investit d'une plus grande gloire.
Que vous en semble ? Dites : est-ce que je mens ?
Et les Romains, qui furent si vaillants
qu'ils employaient leur corps et leur fortune
à faire la guerre
pour suivre les lois de la chevalerie,
et réussirent si brillamment
qu'ils se virent seigneurs du monde,
dites-en maintenant la vérité :
leur noble lignage leur permit-il donc
d'acquérir cette célébrité ?
Je ne le pense pas ; ce fut plutôt le soin qu'ils mirent
la noblesse comme il convient, [à rechercher

---

1. Cyrus : VIe siècle av. J.-C. Il conquit Babylone en 538 av. J.-C., et mourut neuf ans plus tard.

3812 Le fist, car la seulement tient.
Si en furent nobles nommez,
Sur tous les autres renommez.
¶ Le bon Scipio l'Affrikant,
3816 Est il de lui ne tant ne quant
Parlé pour noblece qu'il eust ?
Je croy que non ; ne qui il fust
On ne saroit, se le renom
3820 De sa prouece de hault nom
Ne l'eust fait par tout renommer.
Et brief et court, plus a amer
Fait cil qui sa lignee fait
3824 Que l'enlignage sans bon fait.
¶ Par trop de cas je puis prouver
Comment maint par eulx esprouver
En vaillances chevalereuses,
3828 Ont nobleces moult valereuses
Acquises, de quoy le lignage
N'estoit pas grant ; et ce bien sçay ge,
Mais trop longue je pourroie estre.
3832 Et pourtant, se cil n'est grant maistre
De qui vous parlay, chere dame,
Il n'en vault pis once ne drame,
Quant bonté et vaillance assez
3836 Il a. Ma dame, or y pensez,
Car ses vertus sont moult parfaictes ;
Si m'en croyez, et roy le faites. »

CE QUE DAME RICHESSE DIST EN SES ARGUMENS

« **S**us, Richece ! Dites aprés,
3840 Dist Raison, car je desir trés

** **3824.** le lignage *AEGL* – **3825.** Par maint de cas *EFGL* – **3830.** Ne soit pas *BD* ce bien sage *DEGL* – **3832.** Et pour ce se *A* – **3836.** Il a asses Ma dame *EGL* – **Rubrique** : *seul le ms. R comporte une rubrique à cet endroit*

de la seule façon susceptible de la faire durer.
Aussi y gagnèrent-ils le nom de nobles
et furent-ils renommés plus que tous.
Le bon Scipion l'Africain[1],
est-ce qu'on parle de lui, ne serait-ce qu'un instant,
à cause de sa noblesse ?
Non pas ; on ne saurait même pas
qui il fut, si sa réputation
de haute prouesse
ne l'avait pas rendu partout célèbre.
Bref, il vaut mieux aimer
celui qui crée la grandeur de sa lignée
que le lignage dépourvu de faits d'armes.
Je puis prouver par de nombreux exemples
comment beaucoup d'hommes qui ont fait leurs preuves
par des actes de vaillance chevaleresque
ont acquis une noblesse de grande valeur
sans que leur lignage
fût éminent ; je sais bien ce que je dis ;
Mais peut-être parlerais-je trop longuement.
Toujours est-il, chère dame,
Que si celui dont je vous parlai n'est pas un grand
il n'en vaut pas un sou de moins, [seigneur,
puisqu'il a beaucoup de qualités et de vaillance.
Ma dame, réfléchissez-y à présent,
car ses vertus sont parfaites.
Croyez-moi, et faites-en le roi. »

LES ARGUMENTS DE DAME RICHESSE

« Debout, Richesse, c'est votre tour,
dit Raison, car j'ai hâte

1. Scipion l'Africain (Publius Cornelius Scipio Africanus) : v. 235-183 av. J.-C., homme politique et général romain. Sa victoire sur Hannibal en Afrique (fin de la seconde guerre Punique) lui valut son surnom.

La sentence diffinitive.
Je sçay qu'assez estes soubtive
Pour bien prouver voz argumens. »
3844¶ Dist Richece : « Se je ne mens,
Ces dames cy ont trop bien dit –
Mais qu'il ne leur soit contredit ! *[203rb]*
Et a par moy me suis soubzrise
3848 De ce que chascune octorise
Ce qui lui plait et vient a gré,
Et ne congnoiscent le degré
Qui fait tout au plus hault monter.
3852 Et bien cuident par raconter
Choses dont on tient petit compte
Vers richece, qui tout surmonte,
Mettre ma valeur au derriere.
3856 Mais il yra d'autre maniere,
Car devant yray a mon ayse,
Qui qu'en grouce ou a qui qu'il plaise.
¶ Si vueil par argumens prouver
3860 Comment, pour richece trouver,
Vint noblece premierement
Et chevalerie ensement ;
Et ne sont fors mes droites serves,
3864 Quoy qu'ilz racomptent si grans verves.
Les roys de jadis et seigneurs,
Qui faisoient les fais greigneurs
Dont acqueroient les louanges,
3868 Ce dites vous en voz losenges,
Noblece leur faisoit ce faire.
Com vous dites ; mais autre affaire,
Ce croy je, les y conduisoit,
3872 Tout non obstant que l'en disoit.
Et ancor dist on que vaillance

---

* **3848.** chacun (*corr. d'apr. ABCDEFGL*) – **3860.** Comment par richece (*corr. d'apr. ABCDF*)

** **3845.** cy trop bien ont *A* – **3846.** que ne *B* leur fust c. *EFGL* – **3849.** Ce que *B* Ce qu'il *EGL* – **3858.** qu'il poyse *C* – **3859.** Je veul

d'arriver à la sentence définitive.
Je vous sais assez fine
pour bien étayer votre point de vue. »
Richesse prit la parole : « Si je ne m'abuse,
ces dames ont fort bien parlé –
pourvu que l'on ne les contredise pas !
J'ai souri à part moi
de ce que chacune se fait l'avocate
de ce qui lui agrée,
sans reconnaître la marche
qui permet à tous d'atteindre les sommets ;
elles croient qu'en racontant
des choses qui n'ont pas de poids
comparées à la richesse, qui surpasse tout,
elles peuvent reléguer ma valeur au second plan.
Mais il en ira autrement,
car, à mon gré, j'aurai la première place,
que cela plaise ou non.
Je veux donc démontrer
comment noblesse,
ainsi que chevalerie, se mirent d'abord en quête
de richesse, et non le contraire ;
ces deux-là ne sont que mes servantes,
malgré leurs dires extravagants.
Les rois et seigneurs d'antan,
qui s'engageaient dans des exploits
dont ils tirèrent grande louange –
vous dites, dans vos propos perfides,
que la noblesse les inspirait.
S'il est vrai qu'ils s'y surpassèrent,
ce fut, je crois, pour un autre motif,
en dépit de tous ces discours de façade.
Encore explique-t-on que la vaillance

D – **3860.** Comment par *EGL* – **3864.** qu'elz *ABCD Après le vers 3864 dans F, l'on trouve trois vers : celui qui commence Les roys de jadis, biffé, puis une répétition des vers 3863 et 3864 ; avant la reprise du texte tel qu'il est présenté ici* – **3869.** Noblece leur fait *C* – **3873.** dit on *AC*

Leur faisoit faire, sans faillance ;
¶ Je dis que le desir d'avoir
3876 De mes biens et de mon avoir
Et estre seigneurs appellez
Les faisoit aler de tous lez
Estranges terres conquerir.
3880 C'estoit la fin de leur querir
Qu'ilz en fussent tous enrichis,
Car jamais n'y fussent flechis
S'ilz n'en cuidassent estre riches.
3884 De tel noblece ja .ii. miches
Ne donnassent, se l'avoir n'eussent *[203va]*
Et que maistre et seigneurs n'en fussent ;
Si estoient mes serviteurs.
3888 Et ancor ay de tieulx questeurs
Qui ja en los ne s'avançassent,
Se mes biens ne les surhaulçassent.
Et ainsi pour mes biens acquerre
3892 Sont faites conquestes de terre.
Et ceulx qui terres acquestees
Ont, et par force a autre ostees
Sans droit ne juste cause avoir,
3896 Et sont remplis d'autrui avoir,
Eulx et leurs hoirs sont anoblis
Quant maint sont par eulx afoiblis.
¶ Mais il couvient, pour tele emprise
3900 Faire, que finance soit prise
En mes coffres, d'ou que elle viengne,
Qui que l'ait ne qui que la tiengne.
Autrement, n'a cheval n'a pié
3904 N'y mettroit homme d'armes pié
Pour prïere de grant seigneur
Ou s'il n'esperoit que greigneur
Bien lui feïst que ses souldees
3908 Ne pourroient estre montees.

---

* **3886.** ne fussent (*corr. d'apr. ABDF*)

** **3874.** faisoit ce faire *C* – **3882.** ne feussent *EGL* – **3886.** ne fussent *C* en feussent *EGL* – **3887.** Et estoient *G* – **3888.** Encor ay je

fut la vraie origine de leurs actions;
moi, je dis que le désir
de posséder mes biens
et de se faire appeler seigneur
les poussait à sillonner la terre
à la conquête de pays étrangers.
Le but qu'ils fixaient tous à leurs campagnes
était de s'enrichir;
jamais on ne les aurait contraints à partir
s'ils n'avaient cru faire fortune.
Ils n'auraient pas donné deux sous
pour une noblesse qui n'aurait comporté ni argent,
ni le titre de seigneur et maître;
ils étaient tout à mon service.
Je connais encore de tels ambitieux
qui ne gagneraient point en renommée
si mes biens ne les rendaient puissants.
Ainsi est-ce pour acquérir mes trésors
que l'on conquiert des terres.
Et ceux qui se sont emparés de pays,
les ôtant de force à d'autres
sans y avoir droit et sans juste cause,
prenant pour le leur l'avoir d'autrui,
ils se sont anoblis, ainsi que leurs héritiers,
alors qu'ils en ont affaibli beaucoup d'autres.
Il convient dans ce type d'entreprise
d'avoir recours à mes coffres pour le financement;
c'est moi la source de la richesse,
peu importe le détenteur temporaire.
Sans cela, aucun homme d'armes,
à pied ou à cheval, ne ferait un pas en avant
sur la prière d'un grand seigneur
ou s'il n'espérait en tirer
meilleur profit
que le seul montant de sa solde.

EFGL – **3890.** soushauçassent *A* – **3897.** Ceulz *EGL* – **3899.** pour celle emprise *C* – **3901.** coffres dont que *ABC* – **3902.** l'atiengne *F* Que qui l'ait ne qui qui la tiengne *EGL* – **3903.** a cheval *GL*

Ainsi ne peut, sans mon avoir,
Homme nul grant conqueste avoir;
Mais d'un denier on en fait cent,
3912 Se Fortune el veult et consent.
Si n'est que droitte marchandise
De Richece ensement acquise.
Mais d'ambe.ii. pars les marchans
3916 Souvent rent dolens et meschans.
¶ Or ay je prouvé au deffin
Comment commencement et fin
Suis de noblece et tout aussi
3920 De chevalerie autressi.
Car les Rommains nez Alixandre
Ne aultres conquesteurs d'eulx mendre
Fors a cause de moy ne firent
3924 Tous leurs fais; et quanqu'ilz parfirent, *[203vb]*
De mes deniers soustins leurs erres,
Et pour l'amour de moy les terres
Conquistrent par l'univers monde.
3928 Ne de mer ja n'y passast onde
Nul, quel qu'il fust, fors pour m'amour.
Je leur faisoie sans cremour
Aler par perilleux passages
3932 Et faire les grans vassellages,
En esperant que du tout m'eussent
Et qu'a leur gré avec moy geussent.
Et vous alez cy flajolant,
3936 Dont le cuer ay forment dolent,
Que Noblece faire el faisoit,
Et l'autre dit que ce plaisoit
A Chevalerie, pour querre
3940 Loz et honneur en toute terre.
¶ Mais je m'en vueil donner l'onneur,
Car je vueil que grant et meneur
L'oient que je dis voirement
3944 Que je fois tout entierement

** **3911.** on s'en fait *EFGL* – **3917.** a defin *ABCD* – **3924.** quanquis *C* ilz conquistrent *AB* – **3926.** les erres *E* – **3928.** l'onde *CEGL* – **3930.** Il leur *EGL* – **3937.** ce faire *EL*

Vous voyez donc que sans mes ressources,
un homme ne peut s'attendre à des possessions
[importantes ;
mais à l'inverse d'un denier on en fait cent
si la Fortune le veut bien.
C'est un marché en bonne et due forme,
une façon d'acquérir ainsi la richesse.
Mais souvent, dans l'un et l'autre cas, ceux qui
[passent un marché avec Fortune,
elle les rend pauvres et misérables.
Maintenant j'ai prouvé de façon concluante
comment je suis à la fois
le commencement et la fin de la noblesse,
et tout autant de la chevalerie.
Jamais les Romains, ni même Alexandre,
ni d'autres conquérants d'une moindre grandeur,
n'accomplirent leurs exploits
qu'à cause de moi ; et toutes les actions qu'ils
je les soutins de mes deniers. [réalisèrent,
Ils prirent des terres dans le monde entier
pour l'amour de moi,
et aucun parmi eux ne traversait les flots
si ce n'est pour l'amour de moi.
Je les faisais s'engager sans peur
dans des passages périlleux,
et entreprendre des hauts faits
dans l'espoir de me subjuguer
et de pouvoir jouir de moi à leur aise.
Mais vous allez racontant –
cela me pèse sur le cœur –
que Noblesse les inspirait,
tandis qu'une autre prétend
que c'était Chevalerie, et qu'à travers le monde
ils partaient en quête de gloire et d'honneur.
Je veux que m'en revienne l'honneur ;
que grands et petits
entendent la vérité :
tous ces exploits dépendent entièrement de moi,

Et qu'autre n'en doit loz avoir.
Si doit on prisier mon avoir
Plus qu'aultre riens, bien l'ay conclus.
3948 Mais certes, ancor fais je plus,
Qui vouldroit bien mes fais notter;
Car je fais au plus hault monter
Qui qu'i me plaist, ne riens n'acompte
3952 A ce dont faites si grant compte.
Ne sçay que vous nommez vilains,
Mais si hault met homs, quant je l'aims,
Que quoy que vous aliés disant,
3956 Il est au monde reluisant,
Soit fol ou sage ou bel ou lait.
Quant je l'abuvre de mon lait,
Sus les autres est surhaulcez;
3960 Ne lui fault ja estre appensez,
Mais que Eur et moy l'ayons en grace,
D'avoir sens, noblece ne grace,
Car il passera les plus preux *[204ra]*
3964 En honneur, et s'il est entr'eulx,
Eulx meismes en font plus grant compte
Qu'ilz ne feroient d'un grant conte,
Voire d'un roy, se povres est.
3968 Certes, autre noblece n'est,
Në estre preux n'y vault .ii. chiches;
Car riens n'est prisié qui n'est riches,
Ne grant sens n'y vault une poire.
3972 Car se Aristote, dont memoire
Est si grant adés, revivoit,
Et plus sceüst qu'il ne savoit,
Se povres fust et mal vestus,
3976 Si n'yert il prisié .ii. festus.
Et non, par Dieu, pas Alixandre,
Në Hector de Troye, qui tendre
Voldrent a acquerir honneur;
3980 Se povre fussent, un meneur

** **3948.** encor certes *G* – **3951.** ne a riens *ABD* – **3957.** saige bel *G* – **3959.** soushaucez *ABD* – **3969.** ne vault *EL* – **3973.** grant revivoit *G* – **3976.** Si ne seroit il *G*

et personne d'autre ne doit s'en faire gloire.
On doit donc priser mes biens
par-dessus tout ; cette conclusion s'impose.
Mais certes, je fais encore bien plus ;
qui voudrait noter mes actions le saura,
car je porte aux sommets
ceux qui me plaisent, sans du tout tenir compte
de ce dont vous faites si grand cas.
Je ne sais pas ce que vous appelez méprisable ;
quand j'aime un homme, je le place si haut
que malgré tout ce que vous pouvez raconter,
il brille dans le monde,
sage ou fou, beau ou laid.
Quand je l'abreuve de mon lait,
il s'élève au-dessus des autres ;
s'il trouve grâce auprès de moi et de Fortune,
il n'a pas besoin de se préoccuper
d'avoir de l'esprit, de la noblesse ou de la grâce,
car il surpassera les plus preux
en honneur, et quand il est parmi eux,
ils lui accorderont eux-mêmes plus d'estime
qu'ils ne feraient à un grand comte,
voire à un roi, si celui-ci était pauvre.
Je suis formelle : il n'y a pas d'autre noblesse ;
cela ne vaut pas deux pois chiches d'être preux,
car on n'estime personne s'il n'est riche ;
la sagesse non plus ne vaut pas une poire.
Si Aristote, dont la mémoire
est si célèbre, revivait aujourd'hui,
et s'il était encore plus sage que par le passé,
mais pauvre et mal vêtu,
on n'en donnerait pas un fétu de paille.
Par Dieu, il en va de même pour Alexandre
et Hector de Troie,
qui s'évertuaient à acquérir de l'honneur ;
s'ils avaient été pauvres, quelqu'un

D'eulx seroit bouté tout devant,
Et fust il villain, non savant,
Mais qu'il eust de mes biens assez,
3984 Il seroit grant et surhaulcez.
A bonne cause je fais tout:
Tout homme est sans moy en debout;
Voise s'en hors d'entre la gent.
3988 Il est meschant s'il n'a argent,
Et soit si sages qu'il vouldra
Et si preux, car on le tendra
Pour maleureux s'il n'a de quoy
3992 Estre jolis. Raison, pourquoy?
Car mes gens si pevent donner,
Grever autrui et pardonner
Et leurs amis moult avancier.
3996 Et pour ce sont il boubancier;
Si sont servis et honnourez
Et comme drois dieux aourez.
Grant foy on adjouste a leur dit,
4000 Et dist on: “Tel seigneur le dit;
Puis qu'il est riches, sages est”,
D'ou que soit venu le conquest, *[204rb]*
Pour le fol faire ou d'aventure,
4004 Ou pour quelque estrange laidure.
Tout est vaillant et bien amé,
Mais que riches soit renommé,
Et beauté, bonté pure et monde
4008 Est riens a la gloire du monde;
Grant sens, vaillance, on n'y aconte:
Qui n'est riches, c'est toute honte.
¶ Non obstant que plusieurs deviennent
4012 Riches, et mains biens leur aviennent,
Par leur grant vertu et savoir
Et par grant diligence avoir.
Si en usent comme prudens,
4016 En charité, sans trop ardans

** **3982.** fust un villain *C* – **3984.** soushaulcez *A* – **3989.** Et soit soit si *D* – **3995-6.** *intervertis dans C* – **4000.** dit *ABD* – **4002.** D'ou qui *B* – **4005.** Tant *G* – **4007.** bonté biauté *AB* biauté povre *B* bonté

de moindre valeur les aurait supplantés,
fût-il vulgaire et ignare,
s'il possédait beaucoup de mes biens,
il serait important et puissant.
Tout ce que je fais est fondé :
sans moi, tout homme est repoussé,
et n'a plus qu'à fuir la société ;
s'il n'a pas d'argent, il est misérable ;
qu'il soit aussi sage, aussi preux
qu'il voudra, on le tiendra
pour un malheureux s'il n'a pas de quoi
régaler la compagnie. Pourquoi, dame Raison ?
Parce que mes gens sont en mesure de donner
à autrui, de nuire, de mettre d'accord,
et de faire avancer à grands pas leurs amis.
C'est pour cela qu'ils sont hautains ;
ils sont servis, honorés,
et adorés comme de vrais dieux.
On accorde grande foi à ce qu'ils disent,
et on affirme : "Tel seigneur dit telle chose ;
il doit être sage, puisqu'il est riche."
On ne se demande pas d'où viennent leurs possessions,
d'une folie quelconque, d'un hasard,
ou à cause de quelque infamie secrète
On a beau être vaillant, très aimé,
mais si l'on est connu pour sa richesse,
les qualités, aussi pures et nettes soient-elles,
ne contribuent en rien à la gloire terrestre ;
le grand sens, la bravoure, on n'en tient pas compte :
celui qui n'est pas riche, c'est la honte qui l'attend.
N'empêche que certains deviennent riches,
et récoltent maints avantages
à force de vertu, de savoir,
et d'assiduité.
Puis ils en usent prudemment,
avec charité, sans brûler

---

povre *CD* – **4011-4020.** *manquent dans BEFGL* – **4013.** leurs grans vertus *AD*

Estre, ne que leur cuer noyé
Soit a couvoiter; employé
A tel gent est bien la richece,
4020 Quant en eulx a sens et largece.
¶ Mais il pert que j'ay grant licence,
Quant des non valables puissance
Ay de les si hault eslever.
4024 En France les peut on trouver,
Qui le regne est des crestïens
Le plus nottable, com je tiens.
La voit on es cours des seigneurs
4028 Les plus riches tous les greigneurs.
Veoir y peut on ma maniere,
Car les plus nobles vont derriere;
Soient vaillans ou preux ou sages,
4032 S'ilz ne portent de moy messages
Ou enseignes que leur amie
Soie, que l'en acontast mie
A .ii. festus tout quanque ilz valent;
4036 S'ilz veulent la baler, si balent.
Car ilz seront povres laissez
Ne ja n'y seront avancez,
Car ne scevent riens de lober
4040 Ne par flaterie rober.
¶ Le temps est passé que souloient *[204va]*
Estre avancié ceulx qui valoient
Ou en pröece ou en savoir,
4044 Mais a present on peut savoir
Comment, entre moy et Fortune,
N'y gardons droiture nesune;
Ains qui en peut avoir, en ait;
4048 N'y fault ja estre bon ne net
Pour acquerir de mes avoirs.
Et chacun scet bien que c'est voirs,
Ja ne couvient que je le celle.

---

* **4043.** avoir (*corr. d'apr. ABEFGL*)

** **4019.** gent siet bien *C* – **4021.** que je grant *B* Et il *EFGL* grant puissance *G* – **4023.** de si hault les eslever *AB* – **4024.** le peut

d'en acquérir plus
ni être avides jusqu'à s'en écœurer ;
la richesse est bien employée par ceux
qui connaissent le bon sens et la largesse.
Il est évident que j'ai beaucoup de pouvoir,
puisque j'ai la capacité de porter si haut
des hommes sans valeur.
Tenez, je prends comme exemple la France,
que je tiens pour le royaume
le plus éminent de la chrétienté.
On y voit, dans les cours seigneuriales,
que les tout premiers sont les plus riches.
Mon influence y est manifeste,
car des hommes plus nobles restent à la traîne ;
peu importe qu'ils soient vaillants, preux ou sages ;
s'ils ne portent pas de message de moi,
si aucun signe ne les marque comme mes amis,
on les évaluera
à moins de deux sous.
S'ils aiment cette chanson, qu'ils dansent.
Ils resteront pauvres
et n'avanceront jamais,
car ils ne savent pas séduire avec des mots mielleux,
ni flatter pour dérober.
Elle est révolue, l'époque
où avançaient ceux qui se distinguaient
par leur prouesse ou leur savoir ;
à présent, on sait que
travaillant de concert, Fortune et moi
ne conservons aucune justice ;
pour gagner de l'argent, c'est chacun pour soi ;
nul besoin d'être bon ou pur
pour s'enrichir avec moi.
Chacun sait bien que c'est vrai ;
il ne faut pas que je le cache.

ABDEFG – **4030.** Car des *BDEFGL* – **4031.** N'y a si vaillans ne si sages *EFGL* – **4037.** ilz sont *F* – **4043.** en avoir *CD* – **4048.** Ne fault *AB* – **4051.** Ne ja *EGL*

4052 Et pour ce que la guise est telle
Qu'on n'a sans mes avoirs nul bien,
Honneur ne pris, je vous di bien
Que maint s'efforcent a maint triche
4056 Parfournir pour devenir riche
Et n'estre au monde desprisié ;
Que se les bons fussent prisié
Pour leur sens et pour leurs vertus,
4060 Tieulx se sont souvent embatus
A faire mal pour mon avoir
Qui s'entendissent a savoir
Les vertueux biens prouffitables,
4064 Qui leur peussent estre valables.
Mais ainsi va. J'ay la maistrise
Du monde, et qui m'a, on le prise.
Pour ce, ma dame, je conclus
4068 Que cellui qui a d'avoir plus
Que homme du monde, couronné
Soit du monde, car tel regné
Lui appartient bien a avoir,
4072 Puis que il a plus qu'aultre d'avoir. »
¶ Lors dist Raison : « Richece, amie,
Certes, vous ne follignez mie ;
Se par nature estes haultaine,
4076 L'experience en est certaine.
¶ Vous, dame Sagece, qu'en dites ?
Vous semblent les raisons petites
Que Richece nous a comptees ?
4080 Les avez vous point escoutees ? *[204vb]*
Je croy que tost seriez d'acort ;
Or en dites vostre recort. »

---

* **4081.** serions (*corr. d'apr. ABCEFGL*)

** **4056.** Pour fournir *EGL* – **4081.** serions *D*

Et parce que les choses sont ainsi faites
que, sans une part de mon avoir,
on n'a ni avantage, ni honneur, ni mérite,
je vous assure que nombre de gens
s'essayent à la tricherie pour devenir riches
et s'éviter le mépris du monde ;
si les bons étaient prisés par le passé
pour leur sens et leurs vertus,
d'autres se sont souvent empressés
de faire le mal pour avoir de mes biens,
alors qu'ils étaient pleinement conscients
du profit qu'ils pouvaient tirer des vertus
et de la manière de les faire valoir.
Mais ainsi va le monde. J'en suis la maîtresse,
et on estime qui partage mon pouvoir.
Pour cette raison, ma dame, je conclus
que celui qui, de tout le monde, possède
le plus de richesses doit être couronné
prince du monde ;
c'est à lui que revient la possession d'un tel royaume,
puisqu'il possède plus que tout autre. »

Alors Dame Raison dit : « Richesse, mon amie,
vous ne démentez certes pas vos origines :
si vous êtes arrogante de nature,
vos paroles nous en font faire l'expérience.

Dame Sagesse, qu'en dites-vous ?
Les propos que Richesse nous a tenus
vous semblent-ils anodins ?
Leur avez-vous prêté un peu d'attention ?
Je crois que vous ne tarderiez pas à tomber d'accord ;
récapitulez-nous maintenant vos arguments. »

COMMENT DAME SAGECE PARLA ET CE QUE ELLE DIST

«Ma dame, certes, il me poyse,
4084 Dist Sagece, de tele noyse
Ouÿr, present vous, de paroles
Laides, orgueilleuses et folles.
Et se ne fust vostre presence,
4088 Et l'onneur et la reverence
Que on doit porter a jugement,
Ou il n'appartient nullement
Faire chose desavenant,
4092 Affin que elle en fust souvenant,
Je la batisse tant, la garce,
Qu'a mes piez la gitasse enverse,
L'orde paillarde perilleuse,
4096 Qui ose, tant est orgueilleuse,
Faire present vous telz procés,
De ses grans vanitez l'excés,
Et cuide que soiés si fole
4100 Que, pour sa louange frivole,
Un de ses chalens ordener
Doyés au monde gouverner!
Mais je croy qu'elle en deffauldra,
4104 Car ja en vous droit ne fauldra.
¶ Si respondray aux aultres dames,
Et puis a elle, et les diffames
Qui sont de son fait racontees
4108 Lui seront bien par moy nottees.
¶ Pour ce que Noblece tant loe
Son estat, je vueil bien qu'elle oe
Et sache que c'est que noblece.
4112 Et pour ce qu'elle n'est clergece
Pour les livres lire et entendre,
Lui vueil je ycy les raisons tendre

---

* **4097.** pröeces (*mais le premier* e *est barré; l'on a écrit, puis barré de la même façon dans C*)

** **Rubrique**: *seul le ms. R comporte une rubrique à cet endroit –*

COMMENT DAME SAGESSE PARLA, ET CE QU'ELLE DIT

« Ma dame, cela m'afflige,
répondit Sagesse, d'entendre proférer
devant vous de telles inepties
vilaines, orgueilleuses et folles.
N'était votre présence,
et l'honneur et la révérence
qu'il faut porter à un jugement –
où l'on se doit de s'abstenir
de toute inconvenance –
je ferais en sorte que Richesse se souvienne de moi :
je la battrais, la garce,
jusqu'à la terrasser.
Vile et nuisible saleté,
qui ose, tant elle est orgueilleuse,
plaider devant vous
dans sa vanité outrancière !
Et elle vous croit assez folle
pour investir du gouvernement,
suite à ses louanges inconsistantes,
l'un de ses protégés !
Mais je pense qu'elle subira un échec,
car vous ne manquerez jamais de faire ce qui est juste.
Je répondrai maintenant aux autres dames,
et puis à elle, en prenant bien soin
de souligner, à son intention,
les infamies qu'elle a racontées.
Comme Noblesse loue tant son état,
je souhaite qu'elle m'écoute
pour bien comprendre ce qu'est la noblesse.
Et parce qu'elle n'a pas la science nécessaire
pour lire des livres et les entendre,
je veux lui en exposer les raisons,

4084. Dist lors Sagesce *D* – **4087.** Et ne feust *G* – **4096.** tant estre *AB* Qui tant ose tant *C* – **4102.** Doie au bas monde *A* – **4108.** moy comptees *EFL manque dans G* – **4114.** rendre *AB* je cy *G*

Et apprendre que noblece est,
4116 Car ne scet mie bien que c'est.
Juvenal le pöete dit,
Ne nul sage n'y contredit,
Que nulle riens n'anoblist l'omme [205ra]
4120 Fors de vertus avoir grant somme.
¶ Un autre pöete nous notte
Que toute autre noblece est sotte
Fors celle qui fait le courage
4124 Aourné de vertu et sage.
¶ Et dit Böece en son tiers *Livre
De Consolacion*, qui livre
Grant reconfort contre tristece,
4128 Que inutile et vain de noblece
Est le nom, se il n'est fondé
Sus vertus qui l'ait amendé.
Car se noblece est denommee
4132 De la clarté de ligne amee,
Elle est estrange de cellui
Qui noble est nommé, car de lui
Ne lui vient cilz noms non parens,
4136 Ainçois le tient de ses parens.
"Comment, dist il, te pourra faire
Cler la clarté qu'aultrui esclaire
Së en toy n'a propre clarté,
4140 Ainçois en es tout deserté ?"
¶ Appuleyus, ou *Livre du Dieu
De Socrates*, dist en un lieu

---

* **4141.** (+*1*)

** **4117.** dist *CEFGL* – **4118.** contredist *EG* – **4122.** toute noblece *EGL* – **4125.** dist *DEFGL* – **4132.** lignee *AB* – **4137.** dit *AB* il il te *B* – **4139.** S'en toy ne n'a *EGL* – **4141.** de Dieu *EL* – **4142.** dit *C*

---

1. Juvénal (Decimus Junius Juvenalis) : v. 55-v. 140 apr. J.-C. Christine reprend cette citation du poète latin dans son *Livre du corps de policie* de 1406-7, II.13 : « riens n'anoblist l'omme excepté vertu ». Voir l'édition critique de ce texte par Angus Kennedy (Paris : Champion, 1998). – **2.** Voir les vers 209-212. – **3.** *De deo Socratis*. Apulée (Lucius Apuleius Theseus) : auteur latin du IIe siècle ap. J.-C. Dans une étude sur Christine de Pizan et Jacques le Grand,

et lui apprendre ce que noblesse signifie,
car elle ne le sait guère.
Le poète Juvénal écrit,
et nul sage ne le contredit,
que rien n'anoblit l'homme
sauf beaucoup de vertu[1].
Un autre poète observe
la sottise de toute noblesse
exceptée celle qui orne le cœur
de vertu et de sagesse.
De plus, Boèce dit dans le troisième livre
de sa *Consolation,* qui offre
un grand réconfort contre la tristesse[2],
que le nom de noblesse est inutile et vain
s'il n'est pas fondé
sur la vertu qui le parfait.
Car si on définit et apprécie la noblesse
en tant que lignage illustre,
elle est étrangère à celui
que l'on appelle noble,
car son nom glorieux ne se rapporte pas à sa personne;
il le tient de ses parents.
"Comment, demande Boèce, la clarté qui illumine
pourra-t-elle t'éclairer [autrui
si tu demeures obscur,
n'ayant pas en toi ta propre clarté?"
Apulée, dans son *Livre du dieu de Socrate*[3],
dit quelque part

Evancio Beltran cite plusieurs passages du *Communiloquium,* œuvre latine du franciscain anglais Jean de Galles, qui démontrent combien la dette de Christine envers cet ouvrage est importante. Les vers 4117-4145 du *Chemin* citent en effet Juvénal, Boèce et Apulée dans le même ordre et au même propos que le *Communiloquium.* Voir Beltran, « Christine de Pizan, Jacques Legrand et le *Communiloquium* de Jean de Galles », 220-221. Beltran poursuit: « ... on peut dire que le *Communiloquium*... a fourni [à Christine], à quelques exceptions près, le gros effectif de citations et d'exemples du *Chemin de long estude,* c'est-à-dire tout ce qu'elle attribue "aus dis des aucteurs", une bonne partie du *Livre du corps de policie,* et peut-être même l'occasion du livre et son thème », 221.

Qu'en consideracion d'ommes,
4144 On ne doit pas prisier .ii. pommes
Les choses qui ne sont pas siennes.
"Et j'appelle, dist il, non miennes
Ce que mes parens engendrerent
4148 En moy, qui mes vertus n'apperent."
¶ En la .c. et .xxiiii.[e]
Epistre, digne et tres haultiesme,
Saint Jerome si nous recorde
4152 Ce que maint autre sage acorde :
Que ne se doit gloriffier
Nul, n'en orgueil magniffier
De noblece, qui de char viengne.
4156 La cause pour quoy n'appartiengne
Dit : que les vertus ne les vices
Des parens, soient sage ou nices, *[205rb]*
Si ne font mie a imposer
4160 Aux enfans, fors tant comme user
Et ensuivir leurs meurs ilz veulent ;
D'autre chose ennoblir ne peulent.
¶ En un autre epistre cellui
4164 Dist, et voy cy les mos de lui :
"Je ne voy, dist il, autre bien
En noblece que on aime bien,
Mais que les nobles sont contrains
4168 Et par neccessité abstrains
A ce que ilz mie ne follignent
De la noblece dont ilz lignent
Leurs renoms, qu'ilz reputent gloire,
4172 Quant ilz sont de longue memoire."
¶ Et de ceulx qui font si grant compte

** **4146.** dit *AB* non si miennes *C* – **4150.** tres saintiesme *EFGL* – **4157.** Dist *ABEFG* – **4162.** anoblir *C* – **4163.** ycellui *EFGL* – **4167.** sont atrains *C* – **4169.** ilz ne forlignent *A* Afin que ilz mie *EGL* – **4172.** sont dignes de memoire *EGL*

---

1. Dans son ouvrage fondamental, *L'Épître d'Othéa, étude sur les sources de Christine de Pisan* (Paris : Champion, 1924), P.G.C. Campbell affirme que pour ses citations des Pères de l'Église, Christine « s'est servie presque uniquement du *Manipulus Florum* » (p. 166). Ce recueil de Thomas Hibernicus date du début du XIVe siècle ; Campbell souligne sa popularité en notant l'existence

qu'en matière d'hommes
l'on ne doit pas estimer plus de deux pommes
des choses qui ne sont pas les siennes propres.
"Parmi ces choses, dit-il, je compte
celles que mes parents engendrèrent en moi
qui ne manifestent pas mes vertus."
Dans sa digne et grandiose
cent vingt-quatrième épître,
saint Jérôme nous rappelle[1]
ce dont conviennent beaucoup d'autres sages :
nul ne doit se glorifier
ou se rengorger
d'une noblesse héritée du sang.
Ce serait une faute, dit-il,
parce que les vertus et les vices
des parents, que ceux-ci soient sages ou sots,
ne s'imposent pas aux enfants,
sauf dans la mesure où les jeunes veulent
se servir du modèle des mœurs parentales ;
rien d'autre dans leur lignée ne peut les anoblir
Dans une autre épître, Jérome parle
en ces termes :
"Je ne vois, dit-il, d'autre bien
dans cette noblesse tant prisée
que celui qui contraint
et astreint les nobles
à ne point déchoir
de la noblesse dont ils tirent leur renom,
à en soutenir la gloire
lorsqu'il est notoire de longue date."
Valère lui aussi parle dans son livre[2]

---

de trente-cinq manuscrits en France. – **2.** Valère Maxime, *Actions et paroles mémorables* (*Facta et Dicta Memorabilia*, v. 27-37 av. J.-C.). Didier Lechat relève onze passages de cet ouvrage (dans sa version française) auxquels Christine a puisé ; voyez son analyse dans « L'Utilisation par Christine de Pizan de la traduction de Valère Maxime par Simon de Hesdin et Nicolas de Gonesse dans *Le Chemin de long estude* », sous presse, dans les actes du 3e Colloque International sur Christine de Pizan, éd. Eric Hicks, Paris : Honoré Champion. Angus Kennedy examine l'importance de Valère Maxime comme source de Christine dans *Le Livre du corps de policie* dans son excellente introduction au texte, pp. XXVI-XXXVII.

De leur noblece, qui pou monte
Se vraye vertu ne l'esclere,
4176 En parle en son livre Valere.
Si en donne plusieurs exemples,
Mais ne les diray pas tous emples,
Car peut estre que j'anuyeroie.
4180 Mais du noble qui se desroye
Et forligne de sa noblece,
Dist cellui que tel gentillece
Monstrueuse on doit appeller
4184 Gentilz sauvages, a parler
Proprement, fiens couvers d'ordure,
Vaissel d'orgueil, plain de laidure.
¶ Un autre sage si recorde
4188 Des nobles, se je m'en recorde :
Il dit que yceulx qui si se tiennent
Nobles, et seulement se tiennent
A la noblece du lignage
4192 Dont ilz sont, sans que leur courage
Ne leurs meurs de riens en amendent,
Ressemblent les fiens qui resplandent
Pour le souleil qui dessus est,
4196 Mais fors ordure dessoubz n'est.
¶ Crisostome, ce n'est pas guile, *[205va]*
Dit dessus Mathieu l'Evvangille
Cestes meismes propres paroles
4200 Que je diray, non pas frivoles :
Cellui est cler, cellui est hault,
Cellui est noble et cellui vault,
Cellui bien sa noblece garde
4204 De qui vertu et sens le garde
Si qu'il ne se daigne asservir
A nulx vilains vices servir,
Ains surmonte par vive force
4208 Toute chose a vilté amorse.

** **4180.** Mes du monde *D* – **4181-2.** *invertis dans C* – **4182.** Dit cellui *ABC* – **4185.** Proprement et couvers *ABCDEFGL* – **4189.** dist *EG* que ceulz qui *ACEGL* – **4198.** Dist sus de *EFGL* – **4204.** sens la garde *CD* – **4206.** nul villains vice *C*

de ceux qui font si grand cas
d'une noblesse qui les élève peu,
sans la lumière de la vraie vertu.
Il en donne maints exemples,
que je n'exposerai pas en long et en large,
car je pourrais vous ennuyer.
Mais au sujet du noble qui se dévoie
et dément sa noblesse,
il dit que pour parler correctement,
l'on devrait appeler ces monstres dégénérés
des gentilshommes barbares ;
couverts d'ordure,
ce sont des vaisseaux d'orgueil, des poches de hideur.
Si j'ai bonne mémoire,
un autre sage décrit les nobles ainsi :
il dit que ceux qui se considèrent si dignes,
et ne tiennent qu'à la noblesse
du lignage dont ils descendent,
sans que leur volonté ni leurs mœurs
ne contribuent à les améliorer,
ressemblent au fumier, qui resplendit
lorsque le soleil brille dessus,
mais s'avère au fond n'être que de l'ordure.
En toute vérité, Chrysostome
dit sur l'Évangile de Matthieu[1]
les paroles mêmes que je transcris ici,
et qui sont des paroles de poids :
L'homme qui se distingue, l'homme de grandeur,
l'homme qui est noble, l'homme de valeur,
l'homme qui sait préserver sa noblesse,
est celui que la vertu et l'esprit fortifient
de sorte qu'il ne daigne pas s'asservir
au joug d'un vice dégradant,
mais surmonte d'une force infatigable
tout ce qui le tire vers le bas.

---

1. Saint Jean Chrysostome, Père de l'Église (IVe siècle). Dans son étude sur les sources de Christine, P.G.C. Campbell cite le passage latin du *Manipulus Florum* (sous l'article « Nobilitas ») que Christine adapte ici. Campbell, 167.

¶ Or ay par mainte auctorité
Prouvé comment c'est verité
Que noblece qui vient de sanc
4212 Et de lignee, n'est que fanc
Et boe, se vertu n'y est,
Car le corps de soy nobles n'est,
Ains est un sac tout plain d'ordure;
4216 Et que la noblece qui dure
Et rent l'omme tres anobli,
Ce sont vertus; car pas n'oubli
Que dame Noblece contoit
4220 Qu'a nulle autre riens n'acontoit,
Fors a noblece de lignee.
Mais el n'est pas bien enseignee;
Si soit son esleu debouté,
4224 S'il n'a plus qu'aultre de bonté;
Car sa noblece c'est, du mains
Quant a perfection, de humains.

CY DEVISE
QUELX CONDICIONS LES CHEVALIERS DOIVENT AVOIR

Or vueil je faire mencion
4228 Com faite la condicion
De chevalier doit par droit estre;
Et se chevalerie empestre
Au monde les chevaliers telz
4232 Entre les estas haulx montez,
Ilz doivent bien estre par droit.
Si deviseray orendroit *[205vb]*
De l'ordre les dis des docteurs,
4236 Qui oncques n'en furent menteurs.

---

* **4231.** ti (*corr. d'apr. ABCDEFGL*)

** **4217.** Et tient l'omme *EG* – **4220.** n'y acomptoit *EGL* – **4222.** Mais il *EL* – **4224.** deboutè *EFGL* – **4226.** perfection humains *AB* – **Rubrique**: Les meurs que bon chevalier doit avoir selon les dis

Voilà ; à l'aide de nombreuses autorités,
j'ai prouvé combien il est vrai
que la noblesse de sang et de lignée
n'est que fange et boue
si la vertu ne s'y rajoute pas ;
car le corps n'est pas noble en soi ;
c'est un sac plein d'ordure.
La seule noblesse qui dure
et élève l'homme
est celle des vertus ;
n'oublions pas que dame Noblesse expliquait
qu'elle ne tenait compte de rien
sauf de la noblesse de lignage.
Elle n'est pas bien instruite ;
refusons donc son candidat,
s'il n'est pas meilleur qu'un autre,
car sa noblesse, mesurée à l'idéal,
n'est jamais qu'une qualité humaine.

OÙ L'ON EXPLIQUE LES QUALITÉS NÉCESSAIRES AUX BONS CHEVALIERS

Maintenant je voudrais faire mention
de ce en quoi doit consister
la vraie condition de chevalier ;
si l'esprit de chevalerie
lie les chevaliers du monde,
il doivent, selon toute justice,
occuper un rang élevé.
Je rapporterai à présent au sujet
de l'ordre de chevalerie les sentences des savants,
à qui l'on peut toujours se fier.

---

des aucteurs *A la rubrique manque dans BEGL* Les condicions que chevaliers doivent avoir *C* Les condicions que bon chevalier doit avoir selon les dis des aucteurs *D* Ci devise les condicions que chevalier doit avoir selon les dis des aucteurs *F* – **4229.** chevalier dont par *C* Du chevalier *EGL*

Vegece, qui parle de l'art
De chevalerie, en son quart
Livre dit que .ii. choses sont
4240 Les quelles le chevalier font :
C'est a savoir elleccion,
Et l'autre est la perfeccion
Du sacrement qui y doit estre,
4244 Tant soit le gentilz homs grant maistre.
Car mieulx s'en devroit reposer
Que de chevalerie user
Nul, s'il n'est singulierement
4248 Esleu par droit nottablement,
Car cellui nom de chevalier
Selon le latin de miller
Est dit, voire a l'entencion
4252 De son interpretacion.
Car Romulus, qui fonda Romme,
De plusieurs hommes prist la somme
De mille, tous les plus esleus,
4256 Qui furent les meilleurs sceüs,
Et *millites* lors appella
Chevaliers ; autant vault cela
A dire comme d'un miller
4260 Esleus et pris pour batailler.
¶ Estre y doit fait le sacrement
A Dieu et au prince ; aultrement
L'eleccion a son droit ordre
4264 Ne seroit faite, et pour ce "*l'ordre*
De chevalerie" on l'appelle,
Qui quant bien est gardee, est belle.
¶ Et pour le droit mistere ensuivre,
4268 Diray que recite le livre
De *Pollicratique*, qui dit

** **4240.** les chevaliers *EGL* – **4245.** devoit *AB* – **4247.** si n'est *EL* – **4265.** on appelle *C* – **4266.** Que quant *FGL* quant est bine g. *D* bien gardé est *G* – **4268.** recite en un livre *ABD* en son livre *EGFL* – **4269.** Le *ABDEFGL*

---

1. Végèce (Flavius Vegetius Renatus) : fin du IVe-début du Ve siècle. Auteur d'un *Traité de l'art militaire* (*Epitoma rei militaris*)

Végèce, qui parle de l'art
de la chevalerie[1], dit dans son quatrième
livre que deux choses
font le chevalier, à savoir
l'élection à la dignité,
et l'intégrité du serment
que l'élu doit prêter à l'ordre,
quelles que soient les capacités du gentilhomme.
Car il vaudrait mieux se retirer
que se prévaloir de sa chevalerie
si l'on n'a pas été spécialement,
expressément élu, à bon droit.
Ce nom de chevalier
a son parallèle latin dans le mot "millier",
qui nous aide
à discerner son sens.
Romulus, le fondateur de Rome,
parmi de nombreux hommes
en compta mille, les plus éminents
et les plus renommés,
et il appela ces chevaliers
sélectionnés pour la bataille
milites,
ce qui veut dire "mille".
Il faut faire un serment
à Dieu et à son prince ; autrement,
l'élection n'est pas dans les règles selon l'ordre établi ;
c'est pour cela, d'ailleurs,
que l'on dit *l'ordre* de la chevalerie ;
sa beauté invite à la préserver.
Pour élucider les vraies vertus de cet état,
je dirai ce que raconte
le livre du *Policraticus*[2] :

---

qui fut la source principale du *Livre des fais d'armes et de chevalerie* de Christine (1410). – **2.** Jean de Salisbury présenta son *Policraticus* au roi Henri II d'Angleterre en 1159. Il fut traduit en français par Denis Foulechat en 1372, et un exemplaire entra à la bibliothèque royale. Christine aurait pu l'y consulter, mais le fait que le livre disparaît des registres de l'inventaire du roi après 1380, après que le duc d'Anjou l'emprunta, nous amène à penser

Que le chevalier par edit
Prent son espee de l'autel,
4272 En signe qu'il doit estre tel ;
C'est assavoir qu'il deffendra *[206ra]*
L'Eglise de qui l'assauldra,
Et si honnourera prestrise.
4276 Toute peine par lui ert mise
A garder la foy catholique,
Et le peuple et le bien publique,
Les orphelins, aussi les femmes,
4280 Et le bon droit des vesves dames.
Pour sa contree s'armera,
Son prince de cuer amera,
Et pour lui espandra son sanc,
4284 Se mestier est ; et sus le flanc
Pour ce porte l'espee çainte,
En signe que par lui ert raimte
La contree, et bien deffendue
4288 A son povoir. En guise deue
Rapaisera debat d'amis,
Et deffendra des ennemis
Cellui paÿs qui l'assauldroit,
4292 Et prest sera pour garder droit.
Tieulx en sont les poins par droit compte,
Et ainsi l'aucteur le raconte.
¶ Encore veult Vegece apprendre
4296 Quel gent on doit eslire et prendre
Pour a ce degré anoblir.
Si dit que l'en doit establir
Ceulx qui plus ont accoustumé
4300 A gesir souvent tuit armé

** **4273.** C'est a dire qu'il *A* – **4274.** il l'assauldra *EGL* – **4275.** Et honnourera *EFGL* – **4276.** Par lui sera peine mise *EFGL* – **4286.** lui est *EGL* – **4288.** povoir aguise *B* – **4290.** Et gardera *EGL* – **4292.** sera de garder *AB* – **4299.** qui ont plus *EFGL*

---

que Christine se servit d'un autre exemplaire. D'un grand renom, l'œuvre était largement diffusée. Voir l'essai d'Eric Hicks, « A Mirror for Misogynists : John of Salisbury's *Policraticus* (8.11) in the

un édit proclame que le chevalier
doit prendre son épée de l'autel,
en signe de ce qu'on attend de lui ;
c'est-à-dire qu'il défendra l'Église
contre ceux qui l'attaquent,
et qu'il honorera le clergé.
Il mettra tous ses soins
à protéger la foi catholique,
le peuple, le bien public,
les orphelins, les femmes,
et les droits des veuves.
Pour son pays, il prendra les armes ;
il aimera de tout cœur son prince,
et sera prêt à répandre son sang pour lui,
s'il en est besoin ; pour cette raison,
il se ceint une épée au côté ;
c'est le signe que jusqu'aux limites de ses forces,
il défendra et délivrera son pays.
Il trouvera le bon moyen
de dissiper des querelles d'amis,
secourra son pays
contre tout assaut ennemi,
et sera prompt à faire respecter la justice.
Tel est le compte des réquisits
au dire de l'auteur.
Végèce cherche encore à enseigner
quelles gens on doit élire
à cet anoblissement.
Il dit que l'on doit choisir
ceux qui sont plus accoutumés
à dormir avec toutes leurs armes

Translation of Denis Foulechat (1372) », dans E.J. Richards, ed., *Reinterpreting Christine de Pizan* (Athens, Georgia : University of Georgia, 1992), 77-107, et surtout, pour la question de la transmission du texte, la page 78 et les notes 7 à 9. Voir aussi Kate Langdon Forhan, « Polycracy, Obligation, and Revolt : The Body Politic in John of Salisbury and Christine de Pizan », dans Margaret Brabant, ed., *Politics, Gender and Genre : The Political Thought of Christine de Pizan* (Boulder, Colorado : Westview Press, 1992), 33-52 ; surtout la page 47 et la note 18.

A descouvert et a la pluye,
Que froit ne faim ne leur anuye
A souffrir et toute mesaise,
4304 Et pou accoustumé leur ayse,
Que ceulx qui leur ayse pourchacent
Et au repos tirent et chacent.
¶ Que l'Eglise ayent en grant compte,
4308 Le *Policratique* racompte
Que les chevaliers qui faisoient
Les beaulx fais jadis qui plaisoient,
Et les nobles et grans conquestes,
4312 Aux dieux les prinses plus honnestes *[206rb]*
Et les despoulles des victoires
Qu'ilz avoient les plus nottoires,
Ilz consacroient a leurs dieux.
4316 Si doivent ancor valoir mieulx
Ceulx qui sont adés crestïens,
Que les chevaliers ancïens.
¶ A ce propos que labourer
4320 Doivent a l'Eglise honnourer,
Valerïus fait mencion
Du conte et grant devocion
Que Julïus Cesar tenoit
4324 A ses dieux ; car il ordenoit
Qu'en tous les paÿs de conqueste
Ou il aloit, que ja moleste
Ne grevance on ne feist aux temples.
4328 Et racompte teles exemples
Comment oncques l'ost de Bremus
Vaincu estre ne pot de nulz,
Jusque a tant qu'orent despoullé
4332 Le temple Appollo et pillé.
¶ Et comment chevalier ne doye
Doubter la mort par nulle voye,
Nous dit Valere en son tiers livre

---

* **4335.** Nous *est un rajout*

** **4303.** trestoute *EFGL* – **4325.** Que tous *EGL* – **4327.** on feist *EGL* – **4330.** estre de petit de nulz *G* – **4335.** Dist Valere *ABDEFGL* Dit Valere *C*

à la belle étoile et sous la pluie,
ceux qui ne rechignent pas à souffrir
le froid, la faim et d'autres épreuves,
ayant peu l'habitude du confort.
Ils valent mieux que ceux qui ne pensent
qu'à prendre leurs aises et qui aspirent au repos.
Pour montrer qu'il faut révérer l'Église,
le *Policraticus* raconte
que jadis, les chevaliers
qui faisaient de beaux exploits,
et de grandes et nobles conquêtes,
pour se gagner la faveur de leurs dieux,
offraient à ces déités
les prises de guerre les plus précieuses
de leurs victoires les plus célèbres.
Les chevaliers d'aujourd'hui, qui sont chrétiens,
doivent sans doute valoir mieux
que ceux d'antan.
À ce même propos,
qu'il faut se consacrer à honorer l'Église,
Valère cite
la grande dévotion
que Jules César témoignait
à ses dieux : dans tous les pays
où il marchait en vainqueur il ordonnait
que l'on n'endommage en rien
les temples sacrés.
Valère donne d'autres exemples,
comme celui de Brennus, dont l'armée
n'avait jamais souffert de défaite
jusqu'au jour où elle dépouilla
et pilla le temple d'Apollon[1].
Et que le chevalier
ne doit craindre la mort, en aucun cas,
Valère le dit dans son troisième livre :

---

1. Brennus : chef militaire gaulois du IIIe siècle av. J.-C. ; après s'être battues avec succès dans le nord de la Grèce, ses troupes furent défaites à Delphes. Il se suicida pendant la retraite forcée des Gaulois.

4336 Que, pour droit garder et poursuivre,
Cellui n'est mie chevalier
Qui pour mort doubte a batailler.
¶ Exemple donne d'un vaillant
4340 Prince, moult preux et travaillant,
Qui assembler un jour devoit
A bataille. Lui qui avoit
Grant sens, a ses barons disner
4344 Donna et leur dist : "Ordener
Nous devons tous et disposer
D'en enfer ainsi repposer
Et nous soupper ancore nuit,
4348 Com si disnons ensemble tuit."
Ce leur dist pour eulx ennorter
A toute paour d'eulx oster,
Et que nulle riens ne doubtassent, *[206va]*
4352 Ains com pour mourir s'apprestassent.
¶ Les meurs que chevalier avoir
Doit, Valere le fait savoir :
Honnestes, chastes, voir disans,
4356 Droituriers et non mesdisans
Et eulx bien garder de luxure.
Car quant tel vice leur cuert sure,
Leur renom fait appeticier
4360 Et leur prouece amenuisier.
¶ Un exemple Valere donne
D'un chevalier dont il raisonne,
Cornelius Scipio nommez,
4364 Que tantost com fu assesmez
Et ordenez pour batailler,
Il commenda a retailler
Les supperfluitez de l'ost.
4368 Ce fu que il ordena et vost :
Que les folles femmes qui traictes
S'estoient en l'ost, hors retraittes

** **4347.** anuit *AB* – **4348.** Com cy souppons *C* – **4351.** n'en doutassent *B* – **4365.** Et aprestes pour *C*

1. Cornélius Scipion, ou Scipion Émilien (Publius Cornelius Scipio Aemilianus Africanus Minor). 185-129 av. J.-C. Homme poli-

lorsqu'il s'agit de préserver et de rechercher la justice,
on n'est pas un chevalier
si l'on redoute de se battre par crainte de la mort.
Il rapporte l'exemple d'un prince vaillant,
très preux et dévoué à son devoir,
qui un jour devait rassembler ses troupes pour une [bataille.
Homme d'une fine intelligence,
il convoqua ses barons à déjeuner
et leur dit : "Nous devons tous
nous préparer et nous disposer
à nous retrouver ainsi aux enfers,
et à y souper cette nuit
comme nous déjeunons ensemble à présent."
Il fit ce discours pour les exhorter
à abandonner toutes leurs craintes ;
sans s'effrayer de rien ni personne
ils devaient s'apprêter à mourir.
Valère fait savoir
les mœurs que les chevaliers doivent avoir :
il seront honnêtes, chastes, sincères,
et droits ; ils ne médiront pas,
et éviteront la luxure,
car lorsqu'un tel vice gagne leur cœur
il diminue leur renom
et amoindrit leur prouesse.
Valère propose un exemple
d'un chevalier nommé
Cornélius Scipion[1],
qui, dès qu'il fut armé
et prêt pour le combat
donna l'ordre de retrancher
de l'armée les personnes superflues.
Il entendait par ce commandement
que les filles de joie
qui s'étaient jointes à la compagnie

---

tique et général. Petit fils adoptif de Scipion l'Africain. Il conquit Carthage et l'Espagne pour Rome. Didier Lechat cite le livre II, ch. 7 des *Actions et paroles mémorables* comme source de ce passage (« L'Utilisation par Christine... »).

En fussent, affin qu'empescher,
4372 Pour l'ocasion de pecher,
La victoire ne peussent pas.
Ainsi fu fait. Si fu le cas
Tel que la bataille gaignerent,
4376 Pour ce que pecher ne daignerent.
Et ains avoient moult perdu,
Dont tuit estoient esperdu.
¶ Le *Policratique* recite
4380 Que toudis estoit desconfite
La gent de Parche et a mal ché
Pour de luxure le peché,
Ou durement excercitoient,
4384 Et toute l'entente y mettoient.
¶ Aussi le royaume d'Assire,
Qu'estre des autres souloit sire,
Si en fu du tout bestourné
4388 Et a la fin a mal tourné.
¶ Comment chevaliers doivent estre
Sobres et sans trop eulx repaistre, *[206vb]*
De ce Sentorïus raconte
4392 La ou il des Cesares compte
La vie, que les chevaliers
De Jules Cesar bataillers,
Mesaise et fain souvent souffroient,
4396 Non pas seulement quant estoient
Assigié, mais quant assigioient,
Sobrement et petit mengioient.
Et la il racompte comment
4400 Pompaius disoit ensement
Que la vie des bons vaillans
Chevaliers, preux et traveillans,
Doit estre o les bestes sauvages
4404 Commune en pasture d'erbages,
C'est a dire que, sans dongier,

** **4378.** Dont tous estoient moult esperdu *G* – **4381.** Perse *ABCD* – **4382.** de peché *L* – **4383.** s'excercitoient *EGL* – **4384.** leur entente *C* – **4394.** *manque dans C* – **4395.** et froit *EGL* – **4402.** Chevaliers et preux t. *EGL* – **4404.** Comme en *ABDEFGL*

devaient être exclues
pour qu'elles ne puissent pas empêcher la victoire
en donnant aux hommes l'occasion de pécher.
On obéit, et il se trouva
qu'ils gagnèrent la bataille
pour avoir refusé le vice ;
auparavant, ils avaient beaucoup perdu,
et en étaient désespérés.
Le *Policraticus* rapporte
que les gens de Perse
se sont toujours détruits
à cause du péché de luxure,
auquel ils s'adonnaient assidûment,
y concentrant toute leur attention.
Ainsi du royaume d'Assyrie,
qui avait l'habitude de dominer les autres :
il en fut tout corrompu,
et connut une mauvaise fin.
La nécessité pour les chevaliers
d'être sobres, et non goulus
est un des thèmes de Suétone
dans le livre où il raconte la vie des Césars[1] ;
les chevaliers qui se battaient
pour Jules César
souffraient souvent de privations, et de la faim ;
ils mangeaient peu et simplement,
non seulement lorsqu'ils étaient assiégés,
mais lorsqu'ils livraient le siège.
Suétone raconte encore
que Pompée également disait[2]
que la vie des bons vaillants,
des chevaliers preux et dévoués
devait être celle des bêtes sauvages
qui paissent ensemble l'herbe des prés ;
il voulait dire par là

---

1. Suétone (Caius Suetonius Tranquillus) : v. 70-après 128. Célèbre pour ses *Vies des douze Césars*, des biographies anecdotiques des empereurs romains. – **2.** Pompée (Gnaeus Pompeius Magnus) ; 106-48 av. J.-C. Rival militaire et politique de Jules César.

Doit estre commun leur menger.
¶ Comment chevaliers fors et surs
4408 De male acquisicion purs
Doivent estre et quitte et delivre,
En parle Vegece ou quint livre
De sa *Chevalerie*, ou notte
4412 Que Chaton ordena tel notte
Que nul si hault chevalier n'eust
En son ost, qui punis ne fust
Së il commettoit pillerie.
4416 Dont un de sa chevalerie
Fu une fois par lui repris
De la route s'estre despris,
Et il dit en soy excusant
4420 Que pour rober n'aloit musant.
Chaton dist qu'il ne souffisoit
Et qu'a nul vaillant ne loisoit
Donner cause de souspeçon,
4424 Et ne feist ores mesfaçon.
¶ Saint Augustin a ce propos
Si dit ou livre de prepos
De Nostre Seigneur, que l'en peut
4428 Justement guerroier qui veult;
C'est assavoir, pour la publique *[207ra]*
Chose garder, il est licite.
Mais les chevaliers qui ce faire
4432 Doivent, se pour l'autrui soubtraire
Le font, ilz oeuvrent malement,
Car ilz y font leur dampnement.
¶ Que chevaliers doient fuïr
4436 Oyseuse, vous povez ouÿr
Que Valerïus en recite,
Et comment il loe excercite.
Dist que Metellus a ses gens

** **4410.** ou quart *EFGL* – **4411.** Que sa *EGL* – **4420.** pour pillier *C* – **4426.** du prepos *B* du propos *EGL* – **4438.** l'excercite *C* et exercite *EGL*

---

1. Caton (Marcus Porcius Cato Censorius): 234-149 av. J.-C. Homme d'état et chef militaire romain. – **2.** Saint Augustin : Père de

que leur nourriture doit être la même pour tous.
Que les chevaliers doivent être forts et fiables,
purs de tout bien mal acquis
et exempts de tout soupçon,
Végèce en parle dans le cinquième livre
de son traité de chevalerie,
où il note que Caton proclama[1]
qu'il n'avait nul chevalier dans son armée,
quelle que fût la hauteur de son rang,
qui ne serait puni s'il commettait le pillage.
Il reprit une fois
un des siens
pour s'être écarté de la troupe ;
l'autre répondit en s'excusant
qu'il ne l'avait pas fait pour voler.
Mais Caton riposta que cela ne suffisait pas,
et qu'il n'était permis à aucun homme vaillant
de laisser naître sur son compte des soupçons ;
désormais, il devait se garder de tels méfaits.
À ce propos, Saint Augustin écrit[2]
dans son livre sur les paroles de Notre-Seigneur
que l'on peut livrer une guerre juste
à qui l'on veut ; c'est-à-dire,
si l'on défend la chose publique,
la guerre est légitime.
Mais si les chevaliers qui doivent se battre
le font pour soustraire un pays à d'autres,
ils œuvrent pour le mal,
et préparent leur propre damnation.
Que les chevaliers doivent fuir l'oisiveté,
vous pouvez l'apprendre
chez Valère
qui fait l'éloge de l'exercice.
Il dit que Métellus défendit à ses gens[3]

---

l'Église, 354-430 av. J.-C. – **3.** Metellus (Quintus Caecilius Metellus Macedonicus) : Chef militaire romain, IIe siècle avant J.-C. Christine évoque de nouveau Metellus dans *Le Livre du corps de policie* à propos de la hardiesse et l'entraînement qu'il exigeait de ses troupes : livre I, ch. 28, lignes 31-44.

4440 Deffendi qu'ilz n'eussent sergens
Ne varlet nul, tant fust vaillant
Chevalier, ne tant eust vaillant,
Ainçois eulx meismes se servissent,
4444 Leurs armes portassent et feissent
Ce qu'estoit neccessaire en l'ost.
Ainsi l'ordena et le vost.
¶ Et dit Vegece a ce propos
4448 Quë a celle fin que repos
Trop grant ses chevaliers n'eüssent,
Il ordena quë ilz deüssent
Aydier a parfaire les nez
4452 Ou devoient estre menez.
¶ Que chevaliers en toutes pars
Doient es armes estre expers
Et enroidis par grant pratique,
4456 En parle le *Policratique*,
Qui dit que excercitacion,
Science et bonne entencion,
Desir de la chose publique
4460 Deffendre contre force oblique,
Fit vaincre les vaillans Rommains
Et surmonter royaumes mains.
¶ Trogus Pompeyus au propos
4464 Dist d'Alixandre, qui repos
Ot petit, tant comme il vesqui,
Que les batailles qu'il vainqui
Fu plus pour cause des expers
4468 Chevaliers, fors, durs et appers *[207rb]*
Qu'il avoit, que pour grant foison
Qu'il en eust en nulle saison.
Que chevaliers plus de pensee
4472 Et constance bien appensee

---

* **4448.** Que assica afin (*corr. d'apr. F*)

** **4442.** *manque dans E* – **4446.** et voust *C* – **4447.** dist *ADFEL* – **4448.** Que assiqu a afin *AD* Que assique afin *B* Que asica affin *C* Que a ce qu'afin *EGL* – **4467.** plus par cause *AB*

d'avoir le moindre domestique ou valet,
quelle que fût leur vaillance au combat
ou la grandeur de leur fortune ;
ils devaient se servir eux-mêmes,
porter leurs armes,
et s'occuper dans l'armée de tout le nécessaire :
tels furent ses ordres, tel son souhait.
Végèce dit à ce sujet
qu'afin d'éviter un trop grand repos
à ses chevaliers,
il ordonna qu'ils participent
à la construction des navires
dans lesquels ils allaient monter.
Que les chevaliers en tout point
doivent être experts aux armes
et endurcis par une pratique fréquente,
le *Policraticus* en parle ;
le livre dit que l'exercice,
la science, les bonnes intentions,
et le désir de défendre la chose publique
contre les forces hostiles
permirent aux vaillants Romains
de vaincre et de dominer de nombreux royaumes.
Trogue Pompée dit d'Alexandre[1],
qui s'accorda peu de repos
sa vie durant,
que ses victoires sur le champ de bataille
devaient plus au fait que ses chevaliers
étaient experts, forts, durs et habiles
qu'au grand nombre qu'il en eut
en quelque saison que ce fût.
Que la force des chevaliers doit résider
dans leur esprit et dans leur mûre détermination

---

1. Trogue Pompée (Trogus Pompeius) : Ier siècle av. J.-C. L'un des quatre grands historiens latins, avec Salluste, Tite-Live et Tacite. Auteur des *Histoires philippiques*, conservées dans le résumé qu'en donne Marcus Junianus Justinus dans son *Histoire universelle* (vers la fin du IIe siècle apr. J.-C.). Christine dit aussi bien « Justin » que « Trogus Pompeyus » en faisant référence à l'auteur de cette œuvre dans ses écrits.

Doient estre fors que de corps,
Egesippus dit en ses recors
Qu'a chevalier plus tost esleu
4476 En l'ost des Rommains par droit deu
Estoit, qui vertueus de meurs
Fust, que un qui fust fors, roide et durs.
¶ Et pour bonnes meurs approuver,
4480 Je puis par exemple prouver.
Vegece dit de Scipion
L'Affrikant, le bon champion,
Qui tant estoit vaillant et fors,
4484 Que quant il ot par ses effors
Le paÿs d'Espaigne conquis
Et pour les Rommains tout acquis,
Entre les femmes prisonnieres
4488 Ou il ot de plusieurs manieres,
Lui fu une noble pucelle
Amenee, excellemment belle,
Qu'il en feïst sa voulenté.
4492 Mais comme bien entalenté,
S'en garda bien ; garder la fist
Sauvement, ne ne lui mesfist.
Sa char vainqui par fort courage,
4496 Et la pucelle en mariage
Donna a un noble baron
Et de l'avoir a grant foison.
Dont quant si grant franchise virent
4500 Les Espaignolz, tous se rendirent
A lui par bonne entencion,
Si com l'aucteur fait mencion.
¶ Mais puis que je vois enquerant
4504 Des bons chevaliers, et querant
Par les anciannes histoires,
Pour quoy ne dois je les nottoires
Choses compter, qui avenues *[207va]*

** **4475.** Que *C* – **4477.** des meurs *B* – **4480.** Le puis *EGL* – **4483-4484.** Que quant il ot par ses effors / Com preux chevalereux et fors *F* Quant il eut par ses effors / Com preux chevaleureux et fors *EGL* – **4496.** pucelle a m. *EFGL*

davantage que dans leurs corps,
Hégésippe le note dans ses mémoires[1] :
dans l'armée romaine, on avait plus de chances
d'être dûment élu au rang de chevalier
en faisant preuve de mœurs vertueuses
qu'en étant fort, dur, et aguerri.
Pour démontrer ce que sont les bonnes mœurs,
je procéderai par exemples.
Végèce dit de Scipion l'Africain,
ce valeureux champion,
plein de vaillance et de force,
que lorsqu'au prix de ses efforts
il eut conquis l'Espagne
pour la gloire de Rome,
et que parmi les femmes prisonnières,
de conditions diverses,
on lui amena une noble jeune fille
d'une beauté exquise
en lui disant de faire d'elle tout ce qu'il voudrait,
il fit preuve de résolution,
et s'absint ; il la fit garder
en toute sécurité, et ne lui fit aucun mal.
Il vainquit sa chair avec un cœur ferme
et donna la jeune fille en mariage
à un noble baron,
ainsi que des présents généreux.
À la vue d'une si grande noblesse,
les Espagnols se rendirent tous
à Scipion en témoignage de respect,
ainsi que l'auteur le rapporte.
Mais puisque je m'enquiers
des bons chevaliers, pourquoi ne chercher
que dans l'histoire ancienne ?
Je devrais conter
les faits célèbres

---

1. Hégésippe (v. 390-325 av. J.-C.) : Homme d'État athénien, contemporain de Démosthène.

4508 Sont de nouvel dessoubs les nues ?
Car des bons chevaliers est il
Encore ; mais d'un moult gentil
Diray, qui adés est en vie,
4512 Qui n'a fors de bien faire envie.
Si est des parties de France,
Le bon, vaillant, plain de souffrance,
De la terre de Bourbonnois,
4516 Qui n'aconte a tresor .ii. nois,
Fors au tresor de gentillece,
Ou il a mis sa soubtillece.
Lui qui est digne de renom,
4520 De Chastel Morant a surnom.
Si est voir que la cité noble
Qu'on appelle Constantinnoble,
Pour sa valeur, par l'ordonnance
4524 Du roy françois en gouvernance
A eue et a, com chevetaine
De la gent loyal et certaine
Françoise, qui la sont commis
4528 Pour deffendre des ennemis
Mescreans la cité nobile.
Et si bien ont gardé la ville
Qu'onc puis que les vaillans y furent,
4532 Mescreans sur eulx povoir n'urent.
Et pour celle ville voisine
Des mescreans, si grant famine
Y a esté qu'a grant dongier
4536 Y povoit avoir a mengier.
Avint pour l'outrageuse fain
Une gentil femme qui pain
N'avoit a mengier, mais foison
4540 D'enfans avoit en sa maison,

** **4523.** valeur pour *EGL* – **4525.** et com c. *EGL* – **4538.** Qu'une *DEFGL*

---

1. Jean de Châteaumorant (1352-1429) : chevalier français qui a combattu contre les Anglais, avant d'être envoyé à Constantinople pour préserver cette ville contre les Turcs. Il arriva à Paris en sep-

qui ont vu le jour ces derniers temps,
car il existe encore de bons chevaliers.
Je parlerai d'un homme fort noble,
qui vit de nos jours,
et qui ne désire faire que le bien.
Cet homme bon, vaillant et plein de patience
vient d'une terre de France ;
celle du Bourbonnais.
Sa fortune ne se monte pas à deux noix,
si ce n'est le trésor de noblesse,
où il a investi toute sa subtilité.
Cet homme digne de renom
s'appelle Châteaumorant[1].
Il est vrai qu'à cause de sa valeur,
le roi français
lui a confié la garde
de la noble ville de Constantinople ;
il est chef
de la compagnie française,
loyale et fiable,
chargée de défendre la noble cité
contre les ennemis mécréants.
Les vaillants ont si bien gardé la ville
que depuis leur arrivée,
les Infidèles n'eurent aucun pouvoir sur eux.
Dans la ville des Infidèles,
voisine de Constantinople,
il y a eu une famine si terrible
que l'on avait grand-peine à se nourrir.
Il advint que, torturée par la faim,
une femme noble
qui n'avait pas de pain,
mais une maisonnée pleine d'enfants,

---

tembre 1402, avec la nouvelle que cette menace avait été écartée, Tamerlan ayant défait Bayazid en juillet. Châteaumorant raccompagna à Constantinople l'empereur byzantin, qui séjournait à Paris. Voir Willard, « Une source oubliée... », 325, et aussi l'article de Shigemi Sasaki, « Chateaumorant et *Le Chemin* de Christine de Pizan – à propos des "ruines" de Constantinople », surtout les pp. 1265-7.

Et une belle fille avoit
Souverainement ; si ne savoit
Que faire, fors de fain mourir.
4544 Devers Chastel Morant courir
La fist la fain qui l'opprossoit,
Et lui dist que se il lui plaisoit [207vb]
Secourir a sa fain trop felle,
4548 Que sa fille, qui ert pucelle,
Lui donnoit a sa voulenté,
Mais qu'il secourust l'orfanté
D'elle et de ses povres enfans,
4552 Qui de famine erent offens.
Cil regarda la gentil dame,
Bonne, vaillant et preudefemme,
Plourant de maniere angoisseuse.
4556 Alors Charité la piteuse
Esmut si son noble courage
Que sans villenie n'oultrage
Par lui faite a la damoiselle,
4560 Ne qu'il lui en tenist nouvelle,
La maria souffisamment.
A la mere si largement
Comme il pot, selon le povoir
4564 Du lieu, secouru de l'avoir
Qu'il avoit. Ainsi fu garie
Du grant peril d'estre perie.
Tel chevalier digne est de pris
4568 Ou prouece et vertu compris
Sont ensemble, et ou sont trouvez
Bonnes meurs et bons fais prouvez.
¶ Ore ay je ycy devisié,
4572 Se vous l'avez bien avisié,
Quel condicion doit valoir
Au chevalier, s'il veult avoir
Renom et grace et loz et pris.

---

* **4560.** Ne qui lui (*corr. d'apr. CD*)

** **4541.** Ot une *AC* Or une *B* – **4546.** si lui plaisoit *D* – **4554.** Bonne et v. *D* Noble vaillant *EGL* – **4560.** Ne que lui *AB* Ne de ce lui tenir *F* Ne de cellui tenir *EGL* – **4562.** Et la mere *EGL* –

dont une fille souverainement belle,
ne savait plus que faire,
sinon mourir.
La faim qui la tenaillait
la fit courir devant Châteaumorant
pour dire que s'il acceptait de la secourir
en satisfaisant sa faim cruelle
elle abandonnerait à sa volonté
sa fille, qui était pucelle ;
mais surtout, qu'il leur vînt en aide,
à elle et à ses pauvres enfants,
tourmentés par la famine.
Ce seigneur regarda la noble dame,
bonne, vaillante et brave,
pleurant d'angoisse.
Alors la Charité, pétrie de compassion,
émut tant son noble cœur
qu'il ne fit ni vilenie ni outrage
à la demoiselle,
ni même ne lui tint de langage impropre,
mais la maria convenablement.
Il secourut la mère
aussi généreusement
que les circonstances et ses moyens
le lui permettaient. Ainsi, la dame fut sauvée
du grand péril de la mort.
Le chevalier digne d'estime
marie la prouesse et la vertu ;
il se signale clairement
à la fois par ses bonnes mœurs et ses bienfaits.
Maintenant je vous ai expliqué,
si vous m'avez bien écoutée,
quels traits sont précieux au chevalier
s'il veut acquérir
renom, grâce, gloire et mérite.

4563. Si com il *B* selon povoir *E* – **4564.** secourir *AB* – **4572.** Des bons l'avez bien avisié *EGL* – **4574.** A chevalier *AB* – **4575.** grace loz *C*

4576 Et se cellui est si appris
Que vous avez a roy esleu,
Et qu'il soit notté et veü
Que toutes ces condicions
4580 Ait, entre les elections
Que nous ferons ramenteü
Bien doit estre, par droit deü.
Mais or respondray a Richece,
4584 Qui des orgueilleux est duchesse.

CE QUE LES AUCTEURS DIENT DE RICHESSE *[208ra]*

Pour ce que tant Richece alose
Son estat com souvraine chose,
Diray en brief que sages dient
4588 De son estat, qu'ilz repudient.
Seneque le sage enseigné,
Qui biens mondains ot desdaigné,
Si dit en son .xvi.e epistre,
4592 Qui souvent leue est sus pourpitre,
Que cellui qui a coffres plains
De tresors, et greniers replains,
Ne cesse adés de couvoitier
4596 Ne n'est de souffisance entier,
Ne qu'est cellui qui les a vuis,
Car cil n'est povres ne destruis.
Qui mains a, mais qui plus couvoite,
4600 Est povres et plain de souffrette,
Et cil qui mains couvoite, est riches,
Tout n'ait il pas vaillant .ii. chiches.
¶ Si dit cellui meismes en avant

** **4583.** Mais respondray *E* – **Rubrique :** Ce que les aucteurs dient de sagesse *A la rubrique manque dans BEGL* – **4590.** ot en d. *EGL* – **4591.** dist *DEFL* Et dist *G* en la *EGL* – **4592.** est leue *A* soubz p. *G* – **4600.** prouez *C* (*le r est souligné*) – **4601.** cil mains *B* – **4602.** Tant *G* .ii. miches *F* – **4603.** dist *DEFGL* ensuivant *ABCDEFGL*

Et si l'homme que Chevalerie propose comme roi
a été éduqué selon ces principes,
et si l'on observe
qu'il possède tous ces traits,
nous devons en toute justice
nous souvenir de lui
lors des élections que nous tiendrons.
Mais à présent je répondrai à Richesse,
la duchesse des orgueilleux.

CE QUE LES AUTEURS DISENT DE RICHESSE

Puisque Richesse loue tant son état
comme une chose souveraine,
je rapporterai brièvement ce qu'en disent les sages,
qui le répudient.
Sénèque, le sage instruit[1],
qui dédaigna les biens du monde,
dit dans sa seizième épître,
qu'on lit souvent depuis le pupitre,
que celui dont les coffres sont pleins
de trésors, et les greniers remplis,
ne cesse de convoiter encore ;
il ne vit pas dans un parfait contentement,
pas plus que l'homme aux coffres vides,
car celui-ci n'est ni pauvre ni misérable.
Celui qui a moins, mais convoite plus, est pauvre ;
ses manques sont nombreux ;
mais celui qui convoite moins est riche,
même si sa fortune ne vaut pas deux sous.
Le même Sénèque poursuit

---

1. Sénèque (Lucius Annaeus Seneca) : Iᵉʳ siècle de notre ère. Homme politique, écrivain et philosophe romain, auteur, entre autres, des *Lettres à Lucilius*, correspondance qui expose les idées morales stoïques.

4604 Que nul n'est digne ne suivant
De Dieu avoir, s'il ne despite
Richeces et pou s'i delite.
¶ A ce propos Jhesus Crist dit
4608 En l'Euvangille ou n'a mesdit,
Que plus tost un chamel chargié
Yroit, sans estre deschargié,
Par mi l'estroit et petit huis
4612 De l'eguille, qui a pertuis
Bien petit, que un riche n'iroit
En paradis, car lui nuiroit
Ses richeces. Ce dit la glose
4616 Qui le vray de ce texte expose,
Que c'est a entendre des riches
Sans charité, avers et chiches.
¶ Et au propos de l'omme aver,
4620 Qui a peine se peut sauver,
Saint Augustin si accompare *[208rb]*
Avarice a celle grant mare
D'enfer, car enfer ne scet tant
4624 Angloutir d'ames, que pourtant
En soit saoulz, ne lui souffise.
Et ainsi avarice atise
Le cuer de cil ou il se fiche,
4628 Si qu'il n'est jamais a gré riche.
¶ Et ancor dit de ce suppos
Cellui un bon mot au propos :
"O les filz Adam, couvoiteuse
4632 Lignee, dist il, souffreteuse
De vertus, pour quoy delictant
Vous alez en richeces tant
Amasser qui ne sont pas vrayes
4636 Ne vostres, mais dampnables proyes ?"

---

* **4617.** Que est (*corr. d'apr. ABCDEFGL*) ; richeses (*mais la dernière paire d'* es *est barrée*)

** **4605.** Dieu et vertu s'il *F* – **4614.** *manque dans EGL* – **4615.** Sa richece *AEFGL* si dit *ABCDGL.* – **4628.** que n'est *AB* – **4629.** dist *ABCDEFGL* – **4630.** a propos *C* – **4631.** filz d'Adam *EGL* – **4633.** pourquoy vous tant *F* et pourquoy vous tant *EGL* – **4634.** Delites en *EFGL* – **4635.** ne seront *G* – **4636.** vostres ne d. *F*

que nul n'est le digne disciple de Dieu
s'il ne méprise pas les richesses
et ne refuse pas d'y prendre plaisir.
À ce propos, Jésus-Christ dit
dans l'Évangile, pure source de vérité,
qu'un chameau chargé pourrait plus facilement,
avec tout son fardeau,
passer par le chas étroit
de l'aiguille, qui est tout petit,
qu'un homme riche ne pourrait
aller au paradis ;
sa richesse l'en empêcherait[1].
La glose de ce texte, qui en expose la vérité,
précise qu'il s'agit des riches
sans charité, avares et mesquins[2].
Et à propos de l'homme avare,
qui ne peut guère se sauver,
Saint Augustin fait la comparaison suivante :
l'avarice ressemble au grand marais d'enfer :
qui n'arrive pas à satisfaire son appétit d'âmes,
même s'il en engloutit
en quantité.
De même l'avarice attise le cœur
de celui chez qui elle élit domicile,
de sorte qu'il ne se sente jamais assez riche.
Saint Augustin trouve encore à ce sujet
une phrase juste :
“Ô fils d'Adam, race en proie à la convoitise,
dit-il, dénuée de vertus,
pourquoi vous plaisez-vous
à amasser allégrement
des richesses qui ne sont ni vraies
ni vôtres, mais de condamnables butins ?”

---

1. Matthieu 19 :24 ; Marc 10 :25 ; Luc 18 :25. – **2.** P.G.C. Campbell affirme que la plupart des citations de la Bible chez Christine proviennent du recueil *Flores Bibliorum*, attribué, peut-être à tort, à Thomas Hibernicus. Voir son *Épître Othéa, étude sur les sources…*, pp. 169-171. Christine utilise la même parabole sur les dangers de la richesse dans l'*Épître Othéa*, XLIX.

¶ Et se richece est bonne ou male,
En *Consolacion* en parle
Böece ou il dit : "He ! Pourquoy
4640 Prisiez vous tant tresors, n'a quoy
Vous valent, quant ilz ne prouffitent,
Fors tant a ceulx qui si delitent
Com les despendent seulement ?"
4644 Si n'en ont nul bien autrement,
Fors en tant comme ilz s'en delivrent.
Dont en grant servitude livrent
Leurs corps, quant pour eulx delivrer
4648 D'elles, s'en veulent tant grever.
¶ Seneque ancor dist contre ceulx
Qui ja n'ont souffisance en eulx :
Quant du ventre de sa mere homme
4652 Naist, il n'aporte nulle somme
De richece, et de tout prouffit
Un petit de lait lui souffit,
Et de povres drappiaulx content
4656 Il est ; et aprés, avoir tant
Ne peut qu'il lui puisse souffire,
Tout ait il royaume ou empire ;
Et quant il se meurt, riens n'emporte, *[208va]*
4660 Car tout lui est clos a la porte.
¶ De ceulx qui amassent avoirs
Et grans richeces pour leurs hoirs,
Dit cellui Seneque meïsme
4664 Droit en son epistre .xx.[e],
Qu'enragerie est d'ensement
Procurer si diligemment
Tant de besongnes pour ton hoir,
4668 Sens avoir repos main ne soir
Ne t'en endurer a bien faire.
Et il avient pou le contraire,
Que grant heritage ne face
4672 Desirer que la mort t'efface,

** **4638.** De Consolation *EGL* – **4642.** Fors que a ceulx *EGL* – **4648.** se veulent *AB* – **4649.** dit *AC* S. dit encor contre *B* S. dit encor de ceulx *D* – **4653.** et pour tant prouffit *F* et pour tout *EGL*

Et quant à savoir si la richesse est bonne ou [mauvaise,
Boèce en parle dans sa *Consolation* :
“Hé ! Pourquoi prisez-vous tant ces trésors ?
À quoi peuvent-ils vous servir,
quand ils ne profitent à personne,
exceptés à ceux qui prennent plaisir
à les épuiser ?”
Ceux-là ne sont contents
que s'ils dépensent leur avoir.
Ils asservissent leurs corps
quand, pour ne faire rien de plus que se délivrer
de leurs richesses, il s'en encombrent tant.
Sénèque parle encore contre ceux
qui ne connaissent jamais la satiété :
Quand l'homme sort du ventre de sa mère
il n'apporte aucune richesse ;
pour tout profit
un peu de lait lui suffit,
et il se contente de malheureux langes.
Plus tard,
il n'y a pas assez de biens pour le satisfaire,
même s'il possède un royaume ou un empire.
Et puis, lorsqu'il meurt, il n'emporte rien,
car, pour lui, la porte s'est refermée sur tout.
De ceux qui thésaurisent
de grandes richesses pour leurs héritiers,
le même Sénèque dit
dans sa vingtième épître
que c'est folie d'agir ainsi,
procurant si diligemment
tant de choses à ton héritier,
sans te reposer matin ni soir,
t'endurcissant à la peine, mais non pour faire le bien.
Il arrive rarement qu'un gros héritage
ne suscite chez l'héritier
le désir que la mort t'efface

– **4655.** Et des *EGL* – **4659.** n'en porte *BD* – **4663.** Dist *ABDEFGL* – **4665.** Que ragerie *CD* – **4669.** Ne t'endurer *B* – **4672.** te face *B*

Et qu'en terre tost on te boute,
Pour posseder tes biens sans doubte.
Ainsi ta richece l'ami
4676 Fait devenir ton ennemi.
¶ Encor a ce pas ne reppune
Ce que *Remede de Fortune,*
Le livre que cil meismes fit,
4680 Dit de richece quel prouffit
Y a. Si dit : "Cil qui reputes
Tant eureux pour richeces brutes,
Dont est bien grandement garni,
4684 Plus que le povre en est bani ;
Car souvent souspire et se deult
Pour la grant paour qu'il recuelt
De perdre par aucune voye
4688 Ses richeces ou il s'appoie.
Et tout aussi com miel les mouches
Poursuivent, et les loups farouches
La charongne que aiment forment,
4692 Et les frommis grain de fromment,
Tout ainsi les hommes poursuivent
Les riches, et par tout les suivent
Pour leurs richeces, non pour eulx.
4696 Ne cuide point que d'un ne deux
Fust ja amé le riches hom,
S'il n'avoit avoir a foison." *[208vb]*
¶ Que richeces donnent soucy
4700 A l'omme, et le triboulent si
Qu'il n'a repos, mais toudis soing,
De ce est un exemple tesmoing
Le quel est ou livre trouvé
4704 Des philosophes approuvé :
Un philosophe fu, nommé

* **4692.** frommis de grain (*+1 ; corr. d'apr. ABCDEFGL*)

** **4675.** Ainsi la *EGL* – **4678.** Ce qu'en R. *EFGL* – **4680.** Dist *ABDEGL* des richeces *EGL* – **4681.** dist *DEFGL* – **4683.** Dont il est *G* – **4688.** ou s'apoie *AB* – **4689.** tout ainsi *DEFGL* – **4690.** Poursuivent les *EGL* et de leurs farouches *B* des loups *C* – **4691.** qui aiment *B* – **4696.** Ne cuide pas que d'un ou deux *AB* Ne cuide pas que d'un ne deux *EGL* – **4702.** De ce est ou livre trouvé *E* – **4704-5.** *intervertis dans B, mais une note dans la marge signale l'erreur*

et qu'on te pousse rapidement dans la tombe,
pour que lui puisse s'emparer de tes biens.
Ainsi ta richesse transforme-t-elle
l'ami en un ennemi.
À cela ne contrevient nullement
ce que dit *Le Remède de fortune*[1] –
un livre du même homme –
à propos du profit qu'il y a dans la richesse.
On y lit : "Celui que tu réputes
si heureux pour les trésors grossiers
dont il est largement pourvu,
s'en trouve plus éloigné que le pauvre,
car il soupire et se lamente souvent
à cause de la grande peur qui le possède
de perdre de quelque manière
ces richesses qui lui servent d'appui.
Et de même que les mouches poursuivent le miel,
les loups farouches,
la charogne qu'ils apprécient particulièrement,
et les fourmis, les grains de froment,
de même les hommes poursuivent les riches,
les talonnant partout où ils vont,
non pas pour eux-mêmes, mais pour leur argent.
Je ne crois pas que l'homme riche
serait jamais aimé par qui que ce fût
s'il n'avait des biens en abondance."
Les richesses sont source
de soucis et de tracas,
et préoccupent l'homme constamment
si bien qu'il n'a jamais de repos,
en témoigne un exemple tiré du livre
apprécié des philosophes[2].
Il était une fois un philosophe nommé Antisthène[3],

---

1. *De remediis Fortuitorum*. – **2.** P.G.C. Campbell lit ces vers comme l'aveu ouvert de Christine qu'elle tire ses exemples de recueils, plutôt que des sources originales (p. 68). Campbell cite la traduction française des *Dicta Philosophorum* de Guillaume de Tignonville – d'ailleurs un ami de Christine – comme la source préférée de Christine d'exemples moraux : pp. 177-182, p. 185. – **3.** Antisthène : v. 444-365 av. J.-C. Philosophe grec cynique.

Antisteus, sage clamé,
Mais un pou le cuer plus avoit
4708 A son avoir qu'il ne devoit.
Et de paour qu'il nel perdist,
Le portoit, com le livre dist,
Avec lui en une male.
4712 Dont un larron, qui ot la male
Voulenté qui tous les exarde,
De la male se prist bien garde,
Et vit comment cil se dormoit
4716 Sus sa male, quant nuit venoit,
De paour que lui fust emblee.
Une nuit avint qu'assemblee
Fu de ces .ii., mais la nuitee,
4720 Que la male ne fust ostee,
Veilla cellui qui la gardoit,
Et aussi cil qui la gaitoit.
Le philosophe, a l'ajourner,
4724 Dist qu'il vouloit ce soing finer.
Au larron vient, et si lui gette
Sa male qu'il couvoite et gaite,
Et lui dist or : "Tien, maleureux,
4728 Si nous repposerons tous .ii. ;
Car toy et moy perdions repos,
Mais plus ne m'en dueildra le dos."
¶ D'un autre philosophe dit
4732 Cellui mesmes un autre dit,
Qui fu indignez que son cuer
Ardoit en l'amour et labeur
De son avoir, ce lui sembla.
4736 Si le prist tout et assembla
En une malle, et en la mer *[209ra]*
Gita l'or qu'il souloit amer,
En disant : "Or soiez noyees,
4740 Faulces richeces desvoyees,
Affin que noyer ne faciés

** **4708.** En son *B* – **4709.** ne perdist *G* – **4710.** dit *BC* – **4718.** nuit vint *EGL* – **4735.** si lui *E* – **4737.** en une mase *C* – **4738.** qui souloit *G* – **4739.** soyons *G*

que l'on réputait sage ;
mais il chérissait
un peu trop ses biens,
et de peur de les perdre,
les portait, selon le livre,
dans une malle qu'il emmenait partout.
Un brigand, habité des mauvais désirs
qui perdent ce genre d'homme,
reporta toute son attention sur la malle,
et vit comment le philosophe
se couchait dessus la nuit durant,
de peur que l'on ne la lui dérobât.
Arrive un soir où les deux
se rencontrent ; pendant la nuit,
craignant le vol,
celui qui gardait la malle veilla ;
celui qui la guettait fit de même.
Au point du jour,
le philosophe en avait assez de cette peine.
Il aborde le brigand, lui jette la malle
qu'il lorgne et convoite tant,
et lui dit : "Tiens, malheureux,
à présent nous pourrons tous les deux dormir ;
car toi et moi, nous en perdions notre repos ;
mon dos ne souffrira plus de ce fardeau."

Le même livre raconte l'histoire
d'un autre philosophe
qui fut indigné de s'apercevoir
que son cœur brûlait d'amour et de fièvre
pour ses possessions.
Alors, il rassembla dans une malle tout ce qu'il avait,
et jeta dans la mer
l'or qu'il avait pris l'habitude d'aimer,
en prononçant cette phrase :
"Sombrez, fausses richesses trompeuses,
afin que vous ne fassiez pas sombrer mon cœur,

Mon cuer, que vous trop fort bleciez."
Et que tieulx richeces on doye
4744 Desprisier, puis par mainte voye
Trouver exemples et raisons,
Car toutes plaines les leçons
En sont des sages ancïens,
4748 Qui les repputoient lïens
De servitude a creature.
Et pour ce n'en avoient cure
Li philosophe de la vie
4752 Speculativë assouvie.
De Dyogenes il appert,
Dont Satyrus dit en appert
En son livre, qui mencion
4756 Fait des nobles l'atraccion,
Que cil Dyogenes apris
Richeces ot si en despris
Que toute sa vie contens
4760 De .ii. cottes fu, quelque temps
Que feïst. Si ot pour despence
Et pour celier a sa despense
Mettre, une povre gibeciere ;
4764 Pour chariot et cheval, ce yere
Un baston a quoy s'appuyoit,
Et es portaulx il s'abruyoit
Des citez. Si n'estoit troussé
4768 Fors d'un seul tonnel deffoncé
En quoy se gisoit ; sa maison
Cë estoit en toute saison.
Si le tournoit selon le vent,
4772 Et le souleil avoit devant
En yver, en esté au dos.
Un hanap de bois ot repos
En son sain pour boire aux fontaines.

---

* **4757.** a pris (*corr. d'apr. ABCDEFL*)

** **4746.** les raisons *ABCDEFGL* – **4752.** et assouvie *ABCDEFGL* – **4754.** dist *DEFGL* – **4757.** a pris *G* – **4761.** Que fait *B* – **4764.** chariot ou c. *EFGL* si ere *B* – **4765.** a qui *AB* – **4766.** Et les *EGL* – **4767.** s'il n'estoit *B* – **4772.** souleil avoir *F* souleil alez *EGL*

que vous blessiez grièvement."
Que l'on doive mépriser de telles richesses,
je peux le prouver abondamment,
exemples et raisons à l'appui,
car les écrits des sages anciens
en sont pleins.
Ils considéraient ces richesses
comme des liens d'asservissement au monde matériel,
et c'est pour cela qu'ils n'en avaient cure,
car c'étaient des philosophes
de la vie parfaite, contemplative.
Voici l'histoire de Diogène[1],
sur qui Satyrus attire l'attention[2]
dans son livre
en parlant de la noblesse.
Diogène le très instruit
tenait les richesses en si peu d'estime
qu'il se contenta sa vie durant
de deux tuniques
qu'il portait par tous les temps.
Pour tout cellier à provisions,
il n'avait qu'une pauvre gibecière ;
son chariot et son cheval se résumaient
en un bâton sur lequel il s'appuyait,
et il s'abritait sous les portails des villes.
Il n'était chargé
que d'un tonneau défoncé,
où il se couchait ;
en toute saison, c'était sa maison.
Il le disposait en fonction du vent :
en hiver, il se mettait face au soleil,
et en été, il lui tournait le dos.
Pour boire aux fontaines,
il portait une coupelle de bois sur sa poitrine.

---

1. Diogène le Cynique : 413-327 av. J.-C. Philosophe grec, célèbre pour son indifférence à la richesse et à la position sociale. Pour la source de Christine, voir Valère Maxime, livre IV, chapitre 3. – **2.** Satyrus (IIIᵉ siècle av. J.-C.). Homme de lettres péripatéticien, auteur de *Vies* de rois, d'hommes d'État, de philosophes et de poètes.

4776 Une fois errant par les plaines *[209rb]*
D'un chemin, trouva un enfant
Sus une fontaine buvant.
Ou creux de sa paume buvoit,
4780 Et Dyogenes qui le voit:
"Avoy, dist il, que je sui nice!
Cest enfant ci, jeune et novice,
M'aprent adés comment nature
4784 Pourvoit a toute creature,
Et ancore ne le savoie."
Si gitta la couppe en la voye,
Et dist que voirement apprent
4788 Toudis l'omme qui garde y prent.
¶ Comment de richeces nul compte
Ne faisoit cil, Valaires compte
Que au souleil seoit une fois;
4792 A dont Alixandre, qui roys
Estoit et empereur si grant,
Vint a lui et moult fu en grant
Qu'aucune chose lui donnast,
4796 Se cellui prendre la daignast.
Mais Dyogenes respondi:
"Autre chose ne vueil, te di,
Mais que le souleil ne m'empeches,
4800 Et pour neant de plus me preches."
Pour ce el disoit qu'il lui ostoit
Le souleil, car devant estoit.
Et en ce monstra il qu'envie
4804 N'avoit fors jour au jour la vie.
¶ A ce propos compte Valaire
De Fabrius le debonnaire,
Qui refusa l'or et l'argent
4808 Qui lui fu offert de grant gent.

** **4783.** comme *E* – **4784.** toute humaine c. *C* – **4788.** garde prent *B* – **4795.** a lui *EGL* – **4796.** le daignast *CG* – **4797.** Et Diogenes *EGL* – **4800.** pecsches *C* – **4801.** Pource il *B* – **4803.** Et par ce m. *F* Et pource m. *EGL*

---

1. Fabricius (Caius Fabricius Luscinus): IIIe siècle av. J.-C. Homme politique romain célèbre pour son incorruptibilité. Chris-

Un jour, alors qu'il marchait sur un chemin bien aplani,
il rencontra un enfant
qui buvait à une fontaine.
Celui-ci prenait l'eau dans le creux de la main ;
lorsque Diogène le vit faire, il s'exclama :
"Ça alors ! Suis-je bête !
Cet enfant, jeune et sans expérience,
m'apprend à présent
comment la nature pourvoit à tous nos besoins,
tandis que moi, je l'ignorais encore."
Là-dessus, il jeta sa coupelle par terre,
et dit que vraiment, l'homme attentif
ne cesse jamais d'apprendre des choses nouvelles.
L'indifférence de Diogène à l'égard des richesses
est également contée par Valère :
Une fois, le philosophe était assis au soleil.
Alors Alexandre,
le roi, le grand empereur,
vint à lui, très désireux
de lui faire quelque cadeau,
si l'autre daignait l'accepter.
Mais Diogène répondit :
"Je t'assure que je ne veux rien
si ce n'est que tu t'ôtes de mon soleil,
c'est en vain que tu me pries d'accepter autre chose."
Il disait cela, parce qu'Alexandre lui occultait
le soleil en se mettant devant lui ;
sa phrase montrait que sa seule envie
était de vivre au jour le jour.
À ce propos, Valère raconte
que le bon Fabricius
refusa toujours l'or et l'argent
que les grands lui proposèrent[1].

---

tine donne plus de précisions dans *Le Livre du corps de policie* I.12 : « ... racompte Valere grant vertu entre les autres princes rommains du vaillant consul nommé Fabricius,... lequel semblablement fut de si grant vertu que, nonobstant que il n'eust nulle chose vaillant des richesces de fortune, toutevoies il refusa tres grans et notables dons que le roy Pirus lui envoya pour le cuidier corrompre ». L'histoire de Fabricius se trouve dans le livre IV, chapitre 3 des *Actions et paroles mémorables* de Valère.

Et en ce monstra il l'office
De souffisance, la propice,
Qui sans peccune le faisoit
4812 Riche, tant qu'il lui souffisoit,
Et sans de mesgnee servy
Estre, le faisoit assouvy ;
Si estoit riche sans avoir, *[209va]*
4816 Sans plus par souffisance avoir.
¶ Seneque racompte autressi
Comment Democritus aussi
Gita ses richeces, disant
4820 Qu'elles lui estoient nuisant
Et charge a sa bonne pensee,
Qui ne povoit estre appensee
A .ii. choses bien tout ensemble,
4824 Dont l'une l'autre ne ressemble,
Et que nul desprisier ne doit
Povreté, car nul ne pourroit
En cestui monde plus povre estre
4828 Qu'il estoit povres a son naistre.
¶ A ce propos en une page
De *Transquillité de courage*
Redit Seneque et nous racompte
4832 D'un philosophe qui pou compte
De vaines richeces tenoit ;
Toutefois un peu s'i tenoit.
Un jour tout son vaillant perdi ;
4836 S'on lui embla ou s'il ardi,
Ne sçay, mais lors dist a delivre :
“Or m'a fait Fortune delivre
Et a contempler plus abille
4840 En philosophie soubtille.”
¶ Tieulx mos en son livre Böece
Dit en reconfort de tristece :
“O chetives et souffreteuses

---

* **4833.** riches (*corrigé d'apr. ABCDEFGL*)

** **4811.** lui faisoit *B* – **4816.** plus de s. *C* – **4821.** chargié *B* –

Sa conduite démontra
la valeur du contentement,
qui le rendait riche sans argent,
si bien que ce qu'il avait, lui suffisait ;
sans domesticité à ses ordres,
il se trouvait parfaitement satisfait ;
il était riche sans biens,
avec juste son content, sans le superflu.
Sénèque raconte aussi
comment Démocrite[1]
abandonna de même ses richesses,
disant qu'elles lui nuisaient
et l'empêchaient de bien penser ;
son esprit ne pouvait pas s'occuper
en même temps de deux choses
si dissemblables.
Nul ne doit mépriser
la pauvreté, car personne
au monde n'est plus pauvre
qu'il ne l'a été à la naissance.
À ce propos, Sénèque souligne
dans une page de son ouvrage
De la tranquillité de l'âme
l'histoire d'un philosophe
qui ne faisait pas grand cas des vaines richesses
mais qui en dépendait encore un peu tout de même.
Un jour, il perdit l'intégralité de sa fortune ;
j'ignore si on la lui vola, ou si le feu la consuma,
mais sa réaction fut prompte ; il déclara :
"Fortune m'a rendu libre
et plus habile à contempler
les subtilités de la philosophie."
Voici ce que Boèce dit dans son livre
pour réconforter l'homme de sa tristesse :
"Ô malheureuses richesses,

4822. pourroit *EG* – **4823**. choses trestout *EGL* – **4824.** l'une a l'autre *B* – **4826.** car homs ne *EFGL* – **4842.** Dist *ABC* Dit de r. *EFGL*

1. Voir la note au v. 1027.

4844 Richeces tres mal eüreuses,
Des quelles aucuns ja n'ont tant
Que souffire leur puist pour tant,
Et qu'a peines on peut acquerre,
4848 Sans autruy dommage pour querre,
Pour quoy plaisiez vous tant aux hommes,
Quant vous ne valez pas .ii. pommes
Au prouffit des vertus acroistre,
4852 Ains les faites souvent descroistre ?"
¶ Encore en son livre recorde
Böece, se je m'en recorde, *[209vb]*
Que les mauvais cuident qu'en terre
4856 Ne soit autre bien que d'acquerre
Richeces, tresors et avoir,
Et a grant foison en avoir
En tous lieux, ou que l'omme soit;
4860 Mais qui le croit, il se deçoit.
Car le povre seur et chantant
Va entre les larrons, mais tant
N'en oseroit le riche faire,
4864 Car plus craint larron qu'aultre affaire.
¶ A blasmer richeces s'acordent
Les dis que sains docteurs accordent,
Qui plus qu'aultres gens en despris
4868 Les ont eus et en pou de pris;
Et qui tous les vouldroit retraire,
Trop grant temps y couvendroit traire.
¶ Saint Augustin en ses sermons
4872 Dit, et aussi nous l'affermons,
Que c'est fort que riche ne soit
Plain d'orgueil qui moult le deçoit,
Et l'orgueilleux ne pourroit plaire
4876 A Dieu, pour chose qu'il peust faire.
En son livre, non trop prolixe,
Ou parle de l'Apocalipse,
Dit cil meismes que or est matiere

** **4845.** aucuns avoir tant *A* aucun y aront tant *B* – **4856.** biens *F* – **4857.** tresor *C* – **4864.** Car larron craint plus que aultre *EFGL* – **4866.** reccordent *AEFGL* – **4867.** gens ont despris *G* – **4868.** Les orent et *A* Les ont eulx et *EB* – **4872.** Dist *ABCEFGL* –

impuissantes et misérables,
dont certains n'ont jamais assez,
quelle que soit la quantité qu'ils en possèdent ;
richesses qu'on ne peut guère acquérir
sans chercher à nuire à autrui ;
pourquoi plaisez-vous tant aux hommes,
quand vous ne valez rien
pour augmenter leurs vertus,
mais les faites au contraire souvent diminuer ?"
Boèce raconte encore,
si je m'en souviens bien,
qu'aux yeux des mauvaises gens
il n'y a d'autre bien sur terre
que d'accumuler richesses et trésors
et d'en avoir à foison,
où que l'on soit ;
mais celui qui croit une telle chose se trompe
[lourdement.
Le pauvre marche en sûreté, une chanson aux lèvres
au milieu des brigands,
mais un homme riche n'oserait pas en faire autant,
car il craint les voleurs par-dessus tous les autres.
Les ouvrages des saints Docteurs s'accordent
à dire du mal de la richesse ;
ils la méprisèrent et la dénigrèrent
plus que les autres gens ;
celui qui voudrait rapporter toutes leurs sentences
devrait y consacrer énormément de temps.
Saint Augustin dit dans ses *Sermons*,
ainsi que nous l'affirmons,
qu'un homme riche peut difficilement
ne pas être plein d'un traître orgueil,
et que l'orgueilleux ne saurait faire un geste
qui plaise à Dieu.
Dans son livre sans bavardages
où il parle de l'Apocalypse,
ce même Augustin dit que l'or

4874. Orgueilleux qui *EGL* trop se deçoit *G* – **4877.** trop ralice *B* trop police *G* – **4879.** Dist *ABDEFGL*

4880 De labour et de peine entiere,
Peril du possesseur et voye
Qui les vertus toutes desvoye,
Et que or est mal seigneur a gent,
4884 Et qu'il est un traitre sergent.
¶ Saint Jerome en son premier livre
Sus l'Evvangille que nous livre
Saint Mathieu, dit que ycellui
4888 Si est plus serf que aultre nullui
Qui ses richeces tient et garde,
Car comme serf en a la garde ;
Mais cellui est franc et delivre
4892 Qui par bon sens les donne et livre.
¶ Sans nombre on pourroit tousjours dire *[210ra]*
Exemples et dis a despire
Richeces, les maurenommees,
4896 Qui des sains furent pou amees.
Jhesucrist petit les ama,
Plus qu'aultre riens les diffama,
Et bien nous monstra a sa vie
4900 Que on en doit pou avoir envie ;
Et aussi y paru aux sains,
Qui de povreté furent çains.
¶ Et qu'a desprisier elles facent
4904 Et ceulx pou louer qui amassent
Au coust d'autrui diversement,
Et en usent mauvaisement,
Toute en est plaine l'Escripture.
4908 Bien s'en gard toute creature,
S'elle ne veult estre dampnee
Et ou fons d'enfer condampnee.
Car une fois vendra ce point,
4912 Quoy qu'il tarde, sans faillir point,
Car il n'est chose plus certaine.
Ma dame Raison, la certaine

** **4883.** agent *ABCDEF* – **4886.** qui nous *B* – **4889.** Que *F* – **4891.** ycellui *C* – **4892.** par son *EGL* – **4899.** monstra en sa *B* bien y paru a *EFGL* – **4900.** Que on se doit *B* – **4905.** en usant *EL*

n'est que matière à peine et à fatigue,
voie qui détourne de toutes les vertus,
il met en péril celui qui le possède ;
il est à la fois un mauvais maître
et un serviteur perfide.
  Dans son premier livre
sur l'Évangile selon saint Matthieu,
Saint Jérôme dit[1]
que celui qui accumule et entasse ses richesses
se réduit à la pire servitude
car il doit en monter la garde, tel un esclave.
Mais celui qui par bon sens distribue son avoir
se trouve affranchi et libre.
On pourrait citer sans fin des exemples
qui incitent à mépriser les richesses
à la mauvaise renommée
et peu appréciées des saints.
Jésus-Christ ne les aima guère,
et leur réserva son plus grand blâme ;
il nous montra bien, par l'exemple de sa propre vie,
que l'on ne doit pas les convoiter ;
les saints firent de même,
et s'entourèrent de pauvreté.
  Et que leur présence fasse déprécier et réprouver
ceux qui par malice les amassent,
aux dépens d'autrui
et en font mauvais usage,
l'Écriture en parle abondamment.
Qu'on s'en dispense soigneusement
si on veut éviter la damnation
et la peine éternelle au fin fond de l'enfer ;
car le moment du Jugement viendra,
tôt ou tard, mais sûrement ;
il n'est pas chose plus certaine.
Ma dame Raison, vous qui avez

---

1. Saint Jérôme (347-420) traduisit la Bible en latin et l'expliqua dans des *Commentaires*.

Congnoiscerresse d'equité,
4916 Or jugiés se l'iniquité
De superfluitez d'avoir
Doit la gloire du monde avoir
Par droit, sicom Richece dire
4920 Vouloit, de quoy j'oz trop grant yre.

LES PROPRIETEZ QUI SONT DICTES DE SAGESSE SELON LES AUCTEURS

« **O**r est il temps que je m'avise
Comment proprement je devise
Les proprietez de sagece,
4924 Ou toutes vertus a largece
Puisent et prennent les effects
De tous les cas justement fais.
¶ Que sagece soit neccessaire
4928 Au bas monde en quelconque affaire
Plus que autre riens, le puis prouver
Par effaict et raisons trouver. *[210rb]*
Nous avons parlé ci dessus
4932 Comment chevalerie sus
Fu montee par les emprises
Des princes plus nottables prinses.
Par quoy acquistrent les grans terres ?
4936 Par force d'armes et de guerres,
Mais leur fais traire a ma matiere
Vueil ore, du faire ay matiere.
En escript trouver le povons,
4940 Et ainsi de fait nous veons
Qu'onques ne fu grant conquereur,
Fust grant roy ou hault empereur,

---

* **4915.** Congnoisserre (*-1 ; corr. d'apr. ABCDEFGL*) – **4921.** il *est un rajout*

** **4917.** Des *D* – **Rubrique** : Les vertus de sagesce selon les dis des aucteurs *AD La rubrique manque dans BEGL* La louenge de sagesce

une connaissance infaillible de la justice,
jugez à présent si l'iniquité
de fortunes excessives
a droit à la gloire du monde,
ainsi que Richesse le prétendait,
provoquant mon grand courroux.

LES PROPRIÉTÉS DITES DE SAGESSE, SELON LES AUTEURS

Le moment est venu que je considère
comment le mieux énumérer
les propriétés de la sagesse,
source où puisent abondamment les vertus,
prenant par là la forme
de toute œuvre justement conçue.
Que la sagesse soit la qualité
la plus nécessaire dans les affaires du monde,
je puis le prouver,
raisonnements et résultats à l'appui.
Nous avons mentionné plus haut
comment la chevalerie fut élevée
par les entreprises
des princes les plus illustres.
Comment acquirent-ils leurs vastes terres ?
Par la force des armes, au gré des guerres ;
je cherche maintenant à placer leurs actes
dans le contexte de mon sujet, et la matière ne
Nous trouvons dans des écrits, [manque pas.
et donc nous pouvons être sûrs,
qu'il n'y eut jamais de grand conquérant,
fût-il un roi puissant ou un haut empereur,

---

selon les dis des anciens *C* Ce que les aucteurs dient de sagesce *F* – **4927.** Que largesse *G* – **4928.** en quelque affaire *G* – **4930.** raison *C* – **4933.** Fu levee *ABDEFL* Fu louee *CG* – **4937.** leurs *ABCDEFL* – **4942.** grant prince *EGL* ou grant empereur *G*

Qui chose feist de grant effaict,
4944 Se sagece faire nel fait.
Et je vous en diray exemple,
Car l'Escripture en est toute emple :
¶ Les roys premiers qui oncques furent,
4948 Qui les belles victoires eurent,
Par bon sens leur fais gouvernoient
Es guerres que grandes menoient,
Comme de maint princes appert.
4952 Mais tout ne diray en appert,
Car trop mettroie longuement.
Regardons le gouvernement
Des Rommains si victorieux :
4956 Se vous lisez les glorieux
Fais de eulx, trouverés que savoir
Plus que force leur fit avoir
Les seigneuries qu'ilz acquistrent,
4960 Car par le grant sens qu'ilz pourquistrent
Et orent ou gouvernement
Des batailles, qu'ilz prudemment
Menoient es particuliers
4964 Cas de leurs fais, les chevaliers
Guerroians par sages cautelles
Avoient les victoires belles.
Et ou contenu de leurs fais
4968 On les peut plus trouver parfais
De grant sens qu'en force de corps. *[210va]*
Dont je dis de rechief ancors
Que sagece l'oneur avoir
4972 Doit de leurs fais plus que povoir
D'armes. Il est assez prouvé
En leurs fais, en escript trouvé ;
Et ce que j'ay dit ci devant
4976 De tuit li chevalier savant
Que l'en a trouvé et que on treuve,

* **4971.** sage (*corrigé d'apr. ABEFL*)

** **4943.** fait *AB* – **4944.** Sa *G* – **4945.** l'exemple *GL* – **4949.** leurs *ACDEFGL* – **4956.** lisiez *D* – **4962.** qui prudemment *ABF* –

qui fît quelque chose d'important
sans que la sagesse l'y poussât.
Je vous en donnerai des exemples,
car l'Écriture en est pleine :
  Les tout premiers rois du monde,
qui remportèrent de belles victoires,
géraient avec bon sens leurs actions
dans les guerres qu'ils menaient, à une grande échelle,
ainsi que le font de nombreux princes.
Mais je n'exposerai pas tout en détail,
car j'y mettrais trop de temps.
Regardons le comportement des Romains
si victorieux :
si vous lisez leur glorieuse histoire,
vous découvrirez que le savoir,
plutôt que la force,
les fit accéder au pouvoir ;
car la grande sagesse qu'ils recherchaient
et appliquaient dans la stratégie
des batailles que leurs chevaliers menaient
avec précaution, réglant leurs actions
en fonction de chaque cas particulier,
guerroyant avec prudence et réflexion,
leur valut de beaux triomphes.
Dans le détail de leurs actions,
on peut les trouver plus parfaits
d'intelligence que de force physique.
De là vient que je répète
que l'honneur de leurs actions doit être attribué
plus à leur sagesse qu'au pouvoir de leurs armes.
C'est manifeste dans leurs exploits,
et les écrits le vérifient ;
ce que j'ai dit précédemment
de tous les savants chevaliers
passés et présents

4964. fais leurs c. *EFGL* – **4966.** Avoient leurs *G* – **4967.** leur *BD* – **4968.** puet trouver plus *EL* – **4971.** sage *CD* – **4972.** leur fais *B* – **4974.** leur *D* – **4977.** l'en treuve *EGL*

Me doit en ce cas estre preuve
Que plus acquistrent par leur sens
4980 Que par force, sicom je sens,
Si ne les fault plus reppeter,
Car anui seroit le conter;
Et encor charra a propos
4984 En disant ce que je propos.
Mais regardons en general
Quans grans princes en fait rural
Ont par leur sens leur ennemis
4988 Subjuguié et au dessoubz mis,
Et faites de grans aliances
Malgré toutes contraliances –
Les histoires sont toutes plaines
4992 Des cas dont je diroie a peines
En un an toutes les parties, –
Et quantes choses sont basties
Et achevees par savoir,
4996 Quë on ne peust pour nul avoir
Ne par force traire a bon chef,
Mais par sens sont venus a chief.
De nouvel temps, sans querre histoires,
5000 En avons veu les cas nottoires:
Le roy Charles, quint de ce nom
En France regnant de hault nom,
Peut bien estre ramenteü
5004 O les sages roys qui eü
Ont science acquise et grant sens.
Car sicom de lui sçay et sens,
Parfait ameur de sapience
5008 Estoit, et prudence et scïence *[210vb]*
Avoit en lui nottablement,
Telle que tres songneusement

** **4981.** ne le *D* – **4982.** seroit raconter *ABCDEFGL* – **4983.** au propos *EFL* – **4986.** fait royal *G* – **4987.** leurs *ABCDEFL* – **5000.** veu le cas *D* – **5004.** les roys sages *D* – **5010.** tres souffisament *EFGL*

1. On songe au «projet architectural» que Christine entreprend avec son *Livre de la cité des dames* en 1405. – **2.** Charles V régna de

doit ici me servir de preuve
qu'ils acquirent plus par esprit
que par force – voilà comment je le conçois.
Il ne faut plus le répéter pourtant,
car cela deviendrait lassant ;
du reste, ce que j'ai encore à dire
ajoutera à mon argument.
Regardons le cas général :
dans les campagnes, combien de grands princes
ont usé de leur bon sens pour soumettre
leurs ennemis, et les assujettir,
nouant d'importantes alliances
en dépit de tous les obstacles –
l'histoire ancienne est pleine d'exemples
qu'un an suffirait à peine
à détailler.
Combien de projets
sont bâtis et achevés par le savoir[1],
qu'on n'aurait pu mener à bien
par la force ou à quelque prix que ce soit,
et le seul bon sens a permis de les réaliser.
Mais il n'est pas besoin de recourir à l'histoire
[ancienne ;
fort récemment, nous avons vu des cas célèbres.
Le roi Charles, cinquième du nom,
qui régna glorieusement sur la France,
peut bien compter dans nos souvenirs
parmi les sages monarques, d'un bon sens profond,
qui acquirent de la science[2].
Je sais et sens
qu'il était un parfait amateur de sagesse,
d'une prudence et d'une science
si remarquables
qu'il entendait tout à fait –

1364 à 1380 ; Christine lui voua une admiration loyale toute sa vie. En 1404, Philippe le Hardi lui demanda d'écrire un portrait à l'éloge de feu son frère : le résultat fut *Le Livre des fais et bonnes meurs du sage roy Charles V* (dans sa traduction moderne d'Eric Hicks et Thérèse Moreau, *Le Livre des fais et bonnes mœurs du roi Charles V le Sage*, Paris : Stock, 1997).

Il entendoit, je n'en mens mie,
5012 Assez des poins d'astronomie.
Philosophe estoit, car ameur
De sapience en grant saveur
Yert, certes il y paru bien :
5016 Par le tres grant desir du bien
Apprendre qu'en escript on treuve
Es nobles livres que on appreuve,
Fist il pour celle entencion
5020 Mainte noble translacion,
Qui oncques mais n'ot esté faite.
Et moult fu noble oeuvre et parfaite,
Faire en françois du latin traire
5024 Pour les cuers des François attraire
A nobles meurs par bon exemple ;
Combien que le latin tout ample
Entendist, les volt il avoir
5028 Affin de ses hoirs esmouvoir
A vertu, qui pas n'entendroient
Le latin ; si s'i entendroient.
Chiers avoit les clercs scïenceux,
5032 Les preux chevaliers et tous ceulx
Qui a bonnes meurs entendoient
Et qui a loyauté tendoient.
Sa grant prudence bien paru,
5036 Car par son sens fu secouru
En ses aversitez greigneurs
Plus que par l'ayde de seigneurs.
De ses ennemis au dessus

---

* **5016.** Car le (*nous avons corrigé*) – **5022.** Mont fu noble (*corrigé d'apr. DEFGL*)

** **5011.** ne mens *A* n'en mens *F* n'en doubt *EGL* – **5016.** Car le *ABCDEFGL* – **5022.** Qui moult *AC* Moult fu *B* – **5027.** Entendoit *EFGL* – **5038.** l'aide des s. *B* par aide *EFGL*

---

1. Dans son *Livre des fais et bonnes meurs du sage roy Charles V* (Livre 3), ch. 12, Christine loue ce travail de façon plus détaillée. Nous citons la traduction de Hicks, p. 217 : « [Charles V] fit appel aux maîtres les plus réputés ... pour traduire du latin en français tous les livres les plus importants... la Bible et ses trois niveaux

et je n'exagère en rien –
de nombreux points d'astronomie.
C'était un philosophe,
car il aimait la sagesse avec ardeur ;
certes, cela se voyait clairement,
car le très grand désir d'apprendre tout le bien
que l'on trouve dans les nobles livres
approuvés du monde
l'incita à commander
nombre de nobles traductions
qu'on n'avait jamais entreprises auparavant ;
ce fut une bonne et noble action[1].
Il s'agissait de traduire du latin en français
pour attirer par de bons exemples
le cœur des Français à des mœurs nobles.
Bien que Charles entendît parfaitement le latin,
il voulut avoir les traductions
afin d'engager à la vertu
ses héritiers, qui, sans savoir la langue latine,
pourraient toujours s'appliquer à bien vivre.
Il prisait les clercs lettrés,
les preux chevaliers,
et tous ceux qui, aimant les bonnes mœurs,
s'efforçaient de vivre loyalement.
Sa grande prudence fut évidente,
car dans les pires adversités
son bon sens le secourut
plus que ne le fit l'aide de ses vassaux ;
il lui permit

---

d'écriture – c'est-à-dire le texte seul, les gloses textuelles et le commentaire allégorique –, le grand livre de saint Augustin, *La Cité de Dieu*, le livre *Du ciel et du monde*, les *Soliloques* de saint Augustin, l'*Éthique* et la *Politique* d'Aristote, auquel il fit ajouter de nouveaux exemples, *Le Traité de l'art militaire* de Végèce, les dix-neuf volume du *Livre des propriétés des choses*, Valère Maxime, Le *Policraticus*, Tite-Live – et bien d'autres encore... ». Ce sont des indications précieuses sur les sources possibles de Christine, car elle avait accès à la bibliothèque royale ; en même temps, la liste et les éloges qui l'entourent confirment combien Christine approuvait une diffusion plus large de textes en langue vernaculaire.

5040 Vint par son sens, et traire ensus
Les fist et saillir hors de France.
Le sage roy, plain de souffrance,
De vertu et de grant raison,
5044 Bien savoit en toute saison
Dissimuler a point et traire
A soy ce qu'il devoit attraire.
¶ D'aultres assez ont plus conquis *[211ra]*
5048 Terres et par leur sens acquis
Quë ilz n'ont fait par eulx armer;
Et nous le povons affermer
Par le premier duc de Millan,
5052 Qui plus a conquis, ce dit l'en,
Par son sens et par son savoir,
Que par bataille grant avoir.
¶ C'est fait commun: souvent avient
5056 Q'un homme plus tost grant devient
Par sens que par quelconque cas,
Soient lays ou clercs avocas.
Et que scïence plus louable
5060 Soit qu'aultre riens et prouffitable,
Appert au commun cours du monde.
Car tant qu'il dure a la reonde,
Se par ordre n'yert gouverné,
5064 A confusion ert mené;
Ne sens ordre ne peut durer
Nulle chose et riens endurer.
Et dont vient ordre? N'est ce mie
5068 De sagece, qui est s'amie?
Certes, si est et le doit faire.
[Si ay prouvé que neccessaire

* **5069.** droit (*corr. d'apr. ABCDEFGL*) – **5070-75.** *manquent dans R; transcrits de C*

** **5049.** Que ilz n'ot fait *D* fait pour eulx *ABF* – **5055.** Ce fait *G* – **5057.** sens plus que *B* – **5058.** Ou soit lais *AB* laiz clers ou avocas *D* Ne par plaidoyé d'avocas *EFGL* – **5063.** n'est *EGL* – **5064.** confusion y est *G* – **5070.** ay trouvé *EGL*

de venir à bout de ses ennemis,
et de les faire chasser hors de France[1].
Le sage roi, plein de tolérance,
de vertu et d'une raison éminente,
savait à tout moment
dissimuler prudemment
et garder pour lui ce qu'il lui fallait taire.
  Bien d'autres ont conquis
plus de provinces par l'intelligence
qu'ils n'ont fait par les armes ;
nous pouvons le vérifier
par l'exemple du premier duc de Milan,
qui, dit-on, a plus accru ses possessions
par son esprit et son savoir
que par la bataille[2].
  Il arrive souvent
qu'un homme, qu'il soit laïque, clerc ou avocat,
atteint plus tôt la gloire
par son esprit que par ses actions.
Que rien ne soit plus digne de louange,
plus profitable que la science,
est évident tous les jours ;
car, tant que le monde continuera de tourner,
s'il n'est pas régi par l'ordre,
il tendra à la confusion ;
sans ordre, rien ne peut durer,
rien ne se fixe.
Et d'où vient l'ordre ?
N'est-ce point de son amie la sagesse ?
Certes, il le faut bien.
Voilà que j'ai prouvé

---

1. À son avènement en 1360, Charles V hérita d'un royaume amputé d'un tiers du fait du traité de Brétigny avec les Anglais (1356). Entre 1370 et 1374, il mena une campagne de reconquête ; lorsqu'il mourut en 1380, les Anglais ne possédaient plus que le duché de Guyenne, Calais, et quelques terres en Bretagne. Christine parle de sa politique territoriale dans le Livre 2 des *Fais et bonnes meurs*. – **2.** Jean-Galéas Visconti (1351-1402) devint duc de Milan en 1395. Vérone, Vicence, Pise et Sienne comptèrent parmi ses conquêtes.

Est sagece sur toute riens
5072 En cestui monde terrïen.
Et qu'il soit ainsi que scïence,
Prudence avec grant escïence,
Soit plus que autre riens neccessaire]
5076 A toutes les choses parfaire,
Puis prouver par divers escrips
Et par les effects non prescrips.
¶ On treuve es histoires de France
5080 Comment en lettres de creance
Le roy des Rommains une foiz
Si escript au roy des François;
Et lui qui moult sages estoit,
5084 Par bon conseil l'amonnestoit
Quë il feist ses enfans apprendre
Et introduire a bien entendre
Es diciplines liberales
5088 Et es coustumes generales
De pollicië aournee
Par bon sens et bien ordenee,
Et en tous bons enseignemens
5092 Ouÿr des cas de jugemens. *[211rb]*
Puis conclut que roy non savant
Tout son fait n'estoit que droit vent,
Et qu'autant valoit ou regné
5096 Com fait un asne couronné.
Seneque pas n'y contredit,
Ains au propos recorde et dit
Que les siecles furent dorez
5100 Pieça; si ert pour ce que honorez
Estoient lors les plus savans,
Et par coustumes redevans
Les plus grans clercs ilz couronnoient
5104 A leurs roys; et yceulx regnoient

---

* **5091.** *Entre les deux lettres du mot* En *on a rajouté un* t *et un* e *pour faire* Et en – **5092.** de cas (*corr. d'apr. ACDFG*)

** **5083.** Ou lui *AEFGL* – **5092.** de cas *BEL* – **5093.** c'un roy *EGL* – **5095.** en regné *CD* – **5096.** Com feist *ABEFGL* – **5100.** Pieça c'est *EFGL*

la nécessité de la sagesse
avant tout autre bien terrestre.
Et que la science,
qui consiste en prudence accompagnée de savoir
soit plus que tout nécessaire
pour amener les choses à la perfection,
je puis le prouver à l'aide de divers écrits
et des effets rhétoriques permis.
 On trouve dans l'histoire de France[1]
comment le roi de Rome
écrivit une fois une lettre de créance
au roi de France ;
dans sa grande sagesse,
il lui conseilla avec justesse
de faire apprendre à ses enfants,
de sorte qu'ils s'y entendissent bien,
les disciplines libérales
et les principes généraux
de la politique éclairée
par l'ordre et le bons sens ;
et aussi qu'ils tiennent compte des jugements formulés
dans tous les domaines du savoir.
Il conclut que les actions d'un roi inculte
n'étaient que du vent,
et qu'un tel monarque ne valait pas plus au royaume
qu'un âne couronné.
 Sénèque ne contredit pas cette idée,
mais raconte
que s'il y eut jadis un âge d'or,
c'est parce qu'on honorait
les hommes les plus savants ;
dans la conscience de la tradition,
on couronnait les plus grands clercs ;
ne régnaient que ceux

1. Evancio Beltran cite les vv. 5079-5168 (numérotés d'après la présente traduction) comme calqués sur le *Communiloquium* de Jean de Galles. Beltran, 215-217. En effet, l'histoire de l'âne couronné, les références à Sénèque, puis Boèce, Valère, Socrate, Apollon, l'importance de la sagesse chez le prince, Cicéron, Alexandre, Aristote – tout apparaît dans cet ordre chez Jean de Galles.

Qui estoient plus que autres nulx
Tres prudens et sages tenus,
Et qui leur temps present veoir
5108 Savoient, et bien pourveoir
A cil qui ert a avenir,
Choses prouffitables tenir
Et chacier loings les inutiles
5112 Et par belles voyes soubtilles
Augmenter le prouffit publique,
Eschever toute chose oblique.
Par sapience gouvernoient
5116 Yceulx, et pour ce en paix regnoient.
¶ Et a ce propos de sagece
Dit ou premier livre Böece
Que Platon, le quel fu le maistre
5120 Dë Aristote, qui de l'estre
De sagece savoit assez,
Dit que tous biens sont amassez
Et nez en la chose publique,
5124 Dont la gouvernance autentique
Est par clercs et estudians
Menee, qui obedïens
Sont aux scïences qui apprennent
5128 Salut, et contraire reprennent.
¶ Et ceste mesme verité
Valaire par auctorité
Touche ou lieu la ou il recorde *[211va]*
5132 Du philosophe de concorde
Socrates, qui par la responce
D'Appollo, le dieu de semonce,
Fu jugié en trestoutes sommes
5136 Le plus sage de tous les hommes,
Que cellui Socrates disoit

** **5106.** Prudens et *EGL* – **5107.** qui lemps pr. *C* qui le temps *EFGL* – **5109.** qui est *EGL* – **5111.** chacier hors les *EGL* – **5112.** Bien user de v. *EFGL* – **5113.** Et augmenter le bien p. *EFGL* – **5116.** Ceulx *G* – **5131.** ou lieu ou *AB* Touche en son livre ou *C*

---

1. Le *Communiloquium* donne pour référence de cette citation, le livre VII, ch. 2 de Valère Maxime. Le *Sophilogium* de Jacques

dont la prudence et la sagesse
surpassaient celles d'autrui :
ceux qui savaient jauger leur époque
et bien pourvoir
aux temps futurs,
gardant les choses salutaires,
et rejetant au loin les inutiles.
Selon des voies aussi belles qu'intelligentes,
ils augmentaient le bien public,
évitant tout ce qui les en détournerait.
Ces rois gouvernaient selon la sagesse ;
voilà pourquoi ils régnaient en paix.
À ce même propos,
Boèce dit dans son premier livre
que Platon, le maître d'Aristote
(homme qui en savait long
sur la nature de la sagesse),
pose que tous les biens sont nés
et se concentrent dans la chose publique,
dont le vrai gouvernement
est régi par des clercs et des étudiants
dévoués aux sciences
qui apprennent le salut,
et ennemies de tout ce qui s'y oppose.
Cette même vérité
est appuyée par l'autorité de Valère
lorsqu'il parle de Socrate,
philosophe de la concorde[1] ;
selon le jugement d'Apollon,
le dieu de l'oracle,
Socrate fut, à tous égards,
le plus sage des hommes.
Il disait

Legrand donne le livre VII, ch. 1 : voir Evancio Beltran, 216. Didier Lechat avance l'hypothèse que Christine a utilisé pour ce passage le livre III, ch. 4 de la traduction française de Valère, mais pense qu'elle a modifié le passage sur Socrate à ses propres fins. Le texte de Christine est relativement proche de celui de Jean de Galles.

Que homme nul ne souffisoit
A regner n'a gouverner gent,
5140 S'il n'estoit prudent et sachent;
Et que scïence appartenoit
Plus au prince qui soustenoit
Le publique gouvernement,
5144 Qu'a aultre, car son sentement
Et sa sagece redondoit
A ses subgés, n'estre ne doit
Nul prince fait, së il n'est sage
5148 Qui veult garder de droit l'usage.
¶ De ce dit Tules en son livre
De dominacion ensuivre
Que c'est royal et tres noble oeuvre
5152 Que savoir comment la loy euvre
A prince, affin qu'en jugement
Sache jugier bien justement.
¶ Et en son epistre le notte
5156 Au grant Alixandre Aristote,
Qui dit qu'il affiert que le sage
Soit roy, et par tel avantage
Affiert que sage soit le roy.
5160 Si sache jugier par arroy
De prince bien moriginé
Et de scïence endoctriné,
Sache raisonner sagement
5164 Et besongner prudentement.
Doubté en sera de sa gent,
Quant ilz le verront diligent
Aux choses propices parfaire,
5168 Sage, eloquent en tout affaire.
¶ Que qui n'a scïence, bien n'a;
De ce Seneque raisonna: *[211vb]*
"Certes, ce dist il, je sçay bien

* **5159.** Affiert que le soit le roy (*-1 ; corr. d'apr. EFGL*)

** **5139.** ne gouverner *EGL* – **5148.** Qu'il *E* – **5153.** que jugement *EGL* – **5154.** Sachie *B* Sachent donner *F* Sache donner *EGL* – **5159.** Affiert que le soit le roy *ABCD* – **5171.** Certes si dit il *B*

que nul n'était capable
de régner, ou de gouverner autrui,
s'il n'était pas prudent et savant,
et que la science
était plus nécessaire au prince
à la tête d'un gouvernement
qu'à un autre, car son sentiment et sa sagesse
afflueraient vers ses sujets.
Personne qui manque de sagesse
ne devrait se voir faire prince,
si l'on respecte la bonne tradition.
Cicéron traite de ce sujet
dans son livre sur la domination[1] :
c'est une tâche très noble du prince
que de connaître le fonctionnement de la loi
afin de savoir rendre un jugement
de la façon la plus juste.
Dans son épître adressée à Alexandre le Grand,
Aristote note qu'il convient
que le sage soit roi
et, de ce fait,
que le roi soit sage.
Il doit savoir juger
en prince instruit
et savant ;
de même, il doit savoir raisonner sagement
et travailler de façon réfléchie.
Il sera respecté de son peuple
lorsqu'on le verra diligent
à faire et parfaire le bien,
toujours sage et éloquent.
Celui qui est dépourvu de science est dépourvu de [biens :
voilà le raisonnement de Sénèque.
“Certes, dit-il, je sais bien

---

1. Christine semble se tromper de titre : cet ouvrage de Cicéron s'appelle *De la divination* (*De divinatione*).

5172 Que sans scïence homs n'a nul bien,
Car il n'est homs qui bien peust vivre
Ne paysiblement a delivre
Sans l'estude de sappïence;
5176 Car ja n'aras tele appuyence
En tes biens në en ton avoir,
Qu'adés ne voulsisses savoir
Plus que ne fais, et par nature
5180 Desire savoir creature.
Et est la droite fin derreine
La ou tend creature humaine;
Dọnt est vraye m'entencion
5184 Que sans lui n'a perfeccion."
¶ Comment scïence l'omme fait
Plus fort que force et plus parfait,
Saint Ambroise en un sien epistre
5188 Si le recite en un chapitre:
Que le sage point ne se brise
Pour paour de nulle maistrise,
Ne par scïence ne se meut.
5192 Ne se change, ne se remeut;
Pour prosperité ne s'eslieve,
Ne s'abaisse pour joye briefve
Ne pour aversité aucune.
5196 La ou sappïence est commune,
La est vertu, la est constance,
La est force et grant abondance
De sagece, qui le courage
5200 N'appetice në en hauçage
Ne maine pour mutacion
Des choses. Son entencion
Ne sera ja nul temps muee
5204 De son droit point ne remuee.
¶ Que scïence trop mieulx, sans faille,

---

* **5200.** enhaulcage (*corr. d'apr. ACDEFGL*) – **5203.** sera nul (*-1; corr. d'apr. ACDEFGL*)

** **5173.** peust bien v. *EFGL* – **5180.** Desire a savoir *EGL* – **5182.** Ou tent creature mondaine *EGL* – **5185-6.** *invertis dans D, mais une note dans la marge indique que c'est une erreur* – **5187.** en son

qu'un homme n'a nul bien sans la science,
car il n'est personne qui réussisse à bien vivre,
entièrement en paix,
sans étudier la sagesse.
Tes biens et ta richesse
ne t'apporteront jamais le même soutien
que le désir constant
d'accroître ton savoir ; de plus,
chercher à savoir fait partie de la nature humaine.
C'est la juste fin dernière
vers laquelle tendent tous les hommes ;
je dis donc vrai en soutenant
qu'il n'y a pas de perfection sans savoir."

Dans un chapitre d'une de ses épîtres,
Saint Ambroise expose[1]
comment la science rend l'homme
plus fort que la force pure, et plus parfait :
le courage du sage ne se brise pas
de peur d'une domination quelconque ;
sa science fait qu'il ne s'émeut pas,
restant inchangé et égal à lui-même.
Il ne se glorifie pas de sa prospérité,
ni ne s'abaisse à rechercher des joies passagères
ni ne plie devant l'adversité.
Là où siège la sapience,
là on trouve la vertu, la constance ;
là est la force, et une grande abondance de sagesse,
qui, dans le cours changeant des événements,
ne rétrécit ni ne gonfle
le cœur humain.
L'esprit du sage
ne sera jamais agité,
ni détourné de sa droite ligne.

Que la science vaille indubitablement mieux

---

epistre *AB* – **5188.** Le recite *EGL* – **5191.** pour scïence *A* par scïence ne s'esmeut *CF* par puissance ne s'esmeut *EGL* – **5193.** se lieve *B*

---

1. Saint Ambroise (v. 330 à 340-397). Père de l'Église.

Que nulle autre richece vaille,
En son livre le dit Alain
5208 *De Plainte de Nature* a plain,
Que la noble possession [212ra]
De scïence a l'eleccion
Sur toutes les choses amees
5212 Qui doivent estre renommees;
La quelle plus est espandue,
Plus est aux respendans rendue,
Et plus est par tout deppartie,
5216 Plus en vault chacune partie;
Tant plus est partout publïee,
Plus l'a chacun en soy lïee;
Par la quelle le grant tresor
5220 De conscïence, meilleur qu'or,
Est conceu en nostre courage,
Dont le fruit tous maulx assouage.
C'est le souleil par quel lumiere
5224 Ajourne o sa lueur plainiere
Es tenebres de la pensee.
C'est l'oeil de nostre ame appensee,
C'est le paradis de delices,
5228 Ou toutes choses sont propices.
C'est celle qui l'auctorité
A de droite proprieté
Par sa bonne conversion
5232 De müer l'opperacion
De l'oeuvre imparfaicte et terrestre
A la perfeccïon celestre.
C'est celle qui peut le mortel
5236 Faire müer en inmortel,
L'umaine et transitoire vie
En gloire parfaicte, assouvie.
¶ Que les hommes sages on doye
5240 Plus exaussier en toute voye

---

* **5210.** a *est un rajout*

** **5210.** a election *ABCEFGL* – **5213.** repandue *CEGL* – **5217-18.** *manquent dans AB* – **5239.** les sages hommes *AB*

qu'aucune autre richesse,
Alain le dit clairement
dans son *De planctu Naturae*[1] :
la noble possession
de la science surpasse
toute autre chose aimée
méritant un renom ;
plus elle est répandue,
et plus elle revient à ceux qui la répandent ;
plus elle est partagée,
et plus chaque part croît en valeur ;
plus on la proclame,
et plus chacun en est intimement habité ;
par la voie de la science, le grand trésor
de la connaissance, qui vaut mieux que l'or,
est conçu en notre cœur,
et son fruit apaise tous nos maux.
C'est le soleil dont la lumière,
dans sa clarté croissante, fait lever l'aube
parmi les ténèbres de la pensée.
C'est l'œil de l'âme en réflexion,
c'est le paradis des délices,
où tout est beau et bon.
C'est elle qui de droit
possède l'autorité
de convertir
admirablement
l'imparfait et le terrestre
en la perfection céleste.
C'est elle qui peut
nous immortaliser, changer
la vie humaine et transitoire
en une gloire achevée.
Que l'on doit élever les sages
en toute circonstance

---

1. Alain de Lille (Alanus ab Insulis) : v. 1128-1203. Nature se plaint dans cette œuvre de ne pouvoir régler à elle seule la conduite des hommes, qui s'acharnent au vice.

Et prisier trop plus qu'aultre riens,
Sans excepter nulle ame en riens,
Fulgence en ses *Mithologies*
5244 Dit comment Appollophanies,
Le bon philosophe ancïen,
Appelloit, pour le tres grant bien
De la sappïence que avoit,
5248 Socrates "Dieu", et tant l'avoit *[212rb]*
En reverence grandement
Que le dieu du gouvernement
Du monde et de sens l'appelloit,
5252 Et pour ce aourer le vouloit.
Car c'iert accoustumé jadis,
Ainsi comme on treuve en maint diz,
Que tous hommes et toutes femmes
5256 Qui eussent louanges et faames
D'avoir excellant sapïence,
Ilz honnouroient tant scïence
Qu'ilz repputoient deïté
5260 D'estre en si hault degré monté,
Et les aouroient com dieux,
Non obstant ne loise aux mortieulx.
¶ Et comme scïence et sagece
5264 Donne aux sages a grant largece
Secours en toute aversité,
En est en maint lieu recité.
Appuleyus si le tesmongne
5268 En son livre, ou ne mist mençongne,
[Du dieu Socrates dessus dit
Ou Omer allegue qui dist]
En parlant de Ulixes le sage,
5272 Qui prudence avoit en usage
Et scïence, qui conduisoit
Ses fais et si bien le duisoit

---

* **5253.** Car *est un rajout*

** **5244.** Dist *DEFGL* – **5245.** Le philosophe *EFL* – **5248.** Saturnus... et si l'avoit *ABCDEFGL* – **5250.** Le dieu du bon gouvernement *ABCDEFGL* – **5253.** Si ert *ABCDEFGL* – **5254.** com treuve *EGL* – **5256.** louange *C* – **5257.** excellent ensapience *C* –

et les priser par-dessus tout,
sans exception aucune,
Fulgence le dit dans ses *Mythologies*[1] :
Apollophane,
bon philosophe ancien,
appelait Socrate "Dieu",
à cause de sa très grande sagesse ;
il le tenait
en si haute estime.
qu'il le nommait le dieu de la raison
et du bon gouvernement du monde ;
ainsi voulait-il l'adorer.
D'ailleurs, c'était la coutume jadis
(d'après de nombreux ouvrages)
que tous les hommes et toutes les femmes
loués et réputés
pour leur grande sagesse,
tellement la science était à l'honneur,
étaient regardés comme des divinités
siégeant sur un plan supérieur,
et adorés comme des dieux,
bien que cela ne soit pas permis aux humains.

Et comment la science et la sagesse
sont d'un grand secours, en toute adversité,
à ceux qui les pratiquent,
on en trouve le récit dans de nombreux textes.
Apulée en témoigne
dans son livre véridique déjà cité,
Du dieu de Socrate ;
il en appelle à Homère, qui dit
en parlant du sage Ulysse
qu'il possédait à fond la prudence et la science ;
elles le guidaient,
le conduisant si bien

5263. scïence et largece *F* – **5268.** ne met *EGL* – **5269-70.** *manquent dans tous les mss. sauf EFGL. Leçon de L* – **5271.** Parlant *ABCD*

---

1. Fulgence (Claudius Fulgentius) : 467-533 apr. J.-C. Auteur de commentaires sur Virgile et sur Ovide, et des *Mythologies*.

Que par tant de perilz orribles,
5276 Passant aventures terribles,
Surmonta toutes les tempestes
Et les merveilleuses molestes
Par l'ayde de sa grant prudence,
5280 Sapïence et grant providence.
En la fosse Ciclops entra,
Perilleuse, ou il encontra
Maintes merveilles ; toutevoye
5284 Par son sens n'ot mal en la voye.
En enfer dessendi, et si
En sailli tout vif ; autressi
Du beuvrage Circes beu a,
5288 Et point en beste n'en mua.
Des Ceraines les chançons belles *[212va]*
Ouÿ, et ne tira vers elles.
Et de plusieurs autres perilz
5292 Eschappa, sans estre peris ;
Par son sens s'en desveloppa,
N'autre riens ne l'en eschappa.
¶ Que quant scïence est bien amorse,
5296 Elle vault mieulx a homs que force,
De ce dit Thules en son livre
De Viellece tout a delivre :
Que les grandes choses parfaites
5300 Non mie par force sont faites,
Ne par abilleté de corps,
Ne par jeunece, ne encors
Par legiereté que li membre
5304 Ayent, mais par conseil entendre,
Par sagece et par sapïence

---

* **5279.** grant *est un rajout*

** **5279.** de sa prudence *ABCDEFGL* – **5280.** De Sapïence et providence *EFGL* – **5282.** il rencontra *G* – **5288.** ne mua *B* N'oncques en beste *EFGL* – **5289.** changons *D* – **5299.** choses grandes *AB* les tres grans choses *D* – **5305.** sagece par *EGL*

que, passant par d'affreux périls
et de terribles aventures,
il surmonta toutes les tempêtes
et des obstacles extraordinaires
à l'aide de sa prudence,
de sa sagesse et d'une grande prévoyance.
Il entra dans la dangereuse caverne du Cyclope[1],
où il vit beaucoup de choses
étonnantes, effrayantes ;
toutefois, son esprit vif lui permit d'en sortir indemne.
Il descendit aux Enfers,
mais put en ressortir vivant ;
il but également du breuvage de Circé[2],
sans se transformer en bête.
Les belles chansons des sirènes lui parvinrent,
mais il ne se dirigea pas vers elles.
Il échappa ainsi à de nombreux périls,
se gardant toujours de la mort.
Ce fut son esprit, et rien d'autre,
qui le tira de tout danger.

Quand la science est solidement implantée,
elle sert l'homme mieux que la force physique :
voilà l'idée sur laquelle Cicéron insiste
dans son livre sur la vieillesse[3].
Les choses grandioses
ne sont nullement faites par force
ni par habileté corporelle,
ni par jeunesse,
ni encore grâce à la souplesse musculaire ;
mais par l'attention prêtée aux conseils,
par la sagesse et la sapience,

---

1. Cyclope : Polyphème, berger géant à un œil qui mangea plusieurs des compagnons d'Ulysse avant que celui-ci n'arrivât à s'échapper de sa caverne. – **2.** Circé : magicienne qui fit boire aux compagnons d'Ulysse des philtres qui les tranformèrent en pourceaux. Circé ne fait l'objet que d'une mention dans *Le Chemin*, mais revêt une importance plus grande dans d'autres textes de Christine, notamment au numéro 17 des *Autres ballades*, et dans *La Mutacion de Fortune*. Voir Renate Blumenfeld-Kosinski, *Reading Myth*, 176-80. – **3.** *De senectute*.

Et par d'auctoritez scïence,
Qui plus reluit es ancians
5308 Ayens plus parfais essïens
Que les jeunes ; par quoy au fait
De leur sens s'ensuit mieuldre effait
Qu'il ne fait des jeunes hastifs,
5312 Sans conseil, tout soient hardis.
Pour ce ne doit on jeune gent,
Tout soient fort ou bel ou gent,
Ne tant puissent souffrir de peines,
5316 Faire en bataille chevetaines
N'establir juges ensement
De grans causes en jugement.
¶ Que face tout mal decliner
5320 Sapïence et peché finer,
Dist Aggelius, et recorde
Que d'un tel cas il lui recorde.
"Un philosophe, dist il, veu
5324 Ay, qui Pelerin nom a eu ;
Hors d'Athenes en un quignon
Demouroit ou n'avoit pignon.
Vers lui souvent sommes alez ;
5328 Sagement trouvé emparlez *[212vb]*
L'avons, et pour desir d'apprendre
L'avons viseté pour entendre
Sa sappïence et dicipline.
5332¶ Et entre la sage doctrine
Que nous avons de son sens pris,
Un tel enseignement appris
Y avons, que les sages hommes
5336 Ne devroient pour nulles sommes
Daigner pecher ; et posé ore
Que les dieux de longue memoire
Ne les hommes ja riens savoir

---

* **5309.** quoy on fait (*corr. d'apr. ABCDEFGL*) – **5312.** tous (*corr. d'apr. C*)

** **5312.** tous *ABEDFGL* – **5314.** Tant soient *EFGL* – **5322.** *manque dans G* – **5323.** dit *AB* – **5328.** en parlez *ACDEFGL* – **5332.** Et entendre *C*

et par une connaissance profonde des autorités.
Ces qualités ressortent mieux chez les vieux,
dont l'esprit est plus parfaitement formé,
que chez les jeunes ; c'est pourquoi
le fruit de leurs réflexions est meilleur
que celui des jeunes, hâtifs
et peu avisés, quoique courageux.
On ne doit donc pas désigner
les jeunes comme chefs dans des batailles,
tout forts, beaux ou nobles qu'ils soient,
et quelle que soit leur endurance physique ;
de même, il ne faut pas les nommer juges
dans de grandes causes qui requièrent un arbitrage.
Que la sagesse réduit le mal
et fait disparaître le péché,
Aulu-Gelle le raconte[1]
en citant un cas dont il se souvient.
"J'ai vu un philosophe, dit-il,
qui s'appelait Pèlerin.
Il habitait en dehors d'Athènes,
dans un coin obscur dépourvu de toit.
Souvent, en allant le voir
nous le trouvions savamment disert ;
notre désir d'apprendre
nous conduisait à lui rendre de fréquentes visites
pour profiter de sa sagesse et de son enseignement.
Dans la doctrine
que nous a communiquée sa sagesse,
nous avons appris
que les hommes sages
ne devraient à aucun prix
s'abaisser à pécher.
Posons que les dieux et les hommes du temps primitifs
ne devaient rien connaître à ce mal,

---

1. Aulu-Gelle (Aulus Gellius) : IIe siècle apr. J.-C. Auteur romain des *Nuits attiques*, qui se présentent comme une série de conversations entre amis cultivés, traitant des lettres, de la grammaire et de l'histoire.

5340 N'en deussent, pour justice avoir
Toudis en soy et juste droit,
Homme ja pecher ne devroit."
¶ Que sens et bon entendement
5344 Donne a homme le sentement
De soy plainierement congnastre,
De ce dit le tres sage maistre
Seneque en un livre ou raconte
5348 D'un philosophe dont il compte
Qui Sixius on appelloit.
Cellui chacun jour appelloit
Son courage a soy meismes rendre
5352 Raison, et la vouloit entendre
De quoy le jour avoit servi,
Et s'il avoit riens desservi
De quoy il deust estre repris,
5356 Et s'il y avoit riens appris.
Disoit en soy : "Et qu'as tu fait
Ce jour, es tu point plus parfait
Que yer ? A quel mal resisté
5360 As tu ? Ne t'es tu desisté
De riens qui soit contraire a meurs ?
As tu point par exemples meurs
Autrui appellé ? A doctrine
5364 As tu pascïence enterine ?"
Et ainsi cellui a par lui
Arguoit. Si dit de cellui
Seneque qu'il estoit contraint *[213ra]*
5368 D'estre de tous vices abstraint
Par l'inquisicion parfaite
Qui lui ert par soy meismes faite.
¶ Et qu'il soit voir que sapïence
5372 Eüst la plus grant audïence
Es temps ancïens des payens,
Vous le veez par les moyens
Des histoires qui en appert
5376 Le dïent, comme il y appert.

** **5345.** plainement *EGL* – **5356.** Ou s'il *EFGL* – **5358.** tu plus parfaict *G* – **5366.** dist *CEFGL* – **5370.** lui est *EGL* par lui meismes *A* – **5376.** il appert *EGL*

il s'ensuit que si l'on veut toujours abriter la justice
et avoir le droit de son côté, [en soi
il ne faut jamais pécher."

Que l'esprit et l'intelligence
donnent à l'homme le sentiment
de se connaître pleinement,
le très sage maître Sénèque
en parle dans un livre, où il raconte
l'histoire d'un philosophe
que l'on appelait Sextius[1].
Chaque jour, Sextius interrogeait son cœur
pour se rendre compte à soi-même de ses actions ;
il se demandait
à quoi sa journée avait servi,
s'il n'avait rien fait
qu'il devait se reprocher,
ou s'il avait appris quelque chose.
Il se disait : "Qu'as-tu fait aujourd'hui ?
Es-tu plus parfait qu'hier ?
À quel mal as-tu résisté ?
As-tu succombé à quelque chose
qui soit contraire aux bonnes mœurs ?
As-tu accusé les mœurs d'autrui
par une conduite exemplaire ?
Es-tu entièrement dévoué à la science ?"
Ainsi arguait-il à part lui.
Sénèque en conclut
que Sextius s'obligeait
à rester pur de tout vice
en s'autosoumettant
à une inquisition parfaite.

Et qu'il est vrai que la sagesse
avait plus grand cours
aux temps anciens des païens,
vous le voyez à travers les histoires
qui le disent clairement ;
vous en avez les preuves.

---

1. Quintus Sextius : philosophe ascète du Ier siècle av. J.-C.

Le *Policratique* le preuve,
Et voy cy comment il l'espreuve :
"Comme il fust ainsi, ce dist il,
5380 Que les payens, la gent jentil,
Tenissent que homs jeunes ne vieulx,
Sans avoir le conseil des dieux
Ne deüst faire nulle riens,
5384 Toute fois entr'eulx une riens
Avoient quë ilz honnouroient ;
Comme souvrain dieu l'aouroient
Et com prince de toutes choses,
5388 Ou toutes bontés ot encloses.
Le dieu des dieux de leur fiance,
Cellui dieu estoit Sappïence,
Que sur toute riens repputoient,
5392 Honnouroient et redoubtoient.
¶ Pour ce les sages ancïens
Philosophes, ou ot mains biens,
En leurs temples faisoient mettre
5396 L'ymage a tout moult noble ceptre
De Sapïence, et a l'entree
Du temple elle estoit encontree.
En sa bouche un escript tenoit,
5400 Dont la lettre ainsi contenoit :
'M'engendra et fist grant usage,
M'enfanta Memoire, la sage ;
Les Grigois qui de moy parlerent
5404 Sophie en leurs dis m'appellerent ;
Des Latins la sage emparlee
Sapïence suis appellee.
Je hé les hommes qui sont nices, *[213rb]*
5408 Les oeuvres vaines et les vices,
Toutes sentences inutiles,
Et aime les choses soubtilles.'"
¶ Tant de preuves que c'est sans compte

---

* **5400.** Dont latre (*corr. d'apr. ABCDEFGL*)

** **5378.** l'appreuve *ABDEFGL* – **5379.** dit *ABC* – **5390.** Estoit et ce ert *ABDEFL* Estoit et ce est *G* – **5396.** L'ymage o tout *A*

Le *Policraticus* aussi le démontre ;
voici comment :
“La noble race des païens, dit-il
croyait qu’aucun homme,
fût-il jeune ou vieux,
ne devait rien entreprendre
sans demander conseil aux dieux.
Toutefois, ils possédaient en eux
une qualité qu’ils honoraient,
l’adorant comme le dieu souverain
et le prince universel,
dépositaire de toutes les qualités.
Le dieu des dieux, en qui reposait leur confiance
était Sapience ;
ils la réputaient,
l’estimaient et la redoutaient plus que tout autre.
Les anciens philosophes,
hommes sages et admirables,
faisaient mettre dans leurs temples
l’image de Sapience
tenant noblement son sceptre ;
on la rencontrait à l’entrée du sanctuaire.
Dans sa bouche elle tenait un écrit,
dont le texte disait ceci :
‘Mémoire, la sage, m’engendra,
m’enfanta, faisant là œuvre utile ;
les Grecs qui parlèrent de moi
dans leurs ouvrages me nommèrent Sophie ;
les Latins m’appellent Sapience,
la sage et éloquente.
Je hais les hommes sots,
les œuvres vaines et les vices,
et tout discours inutile ;
j’aime les choses subtiles.’”
Je pourrais citer ici

L’image o tout noble *B* – **5405.** en parlee *D* – **5407.** h. folz et nyces *ABCDEFGL*

5412 Je pourroye ycy traire a compte
Des louenges de sapïence,
Ou est compris toute scïence.
Les philosophes en ont dit
5416 Maint beau proverbe et fait maint dit,
Qui trop lonc seroit a compter ;
Si ne pense a tout racompter.
¶ Voy cy qu'Aristote en escript,
5420 Se a memoire j'ay son escript :
"Pour ce que sappïence est mere
De toutes vertus non amere,
Par les meilleurs raisons monstree
5424 Elle doit estre et demonstree."
¶ Salemon dit en ses Proverbes
Ou sont contenus mains beaulx verbes :
"Se sappïence en ton cuer entre,
5428 Et scïence se fiche ou centre
De ton ame, conseil plaira
A toy qui point ne te laira,
Et te conservera prudence
5432 De toute mauvaise accidence."
¶ Mais le Psalmiste si nous dit
En ses vers, ou il n'a mesdit,
Que de sapïence el principe
5436 Qui toute male erreur estippe,
C'est la crainte Nostre Seigneur,
Qui nous doit estre la greigneur.
¶ Un autre sage si recorde
5440 Que sapïence est de concorde
La mere, qui toutes fait naistre
Les vertus et l'omme sage estre.
¶ Mais or vueil que soient finies
5444 Cestes raisons ; mais infinies
En pourroient estre comptees.
Mais toutes choses racomptees

** **5444.** Mes probacions infinies *A* ai es probacions infinies *B* r. car infinies *C* Mes grans raisons car infinies *D* Mes raisons combien que infiniez *EFGL* – **5446.** toutes les choses comptees *AB*

des preuves sans nombre
des louanges de la sagesse
qui contient toute la science.
Les philosophes ont fait à ce sujet
de beaux proverbes et sentences,
mais il serait trop long de tout raconter dans le détail,
ainsi je n'y songe même pas.
Voici ce qu'Aristote en écrit,
si j'ai bonne mémoire de son texte[1] :
"Comme la sagesse est mère
de toutes les douces vertus,
elle doit être publiée et démontrée
par les meilleurs raisonnements."
Salomon dit dans ses Proverbes,
riches de belles paroles :
"Si la sagesse entre dans ton cœur
et que la science se fiche au centre de ton âme,
la sage réflexion te plaira
et ne te quittera point,
et la prudence te préservera
de tout événement malheureux."
Mais le Psalmiste nous dit encore,
dans ces vers purs de mensonge
que le principe de la sagesse,
qui nous évite toute erreur vicieuse,
est la crainte de Notre-Seigneur
qui doit dominer nos pensées.
Un autre sage maintient
que la sagesse est la mère de la concorde,
qui fait naître toutes les vertus
et rend l'homme sage.
Mais je voudrais maintenant en finir
avec mes preuves ;
je pourrais les conter à l'infini,
mais de longs développements

---

1. Cet avertissement de dame Sagesse nous laisse à penser qu'en écrivant, Christine avait sans doute aussi recours à sa mémoire pour citer ses sources.

Par loncs comptes souvent anuyent, *[213va]*
5448 Et maintes gens si les deffuyent.
¶ Si ay bien prouvé, ce me semble,
Que se toutes choses ensemble
Estoient pour la mieuldre eslire,
5452 On devroit, sans point contredire,
Eslire sagece soubtive,
Sur toutes la supperlative.
Si en vueillés juger, ma dame
5456 Raison qui ne fait tort a ame,
Et mon esleu couronné soit
Du bas monde; car il conçoit
Toutes les choses qui savans
5460 Sont aux humains, de ce me vens.
¶ Mais pour ce qu'a aucun pourroit
Sembler qui gloser y vouldroit,
Ce que oncques certes ne pensay,
5464 Que mettes de raison passay
Quant noblece de corps blasmay
Sans vertu, que petit amay,
Que l'eusse fait pour mesprisier
5468 Nobles gens, que l'en doit prisier,
Pour ce adés vueil louer noblece
Aournee de tel gentillece
Comme elle doit par droit avoir,
5472 Qui en veult faire son devoir.
Et aux princes moy adressant,
Diray, se Raison si assent,
Com nobles doivent estre fais,
5476 S'estre tenus veulent parfais.

** **5447.** long proces *EFGL* – **5451.** la meilleure *G* – **5460.** aux hommes de *EFGL* – **5461.** pource que aucun *DEFGL* – **5469.** ce vueil or louer *EFGL* – **5474.** si conssant *EFGL*

sont souvent ennuyeux,
ce qui fait que les gens les fuient.
  En effet, il me semble que j'ai bien prouvé
que si on rassemblait toutes les qualités
pour en élire la meilleure,
on devrait, sans contredit,
choisir la subtile sagesse,
qui l'emporte sur toutes.
Dame Raison, veuillez donc juger de ma plaidoirie,
vous qui êtes toujours équitable ;
et que mon préféré soit couronné
prince du monde terrestre –
je suis fière de le dire –
il connaît tout ce que l'être humain peut savoir.
  Mais il pourrait sembler
à ceux qui voudraient gloser
que j'ai exprimé une pensée qu'en fait je n'eus jamais.
Ils diraient que j'ai passé les bornes et déraisonné
lorsque j'ai blâmé la noblesse de race
sans vertu, pour laquelle j'ai peu d'estime ;
Ils croiraient que je méprise les nobles
que l'on doit bien sûr admirer.
Je voudrais donc à présent louer la noblesse
quand elle est ornée de la qualité
qui doit en toute justice être la sienne
et qui oblige celui qui veut être digne d'elle.
Et en m'adressant aux princes,
je dirai, si Raison y consent,
comment les nobles doivent être
s'ils veulent qu'on les tienne pour parfaits.

CY DIT DES MEURS
QUE DOIVENT AVOIR LES NOBLES PRINCES
SELON LES DIZ DES AUCTEURS

Pour ce que cy assemblé sommes
Pour avisier de tous les hommes
Qui nous pourrons le mieuldre eslire
5480 Pour estre du mond roy et sire,
Qui moult doit estre par raison
Esleu, et se vous ma raison
Entendez pour mieulx aviser,
5484 Je vous vueil dire et deviser *[213vb]*
Quel condicion doit avoir
Noble prince par droit devoir
Selon les dis des ancïens,
5488 Se croire n'en voulez les miens.
¶ Et premierement, de quoy sert
Le prince qui gloire dessert,
Se bien et deuement s'aplique
5492 Au bien de la chose publique ?
¶ Plutarchus si dit et recorde
Que ycelle publique concorde
Est un droit corps vivifié,
5496 Du don de Dieu saintifié
Et gouverné par l'atrempance
De raison, par bonne ordenance ;
Du quel corps le prince est le chef,
5500 Sans qui les membres n'ont a chef,
Car tout ainsi com le chef est
Dessus les membres, prompt et prest
A gouverner trestout le corps,
5504 Et en lui sont tous les accors

** **Rubrique** : Les meurs que bon prince doit avoir selon les dis des aucteurs *AD La rubrique manque dans BEGL* Les condicions que princes doivent avoir selonc les diz des aucteurs *C* Les condicions que le bon prince doit avoir selon les dis des aucteurs *F* – **5485.** Quelz condicions *ABDEFGL* – **5487.** le dit *C* – **5488.** ne voulez *F* – **5494.** celle *EGL* – **5496.** De don *EFGL* – **5501.** tout aussi que *D*

OÙ L'ON PARLE DES MŒURS QUE DOIVENT AVOIR LES NOBLES PRINCES, SELON LES AUTEURS

Puisque nous nous sommes rassemblés ici
pour discuter de l'homme qui, entre tous,
mérite l'élection
à l'office de roi et seigneur du monde ;
et puisqu'il faut l'élire selon la raison,
si vous voulez bien m'écouter
afin de mieux aviser,
je vous exposerai
quelles qualités, selon les anciens,
le noble prince digne de ce nom
doit posséder ;
croyez-les, si vous ne voulez pas me croire.
Premièrement, quelle est la place du prince
qui au nom de la gloire
s'applique consciencieusement
au bien de la chose publique[1] ?
Plutarque écrit[2]
que cette harmonie publique
constitue un vrai corps vivant,
sanctifié par Dieu
et, selon la règle,
gouverné et tempéré par la raison.
Le prince est la tête de ce corps ;
sans lui, les membres restent sans chef.
De la même façon, la tête règne sur les membres,
prompte et prête
à gouverner le corps entier,
et servant à accorder les sens

---

1. En latin, la *res publica*, origine du mot français « république ». Ici, la société. – **2.** Plutarque : v. 48-49-v. 125 apr. J.-C. Biographe et moraliste grec. Christine cite la même analogie du prince comme tête d'un corps social dès la première page du *Livre du corps de policie*.

Des sens qui doivent gouverner
Tout le demourant, Dieu donner
Y a voulu plus de beauté,
5508 Car le vis especiaulté
Porte de la beauté parfaicte ;
Et ainsi com plus noble est faite
Celle partie, doit prince estre,
5512 Qui est plus hault et le plus maistre
Des membres qui obeïssans
Lui sont. Si doit passer son sens
Tous les autres en bonnes meurs
5516 Et en consaulx vaillans et seurs.
¶ Aristote dit en *Ethiques*
Que princes ainsi autentiques
Doivent estre, et qu'il y appere,
5520 Comme est sus les enfans le pere,
Et sus les brebis le pastour,
Qui garder les doit de mal tour.
¶ Que luxure doye fuÿr
5524 Le prince et chasteté suïr, *[214ra]*
Dit Valerius en son livre
Cinquiesme, qui maint bon dit livre,
Que la chose plus desseant
5528 A un prince et plus mal seant
C'est luxure, et exemple en donne
D'un grant prince, dont il raisonne.
C'est de Hanibal, de Cartage
5532 Prince, racompte, qui si sage

* **5518.** prince (*corr. d'apr. ACDEFGL*)

** **5506.** Le remenant et Dieu *ABCDEFGL* – **5508.** les vis *E* – **5519.** y pere *D* – **5528.** mal desseant *B* – **5529.** Est *FG*

1. *Éthique* : Nicole Oresme a traduit cette œuvre d'Aristote à partir d'une version latine du XIIIe siècle, au début des années 1370. Le texte français est disponible dans Albert D. Menut, éd., *Le Livre de « Ethiques » d'Aristote,* New York : Stechert, 1940. Sur Christine de Pizan et Aristote, voir Kate Langdon Forhan, « Reading Backwards : Aristotelianism in the Political Thought of Christine de Pizan », dans Eric Hicks, éd, actes du 3e Colloque International Christine de Pizan. Parmi les autres sources sur Aristote, et

qui doivent régir le reste.
Dieu a choisi
d'y mettre plus de beauté
parce que le visage montre le mieux
la beauté parfaite.
Et de même que cette partie du corps est faite plus [noble,
ainsi doit être le prince,
le supérieur et le maître de sujets
qui doivent lui obéir.
Il doit surpasser tout le monde
par la sagesse de sa conduite,
la vaillance et la sûreté de ses conseils.
Aristote dit dans son *Éthique*[1]
que les princes authentiques sont ainsi ;
ils doivent être, on le comprend,
comme le père pour ses enfants,
ou le berger,
qui protège ses brebis du danger.
Que le prince doit fuir la luxure
et embrasser la chasteté,
Valère le dit dans son cinquième livre,
qui donne beaucoup de bons conseils.
Selon lui, la luxure est le trait le plus inconvenant
et malséant chez un prince ;
il cite l'exemple d'un grand prince
pour exposer son raisonnement.
Hannibal de Carthage, raconte-t-il[2],
fut un prince si intelligent et vaillant

Oresme, citons : Claire Richter Sherman, *Imaging Aristotle : Verbal and Visual Representation in Fourteenth-Century France* (Berkeley : University of California, 1995) ; Georg Wieland, « The Reception and Interpretation of Aristotle's *Ethics* », dans *The Cambridge History of Later Medieval Philosophy* (Cambridge, Cambridge University Press, 1982) 657-672, et Susan M. Babbitt, *Oresme's « Livre de Politiques » and the France of Charles V* (Philadelphie : American Philosophical Society, 1985). Voir aussi la très bonne bibliographie donnée par René Mathieu et Sylvie Lefèvre dans l'article « Nicole Oresme », dans G. Hasenohr et M. Zink, éds., *Dictionnaire des lettres françaises*, 1072-5. – **2.** Hannibal de Carthage : v. 247-183 av. J.-C. L'un des plus grands chefs de guerre de l'Antiquité, ennemi acharné de Rome.

Et si preux fu que les Rommains
Mist plusieurs fois du plus au mains;
Tant fu appris de guerres et fermes,
5536 N'oncques ne pot par force d'armes
Estre vaincu. Finablement
Les charnalitez telement
L'envelopperent en la grant
5540 Champaigne que lui qui engrant
Souloit estre de guerroier,
Firent du tout si desvoyer
Que vaincu en fu au derrain
5544 Honteusement. Ainsi le raim
De luxure est tres deffendu
En cuer de prince estre espandu.
¶ Autres exemples en pourroie
5548 Dire assez, mais longue seroie.
¶ Gloutonnie le prince doit
Aussi fuÿr, qui ne lui loit.
Et de ce racompte Valere
5552 Que sobrieté neccessaire
Est au prince, qui doit jugier
Selon raison; dont empecher
Ne doit mie son sentement
5556 Par boire ou menger gloutement.
Exemple donne d'une femme
Qui fu accusee de blame
Devant Philippe, qui ert roy
5560 De Macedoine et a desroy
Buvoit souvent, jusqu'a estre yvre.
Si n'estoit pas de vin delivre
Quant celle femme examina, *[214rb]*
5564 Car tantost sentence donna
Que mourir devoit. Lors la femme,
Qui de crime sentoit sans blame

** **5535.** guerre *ABCDEFL* – **5539.** ou la *EGL* – **5543.** vaincu fut *G* – **5555.** doit pas son entendement *D* – **5556.** boire et m. *EFGL*

1. Région du sud de l'Italie, où, dans la ville de Capoue, les troupes d'Hannibal succombèrent aux tentations de la volupté. –

qu'il mit maintes fois les Romains en déroute.
Sa résistance et son expérience de la guerre
firent que personne
ne put jamais le vaincre par la force des armes.
Mais à la fin, en Campanie[1],
les plaisirs de la chair
le séduisirent tant
qu'ils lui firent perdre complètement sa voie,
et lui, qui d'habitude
était si désireux de faire la guerre,
finit par être honteusement vaincu[2].
Ainsi faut-il défendre expressément
au rameau de la luxure
de croître dans le cœur du prince.
Je pourrais citer bien d'autres exemples,
mais ce serait lassant.

La gourmandise est un autre vice
que le prince doit fuir et s'interdire.
À ce sujet, Valère remarque
que la sobriété est nécessaire
au prince qui doit juger avec justesse ;
il ne doit jamais
entraver ses facultés
en buvant ou en mangeant goulûment.
Il donne l'exemple d'une femme
accusée d'un crime
devant Philippe, roi de Macédoine[3],
qui buvait souvent démesurément,
et même jusqu'à l'ivresse.
En effet, il n'était pas sobre
lorsqu'il examina le cas de cette femme,
car il déclara tout de suite
qu'elle devait mourir. Alors la femme,
qui se savait innocente,

---

2. Cette histoire est reprise et amplifiée dans *Le Livre du corps de policie*, livre I, ch. 30. Lechat donne le livre IX, ch. 1 des *Actions et paroles mémorables* pour sa source. – **3.** Philippe II de Macédoine : v. 382-336 av. J.-C. Père d'Alexandre le Grand. Cet exemple se trouve dans le livre VI, ch. 2 des *Actions et paroles mémorables*.

Son corps net et sa conscïence,
5568 Dit adonc tout en audïence :
"Se Phelippe en estat deü
Fust, sans estre de vin meü,
Si qu'entendre peust, je parlasse,
5572 Et de sa sentence appellasse."
Dont aprés l'ivrece vaca
A elle ouÿr, et revoca
La sentence qu'il ot donnee,
5576 Qui moult estoit mal ordonnee.
¶ Que prince doye vertueux
Estre et en tous fais fructueux
Dist Saint Augustin, qui racompte
5580 Ou livre ou plusieurs grans biens compte,
C'on dit *De la Cité de Dieu*,
Ou .v.^{e} livre est le lieu,
Comment les ancians nommoient
5584 Vertu et honneur, qu'ilz amoient,
.ii. deesses, et a chacune
Un temple firent ; cil de l'une
Entroit en l'autre, et ert cellui
5588 De Vertu. On entroit par lui
Ou temple qu'on disoit d'Onneur ;
Si ert en signe qu'en tout labeur,
Qui veult a honneur parvenir
5592 Il y fault par vertu venir.
¶ Que exemple bon doie donner
En fais, en diz, en raisonner
Le prince, de ce Clodian
5596 A l'empereur Theodosian
Dit : que l'exemple de bon prince
Si amende plus la province
Que ses commandemens ne font,
5600 Car le peuple et les gens qui sont
Soubz lui, si prennent exemplaire

---

* **5574.** renonca (*corr. d'apr. ABCDEFGL*) – **5596.** (+*1*)

** **5568.** Dist *CDEFGL* – **5597.** Dist *DEFGL*

son corps et sa conscience nets de tout blâme,
dit publiquement :
“Si Philippe était dans son état normal,
et non pas sous l’influence du vin ;
s’il pouvait écouter et comprendre,
je parlerais, et ferais appel de sa sentence.”
Une fois l’ivresse passée,
Philippe écouta la femme,
et révoqua la sentence
qu’il avait si injustement prononcée.
Que le prince doit être vertueux,
et faire valoir chacune de ses actions,
Saint Augustin le dit
dans l’ouvrage où il décrit ce qui constitue le bien,
et qui s’appelle *La Cité de Dieu*.
Au cinquième livre il raconte
comment les Anciens,
qui aimaient la vertu et l’honneur,
en firent deux déesses,
et érigèrent un temple à chacune.
Celui de Vertu s’emboîtait
dans celui dit d’Honneur,
et y conduisait ;
cela signifiait
que dans toute action qui vise l’honneur
il faut d’abord passer par la vertu.
Que le prince doit donner un bon exemple
dans ses actions, ses paroles, et sa façon de penser,
Claudien le dit
à l’empereur Théodose[1].
L’exemple du prince vertueux
incite la province à s’amender
plus que ne font ses ordres,
car le menu peuple et ses autres sujets
prennent de la graine de ce qu’ils lui voient faire,

---

1. Claudien (Claudius Claudianus) : v. 370-v. 404 apr. J.-C. Poète latin. Théodose Ier le Grand (Flavius Theodosius) : v. 346-395 apr. J.-C. Empereur romain : 379-395. Sous son règne, le christianisme devint la religion officielle de l’État.

Ou au bien ou au mal que faire *[214va]*
Lui voient. S'il est bon, amendent ;
5604 Se mauvais est, au mal s'entendent.
Pour ce, quant fait commandement,
Tenir le doit premierement,
Et puis ses subgez le suivront
5608 Et plus voulentiers le feront ;
N'oseront contredire au roy
Qui mesmes tendra celle loy.
¶ Au propos dit Sozoneüs
5612 Que les princes qui ont eüs
Les grans renoms es temps passez,
Ou tant de biens ot amassez,
Nulle chose ja n'establissent
5616 Qu'en leurs personnes n'acomplissent.
Si tenoient tous les edis
Qui par eulx erent fais et dis,
Ne pour de seigneur le haulçage
5620 Ilz n'y queroient avantage.
¶ De Julius Cesar appert
Qui oncques ne dit en appert
A ses chevaliers : "Alez y",
5624 Ains toudis disoit : "Alons y".
En fait de guerre et de bataille,
Sienne en estoit la commençaille ;
Si donnoit cuer et hardement
5628 A ses gens de plus fierement
Combatre, quant present estoit ;
Ainsi le monde conquestoit.
¶ Que prince soit plain de clemence,
5632 Piteux et doulx, par affermance
Voy cy Seneque en un epistre,
Le quel j'en fois juge et arbitre,
Qui dit qu'il n'est homme qui tant

---

* **5611.** de Sozoneus (*corr. d'apr. ABCDEFGL*) – **5616.** Que leur (*corr. d'apr. ABCDEFGL*)

** **5603.** Lui voyant s'il *F* – **5607.** l'ensuivront *ABCDEFGL* – **5614.** bien *BCDF* ont *EGL* – **5616.** leur personne *EGL* – **5619.** le hantage *FGL* – **5624.** Ains touziours disoit *F* Ains disoit tousjours

que ce soit en bien ou en mal.
S'il est bon, ils s'améliorent,
et s'il est mauvais, ils s'appliquent à faire le mal.
Pour cette raison, le prince doit être le premier
à obéir à ses propres injonctions.
Ses sujets le suivront
de meilleure volonté ;
ils n'oseront pas contredire un roi
qui se soumet aux lois qu'il édicte.
À ce propos, Sozomène dit[1]
que les princes de haut renom,
jadis, à la grande époque
de la vertu,
ne décrétaient rien
qu'il n'accomplissaient de leurs personnes.
Ils obéissaient à tous les édits
qu'ils émettaient,
et ne prenaient pas prétexte de leur supériorité de
pour s'accorder des avantages. [seigneur
On sait que Jules César
ne s'adressait jamais à ses chevaliers
en criant "Allez-y" ;
il disait toujours "Allons-y".
Dans la marche des guerres et des combats,
c'était lui qui ouvrait la bataille.
Sa présence donnait à son entourage
la force et le courage
de se battre plus vigoureusement,
et ainsi il conquit le monde.
Que le prince doit être plein de clémence,
doux et compatissant,
Sénèque l'affirme dans une épître
que je cite en autorité
et qui dit qu'il n'est personne

EGL – **5633.** Le dit *ABCD* El dist *EFL* Il dist *G* – **5635.** Qu'il *GL* dist *CFGL*

---

1. Sozomène (Salamanes Hermeias Sozomenus) : Historien ecclésiastique byzantin du ve siècle. Il a dédié son œuvre à l'empereur Théodose II (401-450).

5636 Soit neccessaire estre clement
Et piteus comme aux princes est,
Et de rigueur estre mains prest.
¶ Ou tiers *Epistre* ancor recorde
5640 Que la cruaulté ou s'acorde
Le prince batailles engendre, *[214vb]*
Mais sa clemence, ou que descendre
Elle viengne, transquilité
5644 Engendre par humilité.
C'est la pröece du courage
Noble, vaillant, honneste et sage,
De tousjours estre debonnaires
5648 Et doulx en trestous ses affaires.
Në a un prince n'affiert point
Estre fol n'ireux, par nul point,
Si qu'on ne le puisse prïer
5652 Par humblement mercy crïer.
¶ Encor dit en l'*Epistre* quart
Que se les dieux sont de leur part
Si debonnaires que les hommes
5656 Ne fouldroient pour les grans sommes
De leurs pechez, et pour quoy dont
Les princes, qui tous hommes sont,
Ne pardonnent ilz de leger,
5660 Quant en eulx a a corriger ?
¶ Ou .vme chapitre encore
Dit Seneque que ou temps de lore
Un prince estoit qui ot taché
5664 A estre fierement vengié
De quanqu'il avoit d'ennemis ;
A les destruire a peine mis.
Ainsi en destruit plus de .xx.,
5668 Mais d'un seul souffrir lui couvint,
Par force ne le pot destruire ;
Assez lui en pot le cuer cuire.
A sa femme pris conseil a,

---

* **5642.** dessende (*corr. d'apr. ABCDEFGL*)

** **5637.** au prince *CD* – **5638.** pou prest *EFGL* – **5645.** de *AB* –

qui doive être plus enclin à la clémence
et à la compassion, et moins à la rigueur,
que le prince.
Dans sa troisième épître il remarque encore
que la cruauté d'un prince
engendre des batailles,
tandis que sa clémence, partout où elle se répand,
fait naître la tranquillité
par la voie de l'humilité.
C'est la prouesse d'un cœur
noble, vaillant, honnête et sage
d'être toujours bon
et doux dans toutes ses affaires.
Il ne convient nullement
qu'un prince soit emporté ou colérique,
de sorte qu'il soit fermé aux prières
qui lui demandent humblement merci.
Il ajoute dans sa quatrième épître
que si les dieux, pour leur part,
sont assez indulgents
pour ne pas foudroyer les hommes
malgré leurs nombreux péchés,
pourquoi donc les princes, qui ne sont que des humains,
ne pardonnent-ils pas facilement aux autres,
puisque eux-mêmes sont sujets à l'erreur ?
Au cinquième chapitre encore
Sénèque dit que jadis,
il était un prince qui tâcha
de se venger cruellement
de tous ses ennemis ;
il mit toute sa peine à les détruire.
Ainsi il en abattit plus de vingt,
mais il en restait un qui le faisait souffrir
car il n'arrivait pas à le détruire par la force.
Cela le faisait bouillir de rage.
Il prit conseil auprès de sa femme,

5648. entre tous ses *G* – **5650.** fel *ABCDEGL* – **5651.** com *EL* Et com *G* plier *EGL* – **5656.** pour leurs g. *F* – **5662.** Dist *ABEFGL*

5672 Et celle bien le conseilla,
Et lui dist quë ainsi feïst,
Et tel remedë y meïst
Com fait le medecin savant
5676 Le quel, quant ne va percevant
La garison de son malade
Par medicine amere ou fade,
Ou tel com lui cuidoit propice,
5680 Lui donner d'une autre malice *[215ra]*
Il s'avise, et tout au contraire
Lui donne ; et par ce voit on traire
Aucun malade a garison.
5684 Si dit qu'il feist en tel façon,
Puis que par guerre ne povoit
Cil avoir, esprouver devoit
Se par doulceur avoir le peust.
5688 Ainsi le fist affin qu'il l'eust,
Et par tel doulceur l'endormy
Que cellui fu si son ami
Que meilleur ne peüst avoir,
5692 Et depuis le fist il son hoir.
¶ De cellui meïsmes excercite
De doulceur Seneque recite
Ou dit livre tout ensuivant,
5696 Et par exemple met avant
Des mouches a miel, qui si feles
De leur nature sont quë elles
Laissent l'aguillon en la playe
5700 Ou la pointure l'omme playe ;
Mais point d'aguillon n'a leur roy,
En signe de plus doulx arroy.
Et dit Seneque sus ce point
5704 Que par ce que le roy ne point,
Nature aux princes donne exemple
D'avoir en eulx vertu plus ample

---

* **5679.** tel qu'on (*corr. d'apr. ABCDF*) – **5688.** *le* l' *de* l'eust *est un rajout*

** **5673.** Car lui *ABDEFGL* – **5676.** Que quant ne va appercevant

qui lui donna une bonne suggestion.
Elle lui dit qu'il devait appliquer
le même remède
qu'essaie le médecin savant
qui, voyant que son malade
ne guérit pas à l'aide
d'un médicament amer ou sans saveur,
ou de telle autre sorte qu'il lui croyait bénéfique,
s'avise de s'y prendre par d'autres moyens
et lui donne tout le contraire.
De cette façon, on voit bien des malades
amenés à guérir.
Sa femme conseilla au prince d'en faire de même :
puisqu'il ne pouvait vaincre son ennemi par la guerre,
il devait essayer
de l'avoir par la douceur.
Ainsi fit-il,
et il berça son adversaire d'une si grande gentillesse
que l'autre devint son ami ; à tel point,
qu'il ne pouvait pas en avoir de meilleur.
Plus tard, il fit de lui son héritier.

Ce même effort de douceur
occupe le récit de Sénèque
dans la suite du quatrième livre.
En guise d'exemple,
il parle des abeilles,
qui sont par nature si cruelles
qu'elles piquent, en laissant leur aiguillon dans la plaie,
où la pointe continue à blesser leur victime.
Mais leur roi, lui, n'a pas d'aiguillon,
en signe de son tempérament plus doux.
Sénèque dit sur ce point
qu'en ce roi qui ne pique pas,
Nature donne un exemple aux princes :
il leur incombe d'avoir plus de vertu qu'autrui,

ABCDEFGL – **5679.** tel c'on *EGL* – **5680.** donner donne autre *A* – **5684.** Si dist *CDEFGL* – **5688.** qu'il feust *E* – **5691.** nel *C* Que de puis ne *EGL* – **5703.** dist *DEFGL* – **5704.** que leur roy *EL* – **5706.** D'avoir vertu en eux *G*

Qu'aultres gens, et meurs plus parfais
5708 Et plus doulceur en tous leurs fais,
Sans nesun raim de cruaulté,
Et plus parfaicte loyauté.
¶ Le *Policratique* maintient
5712 En son livre qu'il appartient
A un prince a estre ancïen
De meurs, et tout le maintien sien
Soit attrempez et a conseil
5716 Avisez d'entendre conseil,
Et qu'il se sache gouverner
Com les medecins, qui donner
Scevent diverses medecines.
5720 Aux repplés font boire racines *[215rb]*
Ou autres choses pour vuidier ;
Aux autres, pour nature aydier,
Plusieurs divers cirops apprestent,
5724 Et aux autres qui ja s'aprestent
A pourriture faire en cher,
Scevent le mal du bon trancher.
Et ainsi faire au prince loit
5728 A ses subgés, selon qu'il voit.
Aux uns doit user de doulceur,
Et aux autres faire rigueur ;
Selon le mal la medecine,
5732 Pour curer toute la racine.
¶ A ce propos nous dit Valere
Du noble prince debonnaire
Marc Marcel, le quel, quant ot prise
5736 La noble cité, par s'emprise,
De Ciracuse riche et belle,
Quant vid l'infortune de celle
Cité peuplee, grant et fort,
5740 De pitié prist a plourer fort,

* **5708.** leur (*corr. d'apr. ACEGL*) – **5737.** De Ciracuse par s'emprise riche et belle (par s'emprise *est sous rature*)

** **5708.** tous leur *BD* tout leur *F* – **5717.** qu'il le sache *F* – **5735.** Marcel que quant il ot *D* le quel tant *EGL* – **5736.** La cité noble *ABCDEFGL* – **5740.** fort *manque dans E*

de se comporter plus parfaitement,
et de mettre plus de douceur à toutes leurs actions ;
il doivent être sans une brindille de cruauté,
et de la meilleure foi du monde.
Le livre du *Policraticus* maintient
qu'il appartient au prince
de faire preuve de mœurs à l'ancienne.
Son maintien sera toujours modéré,
il sera prêt à écouter
l'avis de ses conseillers,
et il saura se régler
comme les médecins, qui savent à chaque fois
préparer le médicament qu'il faut.
Aux gros mangeurs, il font boire des potions à base [de racines
ou autre chose pour les purger ;
à d'autres, ils apprêtent divers sirops
pour aider la nature à les guérir ;
et chez d'autres encore, menacés
d'une pourriture de la chair,
ils savent retrancher le malsain du sain.
Le prince peut agir envers ses sujets
selon comment il les perçoit.
Avec certains, il faut user de la douceur ;
avec d'autres, c'est la rigueur qui convient.
À chaque mal son remède
pour guérir toute la souche.
À ce propos Valère nous parle
du noble et magnanime Marcus Marcellus[1],
qui, lorsqu'il eut attaqué et pris
la belle et puissante ville de Syracuse,
contempla l'infortune
de cette grande et forte cité peuplée,
et, saisi de pitié
malgré son inimitié,

---

1. Au terme d'un long siège, le général Marcus Claudius Marcellus prit Syracuse en Sicile en 212 av. J.-C. Lechat trouve la source de cet exemple dans le livre V, ch. 1 du Valère français, sous la rubrique « De l'humanité et de la clémence ». L'exemple de Marcus Marcellus réapparaît dans *Le Livre du corps de policie*, livre I, ch. 15, sous le titre « De humaine pitié en prince ».

En regardant la grant pitié,
Tout non obstant l'ennemistié.
¶ Comment juste et droiturier doye
5744 Estre le prince en toute voye,
Et faire loy diligemment,
Garder droit et commandement,
Valerius le ramentoit
5748 Et dist que tout prince mettoit
Anciennement sa pensee
Que vraye loy fust exaussee.
Un exemple en donne comment
5752 Un grant roy ancïennement
Se fist l'un de ses yeulx crever,
Et a son filz en fist lever
Un autre, pour ce qu'il avoit
5756 Trespassé la loy, dont devoit
Avoir tous les .ii. yeulx crevez.
Si voult de l'un estre grevez,
Affin que son filz, qui regner
5760 Devoit aprés lui, gouverner *[215va]*
Peust le peuple au moins a un oeil.
Ainsi accompli par son vueil
La loy de ce que les .ii. yeulx
5764 On devoit crever a son fieulx.
¶ D'Alixandre est il racompté
Q'une fois en debat monté
Fu, lui et ses chevaliers, dont
5768 Lui qui amoit droiture moult,
Se soubmist au vray jugement
De la cause, et finablement
Fu jugié qu'Alixandre tort
5772 Avoit; et lui par bon accort
Remercia ceulx qui avoient
Jugé le droit, comme ilz devoient.
Et en ce approuva propice
5776 Plus que seigneurie justice.

---

1. Le roi Zaleucus; c'est une information que nous fournit l'article de Lechat, qui a trouvé cet exemple dans le livre VI, ch. 5 du

pleura à chaudes larmes
devant ce spectacle pitoyable.
Valère rappelle
comment le prince doit être
juste et équitable en toutes circonstances.
Il doit légiférer diligemment,
préserver le droit et respecter l'ordre.
Jadis, dit-il,
tout prince se mettait en tête
de faire appliquer la loi dans sa vérité.
Il en donne un exemple
des temps anciens : un grand roi [1]
se fit crever un œil
et à son fils, un autre,
parce que le fils,
ayant enfreint la loi,
devait en conséquence perdre deux yeux.
Le roi préféra sacrifier l'un de ses propres yeux
afin que son fils,
qui devait régner après lui,
pût gouverner avec un œil au moins.
Le roi satisfit ainsi
à l'exigence de la loi
de crever deux yeux à son fils.
On raconte d'Alexandre
qu'il se trouva une fois en désaccord
avec ses chevaliers.
Lui, qui aimait fermement la justice,
soumit la cause au jugement,
et quand on jugea à la fin
qu'Alexandre avait tort,
il remercia de bonne grâce
ceux qui avaient fait leur devoir
en décidant selon les mérites du cas.
Son geste montra qu'il estimait
la justice plus que la puissance.

Valère français. Les lois de Zaleucus (VIIe siècle av. J.-C.) furent d'une sévérité notoire.

Et a ce propos fait l'istoire
De l'empereur Trayan, qui voire
Est, qui dit que monté estoit
5780 Une fois et moult se hastoit
D'a une grant bataille aler.
Une femme vesve parler
Vint a lui, et hault s'escrya,
5784 Et pour Dieu merci lui crya
Qu'il lui voulsist faire justice
D'un qui, par cruel malefice,
Avoit un sien enfant occis.
5788 L'empereur, qui ja ert assis
Sus son destrier, dist que au retour
Lui feroit droit, mais que l'estour
Fust finé. Et celle respont :
5792 "Et se point ne retournes, dont
Qui justice et droit me fera ?"
Il respont : "Cil la parfera
Qui sera de moy successeur."
5796 "Tu es, dist elle, mon debteur.
Que te vauldra, s'aultre me paye ;
Tenus es de faire la paye."
Et lors l'empereur, esmeü *[215vb]*
5800 Des paroles, si a veü
Le cas, et du cheval dessent,
Et a celle femme en present
Fist droit et satisfacion,
5804 Dont fu grant approbacion
Qu'il estoit parfait justicier
Sans prolongner ne delaissier.
¶ Ces mos au propos autentiques
5808 Recorde Aristote en *Ethiques*,
Que le prince pas dominer
Ne doit, mais raison, sans finer ;
Et que cil vray prince est, qui garde

** **5777.** fait histoire *A* – **5779.** dist et m. *EGL* – **5782.** Une vesve femme *D* – **5786.** D'un cruel qui par cruel *C* – **5788.** A l'empereur *EGL* – **5792.** retournez *B* – **5797.** s'aultrui *CD*

À ce propos on cite l'histoire –
véridique – de l'empereur Trajan[1].
Un jour, il avait enfourché son cheval
et se hâtait de partir
pour une grande bataille
quand une veuve s'approcha de lui.
Elle s'écria d'une voix forte,
le suppliant au nom de Dieu
de lui faire justice d'un homme qui,
par un méfait cruel,
avait tué l'un de ses enfants.
L'empereur, déjà monté sur son destrier,
dit qu'il lui ferait droit à son retour,
une fois le combat fini.
Et la femme de riposter :
"Et si tu ne reviens pas,
qui donc me fera droit et justice ?"
Il répondit : "Ce sera l'œuvre
de mon successeur."
"C'est toi, dit-elle, qui es mon débiteur.
À quoi bon si un autre me paie ?
Tu es tenu de régler ta dette toi-même."
Alors l'empereur, ému de ces paroles,
comprit le fond du problème,
descendit de son cheval,
et donna aussitôt
raison et satisfaction à la femme.
Ce fut la preuve irréfutable
qu'il rendait parfaitement la justice,
ne retardant ni ne différant ses jugements.
À ce sujet, Aristote remarque
très justement dans son *Éthique*
que ce n'est pas le prince qui doit dominer,
mais toujours la raison.
Le vrai prince est celui qui garantit la justice

---

1. Trajan (Marcus Ulpius Trajanus) : 53-117 apr. J.-C. Empereur romain de 98 à 117, grand chef de guerre, célèbre pour son sens de la justice. Christine reprend cet exemple en comparant Charles V à Trajan dans *Le Livre des fais et bonnes meurs*, livre I, ch. 23.

5812 Justice et bien raison regarde.
¶ Et Tulle ou livre *Des Offices*
Recorde aussi ces mos propices:
"Comme il soit ainsi, ce dist il,
5816 Que la vertu noble et jentil
De justice es larrons reluise,
Quant entr'eulx tel droit leur aduise
Que leurs despoulles ilz departent
5820 Esgaument et les s'entrepartent,
Par plus fort raison le prince estre
Doit vray justicier en tout estre,
Qui la chose publique garde
5824 Et du commun corps a la garde."
¶ Que le prince doye estre sage,
Entroduit en scïence et large,
De honneur et sappïence appris
5828 Si qu'il ne puist estre repris,
Dist en un livre Saint Bernard,
De consideracïon l'art,
Au pape Eugenius, que roy
5832 Non sage seant en arroy
En chayere tout autant vault
Comme un singe monté bien hault.
¶ Aggelïus aussi tesmongne
5836 Et dist que la plus grant besongne,
Et qui plus digne est de memoire,
Que Phelippe roy fait nottoire, *[216ra]*

* **5838.** fait si nottoire; si *est un rajout* (+*1*)

** **5812.** et raison bien regarde *AB* – **5814.** Recite aussi *EFGL* – **5817.** justice et de larrons *EGL* – **5827.** D'onneur en *C* et scïence *EGL* – **5828.** Si que ne *B* peut *G* – **5833.** En sa chaire *EFGL* – **5834.** Comment *D* – **5838.** feist nottoire *ABCDEFGL*

1. *De officiis* (fini en 44 av. J.-C.) dernière œuvre de philosophie morale de Cicéron. – **2.** Evancio Beltran cite les passages compris entre les vers 5825 et 5912 (les exemples de Philippe, Jules César, Solin, Sozomène et Théodose, Charlemagne, dans cet ordre) pour appuyer son affirmation que le *Communiloquium* de Jean de Galles constitue une source essentielle du *Chemin de long estude*. Il signale aussi que les vers sur Saint Bernard (5829-5834) sont tirés du *Bre-*

et pèse la raison avec soin.
Cicéron, dans *Des offices*[1],
fait aussi une remarque heureuse :
"Comme il est vrai, dit-il,
que la douce et noble vertu
de justice éclaire les voleurs
quand leur propre code de conduite les incite
à diviser leur butin
et à se le partager équitablement,
le prince, *a fortiori*,
doit toujours être un vrai défenseur de la justice
qui protège la chose publique
et veille sur le bien commun."
Que le prince doit être sage[2],
savant, généreux,
plein d'honneur et de sapience –
irréprochable, en somme,
saint Bernard le dit dans un livre
sur l'art de la considération[3].
Il affirme au pape Eugène[4] qu'un roi
dépourvu de sagesse, siégeant en grande pompe
sur son trône, vaut tout autant
qu'un singe qui a grimpé en haut d'un arbre.
Aulu-Gelle témoigne dans le même sens[5],
disant que la tâche essentielle
et le plus digne de mémoire
du règne de Philippe, c'est depuis un fait notoire,

---

viloquium du même auteur. Beltran, 217-219. – **3.** Saint Bernard : 1090-1153, fondateur et premier abbé de Clairvaux, auteur du *De Consideratione*. – **4.** Eugène III (Bernardo Paganelli di Montemagno) : pape de 1145 jusqu'à sa mort en 1153. Disciple de saint Bernard, à qui il demanda de prêcher la deuxième croisade. – **5.** Le *Communiloquium* cite les *Nuits attiques* pour l'exemple sur Philippe, Alexandre et Aristote, ce qui suggérerait que lorsqu'elle parle d'Aulu-Gelle, Christine se sert de l'œuvre de Jean de Galles comme source. Elle revient à cette histoire dans *La Mutacion de Fortune*, t. 2, vv. 5828-5840, et dans le livre I, ch. 3 du *Livre du corps de policie*. Dans sa note sur ce passage dans *Le Livre du corps de policie* (147), Angus Kennedy renvoie le lecteur également au *Policraticus* français de Denis Foulechat (livres I-III, éd. Charles Brucker, Genève : Droz, 1994), 84. Cet exemple se trouve dans le livre IV, ch. 6 de l'œuvre latine de Jean de Salisbury.

Ce fu quant son filz Alixandre
5840 Fist de scïence l'art apprendre,
Qui aprés lui regner devoit.
Et quant cellui roy, qui avoit
Grant desir que son filz apprist,
5844 Le vid né, un message prist;
A Aristote le tramist
A tout un epistre, ou il mist
Que grant joye avoit que les dieux
5848 Lui avoient donné un fieulx,
Mais plus joye en avoit .x. tans
De ce que né ert en son temps.
Car il avoit grant esperance
5852 Que scïence et amoderance
Apprist de lui, et que son maistre
Fust; si en vauldroit mieulx son estre.
Encore a ce propos recite
5856 Sentorius comment prouffite
Scïence aux princes qui l'apprennent,
Par quoy mieulx scevent s'ilz mesprennent.
De ce dit ou livre nottable
5860 Des *Cesares*, ou maint notable
De leur grant vaillance racompte.
De Julius Cesar nous compte,
Comment de grant estude estoit;
5864 Car toudis scïence acquestoit,
Et du cours du souleil enquist,
Le nombre des mouvemens quist
Et des heures, et le bixeste
5868 Trouva par sa soubtive enqueste;
De maintes scïences fist livres.
Et de son engin tres delivres
Solinus a plain en recite
5872 En son livre de l'excercite
Des merveilles du monde, et la

---

* **5867.** *il y a un blanc entre* des *et* et (*corr. d'apr. ABDEFGL*)

** **5850.** est *G* – **5858.** *manque dans G* – **5860.** ou a maint *EGL* – **5867.** des estoilles et *C*

fut qu'il fît apprendre l'art de la science
à son fils Alexandre,
qui devait lui succéder.
Quand Philippe, qui tenait beaucoup
à l'instruction de son fils,
vit que l'enfant était né,
il prit un messager et l'envoya chez Aristote
avec toute une épître, où il dit
sa grande joie de ce que les dieux
lui avaient donné un fils,
mais aussi sa joie, dix fois plus grande,
que cette naissance ait eut lieu de son temps.
Car Philippe espérait vivement
qu'Aristote deviendrait le maître de son fils,
et lui apprendrait la science et la modération ;
l'enfant en tirerait le plus grand bien.
Toujours à ce propos,
Suétone relate comment les connaissances
profitent aux princes qui les acquièrent,
car elles leur permettent de savoir s'ils se trompent.
Il le dit dans son livre célèbre *Vies des douze Césars*,
où il raconte les effets mémorables
de leur grande valeur.
Il nous conte que Jules César
était un homme de grand savoir ;
il augmentait sans cesse ses connaissances,
s'informant du cours du soleil,
cherchant le nombre de ses mouvements
et divisant le temps en heures ;
au cours d'une recherche ingénieuse, il définit
[l'année bissextile ;
il fit des livres touchant à plusieurs sciences.
Solin fait souvent mention[1]
de sa vive intelligence
dans son traité
sur les merveilles du monde,

---

1. Solin (Gaius Julius Solinus) : IIIe siècle apr. J.-C. Auteur du *Collectanea rerum memorabilium*, compilation géographique accompagnée d'un commentaire sur les origines, l'histoire, et les coutumes de différents pays du monde.

Dit que oncques homme ne parla
Plus bel ne plus hastivement,
5876 Ne dicta plus soubtivement,
Ne plus prompt a conseil ne a faire *[216rb]*
Chose prudent et neccessaire.
Et dit qu'aucune fois estoit
5880 Que bien .iiii. paires dictoit
De letres de plusieurs matieres
A diverses gens, et entieres
Devant lui les faisoit escripre
5884 Sanz qu'il eust en nulle a redire.
¶ Sezoneus dit au propos
De Theodoze, qui repos
Avoit petit ; ainçois de jours,
5888 Aux armes entendoit tousjours
Et au gouvernement publique,
Et de nuit a l'estude, si que
Oyseuse ensement eschevoit.
5892 Et pour tant, s'ainsi lui plaisoit
La nuit a l'estude veiller,
Ja ses gens n'en feist traveiller ;
Ainçois ce tres noble empereur,
5896 Qui tant fu vaillant conquereur,
Tout seullet a une lumiere
Estudioit en tel maniere.
¶ De Charles Maine les histoires
5900 Comptent, autentiques et voires,
Comment estudïent estoit
Es ars liberaulx, et metoit
En ses palais en escriptures
5904 Moult noblement les pourtraitures
Des scïences ; et pour l'amour
Qu'ot a scïence sans demour
L'université fist de Romme

---

* **5877.** affaire (*corr. d'apr. ACEGL*)

** **5876.** Ne ditta ne plus *DEFGL* – **5877.** n'afaire *F* affaire *BD* – **5879.** dist *DEFGL* – **5881.** manieres *CEGL*

où il dit que jamais homme ne parla
avec plus de style et d'ardeur,
ne dicta avec plus de subtilité,
ne conseilla plus promptement,
et n'agit, toujours en temps utile, avec plus de prudence.
Il dit encore qu'il arrivait parfois
que Jules César dictât quatre paires de lettres
sur des sujets variés
et à des gens différents ;
il les faisait écrire devant lui en entier,
sans qu'il y eût le moindre mot à y reprendre.
Sozomène raconte
à propos de Théodose[1]
qu'il prenait peu de repos :
le jour, il s'occupait d'armes
et de gouvernement,
et la nuit, il se mettait à l'étude.
Ainsi évitait-il l'oisiveté.
Pourtant, s'il avait plaisir
à passer la nuit à l'étude,
il ne demandait pas à ses gens de veiller avec lui ;
cet empereur très noble,
ce vaillant conquérant,
étudiait tout seul dans son coin,
avec une lumière pour toute compagnie.
De Charlemagne[2], les histoires
rapportent fidèlement
qu'il étudiait
les arts libéraux,
et mettait dans les cabinets d'études
de ses palais
de nobles portraits des sciences[3].
Son amour du savoir le poussa également
à faire venir l'université

---

1. Théodose II, petit fils de Théodose Ier le Grand. Voir la note au vers 5611. – **2.** Charlemagne : 742-814. Roi des Francs, des Lombards, et à partir de 800, empereur d'Occident ; il était en effet ami de la science et encouragea la production et la diffusion de textes. – **3.** C'est-à-dire, des personnifications ; les sciences en tant que déesses.

5908 Venir a Paris, et grant somme
De previleges leur donna,
Et ainsi clergie amena
A Paris et le noble estude
5912 Des clercs par sa solicitude.
¶ Que large et liberal affiere
Estre a prince, de grant maniere
Le *Policratique* el tesmongne,
5916 Qui recite sans grant alongne *[216va]*
Comment Titus li emperiere
Purgia par largece plainiere
La couvoitise que son pere
5920 Avoit eüe trop amere.
Mais la grant liberalité
Du filz en generalité
Le fist estre si renommez,
5924 Que de toutes gens ert clamez
La flour de louange et d'amour,
Ou les delices et l'umour
De la joye d'umain lignage
5928 Faisoient singulier heberge.
Si avoit pensé en son cuer
Q'un jour ne passast a nul fuer
Que aucune chose ne donnast,
5932 Et quiconques lui demandast,
Ja ne s'en alast escondit.
Un jour lui fu de ses gens dit
Pour quoy si large ert de promesse,
5936 Quant sa tres liberal largece
Ne se povoit pas tant estendre
Que l'en peüst tous dons attendre
Quë il promettoit a avoir,
5940 Car il n'avoit pas tant d'avoir

5918. *Les lettres* ia *de* Purgia *doivent être comptées comme une seule syllabe, alors que cette combinaison est normalement disyllabique. Ici, le* i *palatalise le* g, *de telle sorte que* gi *équivaut à une consonne*

5909. lui donna *EFGL* – **5915.** Le Policratique tesmoingne *EGL* – **5938.** tous deux *G*

de Rome à Paris ;
il lui accorda nombre de privilèges,
et amena ainsi à Paris,
par sa sollicitude,
la science et les nobles études des savants.
La générosité, la libéralité
conviennent au prince ;
le *Policraticus* en fait grand cas,
contant sans détours
comment l'empereur Titus[1]
purgea par une largesse parfaite
l'avidité
qui avait empoisonné son père.
La grande libéralité
du fils
lui valut une telle renommée
que tous le proclamèrent
la fleur de la gloire et de l'amour,
où les délices et l'amour
de la joie humaine
logeaient en un accord unique.
Son idée la plus chère
était de ne pas passer une journée
sans donner quelque chose ;
quiconque lui faisait une requête
ne pouvait essuyer de refus.
Un jour, ses gens lui demandèrent
pourquoi il faisait des promesses si généreuses,
quand sa très grande largesse
ne pouvait pas s'étendre
jusqu'à répondre aux attentes
suscitées par de telles promesses ;
car il n'avait pas autant de richesses

1. Titus (Titus Flavius Sabinus Vespasianus) : 40 ou 41-81 apr. J.-C. Fils de Vespasien. Christine donne elle-même des références plus précises au *Policraticus* (livre III, ch. 14) lorsqu'elle reprend cet exemple dans le *Livre du corps de policie*, I.14.

Com de donner vouloir avoit.
Il respondi que homs ne devoit
Se partir devant la presence
5944 De prince, sans aucune aysance
De bon fait ou de reconfort
Ou de bonne esperance au fort.
Une fois au soupper assis
5948 Estoit ce prince moult pensifs.
On lui demanda qu'il avoit;
Il respondi que estre devoit
Dolent et triste de pensee,
5952 Quant la journee estoit passee
Ou il n'avoit fait aucun don,
Et pour ce estoit pensif adon.
A ce propos fait mencion *[216vb]*
5956 Ou dit *De Consolacion*
¶ Böece, qui dit que largece,
Assise ou cuer plain de noblece
Du prince, le fait reluisant
5960 Au monde et a tous deduisant.
Et tel largece si doit tendre
A diverses choses s'estendre;
C'est a savoir en dons donnant
5964 Et en meffais tost pardonnant,
Joyeusement tous recevoir
Et prestement faire devoir
D'acomplir les expedians
5968 Choses, estre a tous audians.
¶ Au propos Seneque recite
Ou livre *De Clemence* escripte
Que le prince liberal n'est
5972 Qui de l'autrui donne et revest,
Mais cellui est vray liberal
Qui restraint son estat rural
Affin qu'a autre puist donner.

---

* **5948.** moult assis pensifs (*mais* assis *est barré*) – **5975.** que autre (*corr. d'apr. CEFGL*)

** **5948.** Estoit et p. *G* – **5958.** cuer de *C* en cuer *BEFGL* –

que de désir d'en distribuer.
Il expliqua que personne
ne devait quitter un prince,
sans ressentir, à la fin,
le bénéfice d'un bienfait,
d'un réconfort, ou d'un espoir.
Un jour au souper,
le prince se montra bien pensif.
On lui demanda ce qu'il avait ;
il répondit qu'il devait être malheureux
et avoir des pensées tristes
quand la journée était passée
sans qu'il fît de don ;
c'était cela qui le chagrinait.
  Dans sa *Consolation*,
Boèce mentionne à ce propos
que la générosité
enracinée dans le cœur très noble du prince
le fait resplendir aux yeux du monde
et réjouit les gens.
Cette générosité, on doit viser
à l'étendre dans divers domaines :
en faisant des dons,
en étant prompt à pardonner,
en recevant tout le monde joyeusement,
en faisant prestement son devoir
pour accomplir le nécessaire,
et en traitant tout un chacun avec considération.
  Sénèque écrit à ce même sujet
dans son livre *De la clémence*[1]
que le prince qui accorde les biens d'autrui
n'est pas libéral ;
la vraie générosité
consiste à restreindre ses propres dépenses
afin de pouvoir donner aux autres[2].

5964. meffais tout *C* – **5966.** Et justement faire *D* – **5974.** estraint *C* – **5975.** que autre *ABD*

---

1. *De clementia.* – 2. Voir le même exemple dans *Les fais et bonnes meurs*, livre 1, ch. 35.

5976 Et tel largece ramener
Peut a amour non seulement
Les privez, mais pareillement
Les estranges ou ennemis
5980 Faire convertir en amis.
¶ Valere de ceulx de Cartage
Compte, qui vindrent en message
A Romme pour leurs prisonniers
5984 Avoir, dont orent grans deniers
Apportez ; mais sans riens en prendre,
Les Rommains leur voldrent tous rendre.
La courtoisie leur valu
5988 Plus que se l'or eussent voulu,
Car pour le grant bien qu'ilz en dirent
Maint paÿs a eulx se rendirent.
¶ Que prince se doye fiable
5992 Monstrer, privé et agreable
A ses gens et grans et petis,
Dit Thule el poete soubtilz *[217ra]*
En son livre *Des Benefices*
5996 *Ou des imperiaulx offices* :
Que le hault prince plus demonstre
Son liberal cuer quant se monstre
Privé et doulx entre sa gent,
6000 Que se or leur donnoit ou argent.
¶ Au propos dit de l'onorable
Vertu de l'empereur louable
Trayan que une fois ses amis
6004 Si l'orent a question mis
Pour quoy se rendoit si commun
Et familïer a chacun,
Comme a lui il appartenist
6008 Que plus fierement se tenist.

---

* **5978.** Les princes (*corr. d'apr. ABCDEFGL*) – **5986.** tendre (*corr. d'apr. ABCDEFGL*) – **6001.** de *est un rajout*

** **5984.** Ravoir *EGL* – **5986.** les vouldrent *B* – **5989.** qu'il *D* – **5994.** Tulle ce poete *EGL* – **5998.** Liberalité quant *ABCDEFGL* – **6006.** a ung chascun *EGL*

Une telle largesse peut non seulement
ranimer l'amour des familiers,
mais aussi changer
les inconnus et les ennemis
en amis.
Valère conte que les Carthaginois[1]
envoyèrent des messagers à Rome
pour reprendre leurs prisonniers ;
à cette fin, ils avaient apporté beaucoup d'argent.
Mais les Romains n'en voulurent nullement,
et rendirent tout le monde sans rien accepter.
Cette courtoisie leur valut
plus que n'aurait fait de l'or,
car les Carthaginois dirent d'eux tant de bien
que de nombreux pays se rendirent à Rome.
Que le prince doit se montrer
fiable, familier et agréable avec ses gens,
quel que soit leur rang,
l'excellent Cicéron le dit
dans son livre *Des bénéfices*
ou des offices impériaux :
le grand prince fait preuve
de plus de libéralité
lorsqu'il est familier et doux
que quand il donne de l'or ou de l'argent.
Cicéron poursuit son propos
en parlant de la vertu honorable de Trajan[2],
empereur digne d'éloges,
à qui ses amis demandèrent une fois
pourquoi il se comportait si familièrement
avec tout le monde
quand il lui était loisible
de se montrer plus hautain.

---

1. Lechat cite comme source de cet exemple le livre V, ch. 1 du Valère français. – **2.** Quelle est la source de la confusion dans cet exemple ? Car Cicéron a vécu au Ier siècle avant notre ère, et Trajan fut empereur de 98 à 117 apr. J.-C.

Il respondi que estre vouloit
Tel empereur comme il faloit
Selon le desir de trestous ;
6012 Si vouldroit bien complaire a tous.
¶ Solinus au propos redit
De Julius Cesar, et dit
Que si benigne et si privé
6016 Estoit a toutes gens trouvé,
Qu'a ceulx qu'il avoit surmonté
Par force d'armes la bonté
De sa benignité plaisoit,
6020 Qui de tous amer le faisoit.
¶ Qu'atrempé et pacïent estre
Doye le prince et le grant maistre,
Seneque dit ou premier livre
6024 De *Clemence*, et sagement vivre.
En parlant aux princes recite
Ceste parole cy escripte :
"Tu ne peus, ce dist il, parler
6028 Que chacun n'oye ton parler ;
Ayrer ne te peus nullement
Que chacun ne voye comment
Tu es de discordant maniere ;
6032 Chacun prent garde a ta maniere."
Et comme il soit doncques ainsi *[217rb]*
Que le prince ne se puist si
Mussier que les yeulx de chacun
6036 Ne l'esgardent, lui qui n'est que un
Seul garder doit songneusement
D'avoir en lui nul mouvement
Descordant du point de raison
6040 Qui face changier sa façon.
¶ Ancor Seneque ramentoit
De la constance qui estoit
Et merveilleuse pacïence,

---

* **6033.** *La première lettre du vers était* C ; *le premier mot,* Comme ; *on a transformé le* C *en* E *et rajouté un* t *pour faire* Et comme

---

** **6011.** le vouloir de *EGL* – **6013.** propos si dit *ABF* – **6017.** Que

Il répondit que comme il voulait
être un empereur
selon le désir de chacun,
il souhaitait complaire à tous.
Solin reparle à ce sujet
de Jules César,
disant qu'il était si aimable et amical
avec tous les gens qu'il rencontrait,
que même ceux qu'il avait vaincus
par la force des armes
étaient sensibles à la bonté
qui le faisait universellement aimer.
La modération, la patience, et la sage conduite de
[sa vie
sont capitales chez le prince et le grand maître ;
Sénèque le dit au premier livre
de *La Clémence*.
Il s'adresse aux princes
en disant ce qui suit :
Tu ne peux parler, dit-il
sans que l'on t'entende,
ni te mettre en colère
sans que l'on voie
ta violence ;
tu es observé de tous.
Et comme il en est ainsi,
que le prince ne peut tant se cacher
que les yeux de chacun ne le regardent,
lui, unique en son genre,
doit se garder soigneusement
d'avoir le moindre mouvement d'humeur
qui l'écarte de la raison
et affecte sa façon d'être.
Sénèque rappelle encore
la constance,
la patience extraordinaire,

---

ceulx *G* – **6034.** ne se peut *D* – **6036.** Nel regardent *ABDF* Ne regardent *EGL* – **6037.** Seul doit garder *A* Seul garder et doit *F* Seul garder se doit *EGL*

6044 Vertu et parfaicte escïence
Ou roy nommé Anthiocus,
Que quant par lonc siege ot vaincus
Les chevaliers d'un chastel, qui
6048 Fu pris par force, et les vainqui
Par famine, et yceulx l'avoient
Moult injurié et trouvoient
Reprouches laides et vilaines
6052 Qu'ilz crioient a grans aleines
D'en hault du chastel sus les murs ;
Mais lui qui ert constans et surs,
Oncques de rien ne fu esmeu
6056 Në a s'en venger plus meü.
Ains dit que plus avoit puissance
De souffrir que eulx n'orent licence
De mesdire, et que tel seigneur
6060 Leur ot besoing et non greigneur.
Et furent ses chevaliers fais ;
Si leur pardonna leur meffais.
¶ Infinis exemples pourroie
6064 Dire au propos, mais j'anuyeroye,
Des meurs que les nobles avoir
Doivent s'ilz veulent recevoir
De laurier couronne d'onneur,
6068 Ou soit prince ou autre meneur
Qui desire los de noblece.
¶ Ma dame, tres haulte princesse,
Vous savez bien, n'en faut tant dire,
6072 Que tel prince doit on eslire *[217va]*
Qui soit rampli de grans vertus,
Et fust ores moins preux qu'Artus,
Si en faites tant que vo court,
6076 Ou droiture et equité court,

---

* **6045.** Du roy *EG* – **6049.** Et par famine F – **6053.** Ou hault du *L* Du hault du *EG* – **6054.** qui fu *EFGL* – **6055.** riens n'en fu *ABCEFGL* – **6056.** a son *FG* – **6057.** dist *CDEFGL* – **6058.** n'eurent de licence *G* – **6060.** Leur estoit besoing non *EFGL* – **6061-2.** *intervertis dans ABCDEFGL* – **6061.** leurs *E* – **6063.** exemples je pourroie *D* – **6069.** Qui vueille avoir *EFGL* – **6071.** tout dire *EGL* – **6073.** grant *C* – **6075.** Et en *G*

la vertu et l'intelligence parfaite
du roi nommé Antiochus[1],
qui, lorsqu'il vainquit les chevaliers d'un château
après un long siège,
prenant la place par la force
et les hommes par la famine,
se vit violemment injurier ;
les chevaliers inventaient de vilains reproches
qu'ils lui criaient à tue-tête
du haut du château.
Mais lui qui était constant et sûr
ne s'émut de rien
et ne songea pas à s'en venger.
Il préféra remarquer qu'il avait davantage le pouvoir
qu'eux n'avaient la liberté de médire, [de tolérer
et qu'il leur fallait un seigneur comme lui,
et non pas un qui fût plus que lui pénétré de sa
Il leur pardonna donc leurs méfaits [grandeur.
et les fit ses chevaliers.

Si je ne risquais pas d'ennuyer,
je pourrais citer d'infinis exemples
des mœurs que les nobles doivent avoir
s'ils veulent recevoir
les lauriers de la couronne d'honneur,
qu'ils soient princes ou d'un rang inférieur
du moment qu'ils recherchent la gloire de la noblesse.

Ma dame, très haute princesse,
vous savez sans que je le dise
que l'on doit élire un prince
rempli de grandes vertus
quitte à ce que, de nos jours, il soit moins preux
Faites donc en sorte que votre cour, [qu'Arthur[2].
où règnent la justice et l'équité,

---

1. Antiochus III le Grand : v. 242-187 av. J.-C. Roi de Syrie, conseillé par Hannibal dans ses combats contre les Romains. – **2.** Arthur : roi breton semi-légendaire du VIe siècle, personnage central d'un immense cycle de romans.

En soit louee a tousjours mais;
De moy taire est temps desormais.»
¶ Atant se tut, plus ne parla,
6080 Mais grant murmure sourdi la,
Car les autres .iii. grans princesses,
Qui moult furent poissans maistresses,
Sagece vouldrent contredire;
6084 Leurs raisons en pristrent a dire
Devant Raison, et ot chacune
De son costé moult grant commune,
Dont la court fu toute estourmie.
6088 Dist Raison: «Ainsi n'ira mie
D'eslire prince a voulenté,
Car nous sommes entalenté
D'eslire le plus couvenable,
6092 Qui qu'il soit ou non agreable.
Si fault ouÿr nostre conseil,
Et ce qu'il dira, je conseil.
Qu'il soit tenus sans arrestance,
6096 Car a leur dit donray sentence.
Nous avons ouÿ les parties,
Or fault bien notter: Les parties
Des raisons qui cy proposees
6100 Nous ont esté, soient pesees
Par mon conseil, qui ordener
Bien en sara et dicerner
Tel droit comme il y peut avoir.
6104 Or sus! Chacun die le voir
A son avis de qui doit mieulx
Estre eslevé dessoubs les cieulx
De ces .iiii., com vous avez
6108 Ycy ouÿ, et le savez.»

---

* **6081.** Et les (*leçon d'apr. ABCDEFGL*)

** **6086.** grant murmure *D* – **6088.** ne fault mie *EFGL* – **6089.** Eslire *EFGL* – **6098.** Si fault *A* – **6102.** En saura bien *EGL* – **6103.** ils pevent avoit *AB* – **6108.** et les savez *AB*

soit à tout jamais louée pour son choix.
À présent il est temps que je me taise[1]. »
Alors elle se tut et ne dit plus un mot ;
mais un murmure soutenu s'éleva de la cour
car les trois autres grandes princesses,
des altesses fort puissantes,
voulaient contredire Sagesse.
Elles se mirent à exposer leurs pensées
devant Raison, et chacune eut de son côté
quantité de petites gens,
ce qui mit la cour en ébullition.
Raison dit : « Cela n'ira pas
d'élire un prince selon vos volontés,
car nous sommes désireux
d'élire celui qui convient le mieux
sans égard à votre plaisir personnel.
Il faut donc entendre notre conseil ;
je souscrirai à ce qu'il dira.
Qu'il soit tenu sans délai,
car je prononcerai selon sa recommandation.
Nous avons écouté toutes les parties ;
maintenant, prenons note : les points abordés
dans les plaidoiries qui nous ont été proposées
doivent être pesés par mon conseil,
qui saura bien les hiérarchiser
et discerner
la part de justesse dans chacun.
Eh bien ! Que chacun dise le fond de sa pensée :
qui mérite le plus
d'être élevé au suprême honneur terrestre
de ces quatre, selon ce que vous avez
entendu ici et ce que vous savez ? »

---

1. Dame Sagesse parle sans discontinuer depuis le vers 4083 !

COMMENT LA PLAIDOIERIE FU DEPARTIE ET CONCLUSE

Pour venir a conclusion *[217vb]*
Brieve, sans grant narracion
Diray comme ilz s'en departirent,
6112 Sans recorder tout quanque ilz dirent,
Qui lonc seroit a desrener.
¶ Longuement le procés mener
Y vi, ou mainte raison ot
6116 Dite, et alegué maint beau mot.
Mais selon qu'il me fu avis,
Toutes les .iiii. en ce parvis
Avoient affinité grant;
6120 Et quoy que Raison fust engrant
Que la cause fust mise a chief,
Ne la povent mettre a eschef
Le conseil, ne la parfiner,
6124 Et de la cause terminer
Reculoient, ce me fu vis,
Dont je vy bien a leur devis
Qu'a l'une ne vouloient plaire
6128 Pour a l'autre dame desplaire,
Combien qu'a la fin couvenist,
S'aultre remede n'y venist,
Que sans flechir le voir en deissent.
6132 Car a nullui tort ne feïssent
Pour tout l'avoir qui est ou monde,
Tant est de tort celle court monde,
Mais bien voulsissent que remise
6136 Fust la cause, ou autre part mise.
Si dura ainsi longuement
En suspans cellui jugement,
Tant que un vaillant docteur et sage

** **Rubrique** : *seul le ms. R comporte une rubrique à cet endroit* – **6111.** comment ilz *F* comment s'en *EGL* – **6112.** tout tant qu'ilz *G* – **6122.** povoit *EFGL* – **6131.** le voir deissent *EGL*

COMMENT ON RENONÇA AU DÉBAT, ET QUELLE EN FUT LA CONCLUSION

Pour conclure brièvement,
sans longue narration,
je dirai comment ils prirent congé
sans inscrire tout ce qu'ils dirent,
car ce serait long à rapporter.
Je vis le procès se prolonger ;
on exposa de nombreux arguments
qu'on appuya de beaucoup de belles phrases.
Mais à ce que je voyais
les quatre dames de la place
avaient toutes de nombreux partisans
et, bien que Raison fût désireuse
de conclure le cas,
le conseil n'arrivait pas
à trancher,
et il me semblait qu'il reculait
devant la décision finale.
Je vis bien à leurs délibérations
qu'ils ne voulaient pas plaire à l'une des dames
pour déplaire à l'autre,
quoiqu'ils convinrent à la fin
qu'en l'absence d'une autre solution
ils devaient dire la vérité sans fléchir.
Pour rien au monde ils n'auraient voulu
faire du tort à quelqu'un,
tant cette court est exempte de toute injustice ;
mais ils voulaient bien que la cause fût remise,
ou décidée ailleurs.

Le jugement demeura ainsi
longtemps en suspens,
jusqu'à ce qu'un savant vertueux et sage

6140 Se leva, et par beau lengage
Commença ainsi sa raison:
«Tres haulte princesse Raison,
La gouvernerresse des cieulx,
6144 Soubs vostre correction mieulx
Ay pensé pour le bon accort
De vostre court, qui en descort
Est a present; s'en suy creü,
6148 De faveur ne sera mescreu *[218ra]*
Vostre conseil, et mon avis
Diray. Ma dame, jadis vis
En ceste place mesmement
6152 Un grant debat sourdre; comment
Cë avint est assez nottoire,
Car le racompte mainte histoire:
¶ De Thetis et de Pelleüs
6156 Dont Achilles fu conceüs,
Les noces furent ordenees
Es places ou les Destinees
Ont leurs sieges, et tous les dieux
6160 Ancïens y vindrent des cieulx.
¶ Les .iii. deesses quë on prise
Avoient une table prise;
Ce fu Pallas, Juno, Venus.
6164 Assis furent tous les venus,
Ou il ot moult belle assemblee
Et mainte royale tablee
Au disner par bonne concorde.
6168 Mais la deese de discorde
N'y fu semonce; et pour ce y vint
Sans mander, et bien son lieu tint,
Car y servi de son mestier,
6172 Tout n'i eust elle ja mestier.

** **6152.** sourde *B* – **6161.** l'on *ABCDEFGL*

---

1. Achille: prototype de la valeur et de la beauté masculines, héros de l'*Iliade* d'Homère. Fils du roi des Myrmidons, Pélée, et de la déesse marine Thétis. – **2.** On se rappelle que les quatre dames allégoriques du débat se nomment «Influences» ou «Destinées». – **3.** Représentant, dans l'ordre, la sagesse, l'action, et l'amour. Voir

se levât et, en termes choisis,
commençât son discours :
« Très haute princesse Raison,
maîtresse des cieux,
sous votre conduite j'ai mieux délibéré
comment obtenir l'harmonie dans votre cour,
où il existe à présent un désaccord.
Si vous me faites confiance,
l'on ne soupçonnera pas votre conseil
de favoritisme. Voici mon avis :
Ma dame, je vis jadis
en cette même place
sourdre un grand débat ;
l'histoire en est bien connue,
car elle est souvent racontée.
On avait organisé les noces
de Thétis et Pélée
(les futurs parents d'Achille)[1]
dans l'espace où les Destinées[2]
ont maintenant leurs sièges ;
tous les dieux anciens étaient arrivés de leurs cieux.
Les trois déesses que l'on estime le plus,
Pallas, Junon et Vénus[3]
avaient pris place à une table.
Tous les invités étaient assis ;
il y eut une très belle assemblée
avec de nombreuses tablées royales
à ce dîner de douce concorde.
La déesse de la discorde[4]
n'avait pas été invitée ; elle vint donc
sans prévenir, et tint bien sa place,
car elle y servit un plat de sa façon
quoiqu'elle n'eut rien à faire là.

---

les études de Margaret Ehrhart : « Christine de Pizan and the Judgment of Paris », dans Jane Chance, éd., *The Mythographic Art : Classical Fable and the Rise of the Vernacular in Early France and England*, Gainesville, FL : University of Florida Press, 1990, 125-156 ; et *The Judgment of the Trojan Prince Paris in Medieval Literature*, Philadelphie : University of Pennsylvania Press, 1987. Voir aussi Blumenfeld-Kosinski, *Reading Myth*, 175-6. – **4.** C'est-à-dire Éris.

Une pomme d'or sus la table
Des .iii. deesses moult notable
Gita. Escript avoit en celle:
6176 "Donnee soye a la plus belle."
Grant debat sourdi pour ce fait,
Car chacune disoit de fait
Que, par droit, la devoit avoir.
6180 Pour jugement de ce savoir,
Devant Jupiter sont venues
Les .iii. dames, qui soustenues
Ont leurs raisons, disant chascune
6184 Que mieulx lui affiert que a nesune.
Grant debat ot devant les dieux
Pour ce fait. Au derrain fu tieulx
Leur accort: pour le mal talant *[218rb]*
6188 N'avoir de nulle, a l'excellant
Berger de Troye ilz soubmistrent
Le jugement, sur lui et mistrent;
Les dames en furent d'acort.
6192 Mercurïus, qui leur descort
Sot, les deesses y mena,
Et Paris en determina,
Qui lors ert berger mescongneu.
6196 Et quant le cas ot congneü,
A Venus la pomme donna,
Qui de l'avoir moult se pena.
¶ Ainsi, s'a mon conseil en faites,
6200 Tout ce grant debat ou vous estes
Sera commis, soit lonc ou court,
Sus jugement d'aucune court
Noble et haulte et de sens garnie,
6204 La jus ou monde, et deffinie

---

* **6179.** devoye (*corr. d'apr. ABCDEFGL*)

** **6174.** Des .iiii. *EG* – **6184.** leur affiert *EGL* – **6189.** ilz se s. *F* – **6190.** Leur jugement *D* sur lui s'en m. *EFGL*

---

1. Jupiter: déité suprême de la mythologie antique. – **2.** Berger de Troie: c'est-à-dire, Pâris, fils du roi Priam, qui, par le rapt

Elle jeta une pomme d'or
sur la table des trois grandes déesses.
On y lisait l'inscription
"Que je sois donnée à la plus belle."
Un vif débat s'éleva à ce sujet,
car chacune disait bien haut
que la pomme lui revenait de droit.
Pour obtenir un arbitrage,
les trois dames vinrent devant Jupiter[1];
chacune soutint
son point de vue, disant que la pomme
devait lui échoir plus qu'à aucune autre.
S'ensuivit un grand débat devant les dieux,
qui se conclut sur l'accord suivant :
pour n'exciter la colère de personne,
ils soumettraient la question
au jugement de l'excellent berger de Troie[2],
et s'en remettraient à son arbitrage.
Les dames furent d'accord.
Mercure[3], qui connaissait leur querelle,
mena les déesses devant Pâris,
(alors un berger inconnu),
pour entendre sa décision.
Quand il eut pris connaissance de la cause
il donna la pomme à Vénus,
qui l'emporta de haute lutte.

Ainsi, si vous suivez mon conseil,
tout ce grand débat où vous vous trouvez engagés
sera confié, sous forme complète ou abrégée,
au jugement de quelque cour
noble et pleine de bon sens
là-bas, dans le monde,

---

d'Hélène, causera la Guerre de Troie. – **3.** Mercure : dieu de la science et du commerce ; mais, plus important ici pour le rôle que Christine va se voir confier, est le fait que Mercure est l'archétype du messager. Renate Blumenfeld-Kosinski souligne que Mercure peut aussi représenter l'éloquence, et fait remarquer que, de même que Mercure conduisit les déesses devant Pâris, Christine va référer du débat céleste aux princes français. Voir *Reading Myth*, 194, 200.

Soit la cause par jugement
De nottables. Mais sagement
Couvient viser en quel contree,
6208 Et ou il ait gens plus lettree,
Et qui de droit ayent appris
A user, et soient appris
De grans causes determiner –
6212 Se l'en peut de tel court finer.
Jadis en Grece et a Athenes
Fu la fleur des choses certenes
Que clergie apprent et recorde.
6216 A Romme aprés, bien m'en recorde,
Usoient les Rommains de droit,
Mais tout est failli orendroit.
Et se bon mon conseil vous semble,
6220 Aviser povez tous ensemble
En quel lieu du monde asseoir,
Et ou mieulx il pourra seoir
Pourrés ce debat pour juger
6224 Le droit ; y visez sans targer
Selon voz grans discrecions. »
¶ Atant se tut li sages homs, [218va]
Qui maistre Avis fu appellé
6228 Et d'un abit fu affublez
Tel qu'il affiert a avocas.
Raison et son conseil le cas
Aviserent en tous endrois ;
6232 Aleguez furent moult de drois
La endroit, mais a la parfin
Distrent que maistre Avis affin
De paix leur a ce conseillé ;
6236 Si ne doit pas estre exillé
Son conseil, qui est moult louable
Et en maint cas propre et valable.
A brief parler, fu recordé
6240 Au mieulx et entr'eulx accordé,

---

* **6218.** *Dans R, on lit :* est failli de droit, *mais* de droit *est barré et remplacé par* orendroit

et le cas sera tranché par le jugement
de personnes dignes. Mais il convient d'aviser
prudemment au choix du pays :
celui où les gens sont le plus lettrés,
où ils ont appris à user
du droit et à décider
des causes importantes –
si l'on peut trouver une telle cour.
Jadis en Grèce, à Athènes
fleurissaient les sciences
que les savants apprennent et transmettent.
Plus tard, à Rome – je m'en souviens très bien –
les Latins savaient leur droit ;
mais tout cela est bien fini maintenant.
Si mon conseil vous semble bon,
vous pouvez aviser tous ensemble
quel lieu au monde conviendrait le mieux
pour recevoir ce débat
et le juger justement ;
pensez-y sans tarder,
en faisant appel à votre bon sens. »
Alors l'homme sage se tut ;
c'était maître Avis,
affublé d'un habit
comme en portent les avocats.
Raison et son conseil
examinèrent le cas sous tous les angles ;
et avancèrent bien des arguments justes,
mais à la fin ils dirent
que maître Avis avait parlé
pour encourager la paix ;
on ne devait donc pas écarter son conseil,
qui était souvent louable,
juste et précieux.
Bref, on regarda au mieux,
et toutes les parties

** **6209.** de tort aient *CD* – **6213.** et Athenes *D* – **6218.** Mais tant *EGL* – **6222.** il *manque C* – **6224.** visez y *ABCDEFGL* – **6239.** regardé *ABEFGL* – **6240.** Entr'eulx et au mieux *A*

Au gré de toutes les parties
Qui a ce se sont consenties,
Qu'en terre le debat commis
6244 A juger seroit, et remis
A la sentence des humains.
Mais bien leur fault viser au mains
¶ A quel court ilz s'en sommettront,
6248 Et en quieulx mains ilz se mettront.
La furent toutes devisees
Les cours du monde, et avisees
Leurs coustumes et tous leurs drois.
6252 Il n'est royaume en nulx endrois
Du siecle qui ramenteü
N'ait la esté, et bien veü
De quel droit on y seult user.
6256 Maint en y ouÿ reffuser,
Mais quant bien orent regardé
Par tout, a la fin accordé
Se sont par communal acort
6260 Quë ilz s'en mettront au recort
Des princes françois, dont la court
Est souveraine, et de qui court
Le renom par l'univers monde
6264 De sens, d'onneur et de faconde,
De franchise, de grant noblece. *[218vb]*
Et de ce fu d'acort Sagece,
Aussi les autres ensement,
6268 Et Raison le volt mesmement.
Ainsi a ce conseil conclurent,
Mais en trop grant pensee furent
Par quel moyen envoyeroient
6272 Le proces, et savoir feroient
Aux diz princes cellui descort
Pour les parties en accort
Mettre par loyale sentence.
6276 Et ainsi comme en celle tence

** **6244.** Seroit a jugier *EGL* – **6247.** se soumettront *DEGL* – **6248.** *Dans L, ce vers est copié deux fois de suite* – **6252.** en touz endrois *DEGL* – **6255.** y scet user *EGL* – **6256.** y *manque F* – **6257.** quant

s'accordèrent pour dire
qu'elles consentiraient
à envoyer le débat sur terre
et à en confier le jugement
à des humains.
  Mais ils doivent au moins s'aviser
de la cour où ils le soumettront ;
entre quelles mains se placeront-ils ?
Ils discutèrent
de toutes les cours du monde,
et considérèrent leurs lois et coutumes.
Il n'est royaume au monde
qu'on oublia ce jour-là,
et on étudia bien
quel droit avait cours dans chacun.
J'en vis refuser beaucoup,
mais lorsqu'ils eurent bien regardé partout,
ils décidèrent
d'un commun accord
qu'ils s'en remettraient au jugement
des princes français,
dont la cour est souveraine
et le renom court par le monde entier,
tant sont grands leurs sagesse, honneur et éloquence,
leur noblesse de caractère et leur dignité.
Sagesse était d'accord,
et les autres aussi ;
Raison y consentit également.
  Sur ce, ils mirent fin au conseil,
mais ils étaient encore préoccupés
par le moyen d'envoyer le procès sur terre
et faire connaître la querelle
aux dits princes
afin qu'ils mettent les parties d'accord
par un jugement équitable.
  Pendant qu'ils se disputaient

---

orent bien *D* – **6260.** mettroient *B* – **6265.** franchise et de *EGL* – **6275.** par louable s. *C*

Estoient d'aviser message
Couvenable, stilé et sage,

COMMENT LA ROYNE RAISON COMMIST A CRISTINE DE RAPORTER AUX PRINCES FRANÇOIS LA DICTE PLAIDOIERIE

Sebille, ma maistrece, dont
6280 Fus conduite, s'avance adont
Et devant Raison se presente.
Si ne fu de parler laisante,
Ains dit: « Ma dame redoubtee,
6284 J'ay diligemment escoutee
La cause en present playdoyee,
Et vers vous me suis avoyee
Pour vous anoncier tel personne
6288 Qui sera couvenable et bonne [219ra]
Pour vo message parfournir;
S'a lui vous en voulez tenir,
Croyez qu'elle n'y fauldra point.
6292 Et si vient droitement a point,
Car en France demeure celle
Qui est de nostre escolle ancelle,
Et moult jeunette y fu menee,
6296 Combien que comme moy fust nee
En Ytale, en cité amee
Ou mainte gallee est armee. »
¶ Ainsi Sebile qui fu la
6300 Sienne merci de moy parla,
Et plus louange qu'il n'affiert
En dist, et le cas comment c'yert

* **6295.** fus (*corr. d'apr. ABCDFL*)

** **Rubrique** : *seul le ms. R comporte une rubrique à cet endroit* – **6279.** maistresse et d. *ABCDFGL* – **6280.** s'avança *F* 6283 dist *CDFGL* – **6299.** Ainsi de Sebile *GL* – **6302.** comment yert *B* comme s'iert *F* et comment le cas s'iert *G*

pour désigner un bon messager,
quelqu'un de sage et qui s'exprimerait bien,

COMMENT LA REINE RAISON CONFIA À CHRISTINE LA TÂCHE DE RAPPORTER LE DÉBAT AUX PRINCES FRANÇAIS

Sibylle, ma maîtresse,
qui m'avait conduite jusque-là,
s'avança et se présenta devant Raison.
Elle n'hésita pas à prendre la parole,
au contraire elle déclara : « Dame redoutée.
j'ai diligemment écouté
le plaidoyer du présent cas ;
et je suis venue devant vous
pour vous proposer une personne
qui conviendrait parfaitement
pour exécuter la tâche de messager.
Si vous voulez bien vous fier à elle,
croyez qu'elle ne vous décevra pas.
Elle vient d'ailleurs au bon moment,
car elle habite en France, cette femme,
disciple de notre école ;
on l'y emmena toute jeunette,
alors que, comme moi, elle naquit
en Italie, dans la ville bien aimée
où l'on arme tant de navires[1]. »
Ainsi Sibylle, dans sa grande bonté,
parla de moi,
me faisant plus de louanges qu'il ne fallait.
Elle expliqua aussi comment

1. C'est-à-dire Venise, république maritime où Christine de Pizan naquit en effet.

Que la endroit estoie alee,
6304 Et com la terre grant et lee
Jë avoie toute passee,
Sans en estre de riens lassee.
Mes meurs, mon inclinacion,
6308 Tout lui dist, et m'affeccion,
Ne oncques riens ne lui cella.
¶ Et quant Raison ouÿ cela,
Moult lui plot, moult en fu joyeuse.
6312 Et ma maistrece gracieuse
Me signe adont que la alasse,
Et moy qui oncques ne fus lasse
D'a ses bons vouloirs obeïr,
6316 Y alay, desirant d'oÿr
Ce qu'on me vouloit demander,
Et obeïr, se commander
La court quelque riens me vouloit.
6320 Quant je fus la, tant comme il loit
Que Raison face chiere bonne
A si povre ignorant personne
Comme je suis, elle me fist,
6324 Tant que bien et bel me souffist.
Moult m'interrogua, moult m'enquist,
Et maintes sentences m'apprist
Dont a tousjours je vauldray mieulx, *[219rb]*
6328 Se bien les ay devant les yeulx.
¶ Aprés me dist : « Cristine, chere
Amie, qui scïence as chiere,
Tu rapporteras noz debas
6332 Sicom les a oÿs, la bas
Au monde aux grans princes françois ;
Et les nous saluras ainçois,
Puis leur diras de nostre part
6336 Que comme a la souveraine part
Du monde nous leur commettons
Ce debat ; que sur eulx mettons

** **6315.** D'assés *BD* – **6316.** J'alai *B* – **6318.** d'obeir *B* – **6320.** aloit *C* – **6322.** A sa pouvre *D* – **6327.** j'en vauldray *D* – **6330.** Fille qui as scïence *FL* – **6336.** a souveraine *L* – **6338.** qui sus *B*

je me trouvais là,
et comment j'avais parcouru la terre
en long et en large
sans me lasser de rien.
Elle lui dit tout :
mes mœurs, mes goûts et mes sentiments,
sans rien cacher.
Et quand Raison entendit son récit,
il lui fit grandement plaisir ; elle en fut toute joyeuse.
Ma maîtresse gracieuse
me fit signe alors d'approcher.
Et moi, qui n'étais jamais en peine
d'obéir à ses bons vouloirs,
j'y allai, avec le désir d'entendre
ce qu'on voulait me demander,
et d'exécuter toute injonction
que la cour me ferait.
Quand je me trouvai devant Raison,
elle me fit aussi bon visage
qu'il est permis devant une personne
aussi pauvre et ignorante que moi,
si bien que j'en fus parfaitement satisfaite.
Elle m'interrogea longuement, s'informa de moi,
et m'apprit plusieurs formules édifiantes
qui ne cesseront de me rendre meilleure
si je les garde présentes à l'esprit.
Puis elle me dit : « Christine, chère amie,
qui aimes la science,
tu rapporteras nos débats
tels que tu les as entendus,
là-bas, au monde, aux grands princes français.
D'abord tu les salueras de notre part ;
puis tu leur diras
que nous leur confions ce débat
comme à la souveraine part du monde,
et les chargeons

A jugier droicturierement
6340 Le quel doit le gouvernement,
L'onneur et la prerogative
Et louange supellative
Du monde avoir : ou grant noblece,
6344 Ou chevalerie, ou sagece,
Ou grant richece ; et qu'il leur plaise
En jugier quant bien a leur ayse
Et couvenablement enquis
6348 Aront du droit ; et si soit quis
Ainçois qui sache tous les termes
De ce debat bien mettre en termes,
Et par escript tout mettre en ordre
6352 Si bien qu'il n'y ait que remordre. »
¶ Adont respondis que j'avoie
Tout escript quanque en celle voye
J'avoie veu, sceu et trouvé,
6356 Sans y avoir riens controuvé.
Si n'oz pas oublié a mettre
En escript du tout a la letre
Cellui plait, dont le playdoyé
6360 Ne m'avoit de riens anoyé.
¶ De ce me sot elle bon gré,
Et je, pour acquerir degré
Vers elle, de mon sain tray hors
6364 Les escrips du debat de lors.
Les lui monstray pour viseter
Se oster y faloit, n'ajouster, *[219v colonne unique]*
Mais de son bien lui oÿ dire
6368 Qu'il n'y avoit riens a redire,
Et moult s'en tint pour bien contempt.
Si volz prendre congié atant,
Mais ainçois celle me donna
6372 De ses joyaulx, et m'ordonna
Et enchargia que diligent
Fusse ; qu'a la nottable gent

---

* **6374.** Fusse que la nottable (*corr. d'apr. ABCF*)

** **6340.** Lequel doit droitturierement *C ; après ce vers, on a écrit, puis barré,* Lequel doit le gouvernement – **6345.** Ou richece *D* –

de délibérer avec justice
qui doit gouverner
et avoir l'honneur, le pouvoir
et la plus grande gloire
de la terre : ou bien la noblesse,
ou bien la chevalerie, la sagesse ou la richesse.
Qu'il leur plaise d'en juger,
quand à leur aise ils se seront enquis
comme il faut du juste parti ;
mais que l'on s'efforce d'abord
de trouver quelqu'un
qui sache présenter dans l'ordre
et bien mettre par écrit
tous les éléments de ce débat. »

Alors je répondis que j'avais noté
tout ce que j'avais vu, appris et trouvé
le long de mon chemin,
sans ajouts mensongers.
Je n'avais donc pas négligé
de mettre par écrit, mot à mot,
l'ensemble du débat dont l'exposé
ne m'avait pas du tout ennuyée.

Elle me sut gré de ce geste,
et moi, pour mieux entrer dans ses bonnes grâces,
je tirai de mon sein
la transcription du débat.
Je la lui montrai, pour qu'elle voie
s'il fallait y ajouter ou retrancher quelque chose ;
mais je l'entendis estimer
qu'il n'y avait rien à redire,
et qu'elle en était très contente.
Sur ce, je voulus prendre congé,
mais elle me donna d'abord
de ses joyaux, avec une recommandation ;
elle m'ordonna d'être diligente
et d'exposer le cas

6349. Ainçois qu'il *D* – **6357-6398.** *manquent dans D* – **6368.** Que riens n'y avoit a redire *EL* – **6371.** elle me *EL* – **6374.** Feusse que la notable gent *EL*

Esleus juges et avocas
6376 De ce fait monstrasse le cas.
Si lui promis que le feroye
Sans faillir, plus tost que pourroye.
Et la merciay humblement
6380 De ses dons, non d'un seulement,
Mais de plusieurs, et congié pris
D'elle et de celle court de pris,
A qui me recommanday moult.
6384 Sebille ramener me voult
Ainsi comme elle m'ot promis.
A la voye nous sommes mis,
Et par l'eschiele dessendue
6388 Par ou montay suis, que tendue
Encor trouvay. Mais toutevoye
De remercïer en la voye
Ne finoie dame Sebile,
6392 Qui plaisirs m'ot fait plus de mile.
Ja estoye bas desjuchee
Ce me sembloit, quant fus huchee
De la mere qui me porta,
6396 Qu'a l'uys de ma chambre hurta,
Qui de tant gesir s'esmerveille,
Car tart estoit, et je m'esveille.

EXPLICIT LE LIVRE DU CHEMIN DE LONC ESTUDE

** **6379.** Si la *EFL* – **6388.** qui tendue *EFL* – **6392.** fait et plus *C* – **6397.** Qui du gesir tant *EFL* – **Explicit** : Ci fine le livre du chemin de long estude *E*

aux illustres personnes
que l'on avait élues juges et avocats.
Je lui promis de le faire sans faute,
et aussitôt que je pourrais.
Puis je la remerciai humblement,
non d'un seul cadeau,
mais de dons multiples,
et la quittai, elle et sa cour admirable,
à laquelle je me recommandai vivement.
Sibylle voulut me ramener
ainsi qu'elle me l'avait promis.
Nous nous sommes mises en chemin
et je suis descendue par l'échelle
que j'avais gravie à l'aller,
et que je trouvai encore tendue.
Je n'arrêtai pas, en chemin,
de remercier dame Sibylle,
qui m'avait fait découvrir plus de mille plaisirs.
J'étais déjà arrivée en bas,
me semblait-il, quand je m'entendis appelée
par celle qui m'avait portée en son sein
et qui frappait à la porte de ma chambre.
Ma mère s'étonnait que je reste si longtemps au lit,
car il était tard ; je me réveillai.

FIN DU LIVRE DU CHEMIN DE LONGUE ÉTUDE

INDEX

Les chiffres renvoient aux vers. Les rubriques, notées Rub., *portent le numéro du vers qui les suit.*

Table

Composition réalisée par INTERLIGNE

IMPRIMÉ EN FRANCE PAR BRODARD ET TAUPIN
La Flèche (Sarthe).
N° d'imprimeur : 2139 – Dépôt légal Édit. 1663-05/2000
LIBRAIRIE GÉNÉRALE FRANÇAISE - 43, quai de Grenelle - 75015 Paris.
ISBN : 2 - 253 - 06671 - 0

30/4558/0